Kevin Wilson

DE FAMILIE FANG

Uitgeverij De Harmonie Amsterdam

Voor Leigh Anne

Het is grotesk hoe zij nog steeds
houden van ons, wij houden van hen

De brutaliteit, onvoorstelbaar haast,
ons te hebben verwekt. En hoe.

Hun levens: uiteraard
gaan wij het stukken beter doen.

William Meredith, 'ouders'

'Het was niet echt, maar één groot decor, een theatraal decor.'

Dorothy B. Hughes *In a Lonely Place*

proloog

[schuld en boete, 1985
kunstenaars: caleb en camille fang]

Meneer en mevrouw Fang noemden het kunst. Hun kinderen noemden het kattenkwaad. 'Rotzooi trappen en dan gauw weghollen,' zei Annie tegen haar ouders. 'Het is wel een tikje ingewikkelder, liefje,' zei mevrouw Fang terwijl ze alle gezinsleden een gedetailleerde taakbeschrijving gaf. 'Maar aan de andere kant wordt onze kunst ook gekenmerkt door een bepaalde eenvoud,' zei meneer Fang. 'Ja, dat is waar,' antwoordde zijn vrouw. Annie en haar broertje Buster zwegen. Ze waren op weg naar Huntsville, twee uur rijden van huis, omdat ze niet herkend wilden worden. Anonimiteit was doorslaggevend en gaf hen de gelegenheid hun performances voor te bereiden zonder gehinderd te worden door mensen die stennis verwachtten.

Meneer Fang gaf nog wat meer gas, popelend om te beginnen, en keek zijn zes jaar oude zoon aan in het spiegeltje. 'Zullen we nog even doornemen wat je vandaag te doen staat, jongen?' zei hij. 'Controleren of we alles goed op een rijtje hebben?' Buster keek naar de ruwe potloodschetsen die zijn moeder getekend had. 'Ik moet mijn mond volproppen met snoep en heel hard lachen,' zei hij. Meneer Fang glimlachte en knikte voldaan. 'Precies,' zei hij. Mevrouw Fang opperde dat Buster misschien ook wat snoep in de lucht zou kunnen gooien en dat vond iedereen een goed idee. 'En jij, Annie?' vervolgde meneer Fang. 'Wat is jouw taak?' Annie staarde naar buiten en telde het aantal dode dieren dat ze passeerden. De teller stond al op vijf. 'Ik ben de verklikker,' zei ze. 'Ik verklap aan iemand van het personeel wat er aan de hand is.' Meneer Fang glimlachte opnieuw. 'En dan?' vroeg hij. Annie geeuwde. 'Dan maak ik dat ik wegkom.' Tegen de tijd dat ze bij het overdekte winkelcentrum arriveerden waren ze er klaar voor: het moment van vervreemding dat zo vluchtig zou zijn dat mensen later zouden denken dat ze het gedroomd hadden.

Eenmaal in het drukke winkelcentrum gingen de Fangs allemaal een andere kant op en deden alsof de andere gezinsleden niet bestonden. Meneer Fang ging bij een fast-foodrestaurant zitten en testte de focus van het miniatuurcameraatje dat verborgen was in het montuur van de grote, dikke bril die hem altijd rode ooguitslag bezorgde. Mevrouw Fang liep doelbewust door het winkelcentrum, overdreven met haar armen zwaaiend, om de indruk te wekken dat ze misschien niet helemaal goed bij haar hoofd was. Buster viste muntjes uit de fontein en zijn natte broekzakken puilden uit van het kleingeld. Annie kocht een afwasbare tatoeage bij een stalletje met absurde, waardeloze prullaria, ging naar het toilet en wreef het plaatje op haar bovenarm: een schedel met een roos tussen zijn tanden. Ze rolde de mouw van haar T-shirt weer omlaag, zodat de tatoeage bedekt was, en ging op een van de wc's zitten tot het alarm van haar horloge piepte. Het was tijd en de vier Fangs liepen langzaam naar de winkel met schepsnoep, klaar voor de gebeurtenis die alleen maar zou plaatsvinden als iedereen precies deed wat er van hem of haar verwacht werd.

Na vijf minuten doelloos door de gangpaden van de snoepwinkel te hebben gedwaald, trok Annie aan het shirt van de tiener achter de kassa. 'Wil je iets hebben, meisje?' vroeg hij. 'Moet ik iets voor je pakken? Dat doe ik graag, hoor.' Hij was zo aardig dat Annie zich een beetje schaamde bij de gedachte aan wat ze ging doen. 'Ik klik niet graag,' zei ze. Verbaasd boog de jongen zich wat dichter naar haar toe. 'Wat zei je?' vroeg hij. 'Ik klik niet graag,' zei Annie, 'maar die vrouw daar steelt snoep.' Ze wees op haar moeder, die bij een vak met jelly beans stond met een enorme, zilverkleurige schep in haar hand. 'Die vrouw daar?' vroeg de jongen. Annie knikte. 'Goed dat je dat kwam zeggen, meisje,' zei de jongen. Hij gaf haar een lolly die ook als fluitje fungeerde en ging de manager halen. Annie haalde de wikkel van de lolly en beet erop. Scherpe stukjes suiker prikten in haar wangen terwijl ze kauwend tegen de toonbank leunde. Toen ze de lolly op had, pakte ze er nog een uit de doos en deed die in haar zak, voor later. Zodra de manager en zijn assistent uit het kantoortje kwamen liep ze de zaak uit, zonder om te kijken, want ze wist precies wat voor scène zich zou gaan afspelen.

Na een vijfde zak met jelly beans te hebben gevuld keek mevrouw Fang behoedzaam om zich heen en verborg de open zak toen onder haar jas, net als de andere. Ze zette de schep terug in de houder, liep fluitend door het gangpad en veinsde belangstelling voor andere soorten snoep terwijl ze op weg ging naar de uitgang. Net toen ze de zaak wilde verlaten voelde ze een hand op haar arm en zei een mannenstem: 'Neemt u me niet kwalijk, mevrouw, maar ik geloof dat er een probleempje is.' Hoewel vrijwel meteen haar teleurstelling zou volgen, verscheen er een flauwe glimlach op haar gezicht.

Meneer Fang keek hoe zijn vrouw haar hoofd schudde en ongeloof veinsde terwijl de manager op de belachelijke bollingen onder haar kleren wees, de lachwekkend slecht verborgen buit die het hele tafereel iets magnifieks en absurds gaf. Zijn vrouw schreeuwde: 'Allemachtig, ik heb suikerziekte! Ik mag helemaal geen snoep!' Verscheidene mensen in het winkelcentrum bleven staan en keken wat er gebeurde. Meneer Fang probeerde ook zo dicht mogelijk in de buurt van het opstootje te komen en hoorde zijn vrouw schreeuwen: 'Dit is ongrondwettelijk! Mijn vader golft vaak met de gouverneur! Wacht maar, dan –' Op dat moment veranderde mevrouw Fang een heel klein beetje van houding en liepen de zakken met snoep leeg.

Buster holde langs zijn vader en keek hoe honderden jelly beans als hagel uit de kleren van zijn moeder vielen en op de vloer van de winkel kletterden. Hij knielde haastig aan de voeten van zijn moeder, riep: 'Gratis snoep!' en propte zijn mond vol met de jelly beans die nog steeds uit de kleren van zijn moeder regenden. Twee andere kinderen kwamen naast hem zitten, alsof zijn moeder een piñata was die net was opengeslagen, en gristen zelf ook snoep van de vloer. Buster lachte met de krasserige stem van een veel ouder iemand. Tegen die tijd stonden er wel twintig mensen om hen heen en begon zijn moeder te snikken. 'Ik wil niet terug naar de gevangenis!' riep ze. Buster stond op, omringd door geplette jelly beans, en holde weg. Hij besefte dat hij vergeten was snoep in de lucht te gooien en wist dat daar iets over gezegd zou worden als de familie bijeenkwam om de actie te bespreken.

Een halfuur later troffen Annie en Buster elkaar bij de fontein en wachtten ze tot hun ouders zich hadden weten los te kletsen uit de situatie die ze zelf door hun belachelijke gedrag hadden veroorzaakt. Hun moeder werd waarschijnlijk vastgehouden door beveiligingspersoneel, tot hun vader hen kon overhalen om het bij een waarschuwing te laten. Hij zou ze hun cv's laten zien en knipsels uit de *New York Times* en *ArtForum*. Hij zou dingen zeggen zoals *performancekunst* en *gechoreografeerde spontaniteit* en *de vervreemding van het alledaagse*. Ze zouden vermoedelijk nooit meer in het winkelcentrum mogen komen. 's Avonds, als ze thuis waren, zouden ze onder het eten fantaseren over de mensen in het winkelcentrum, die op dat moment hun familie en vrienden vertelden over de bizarre maar prachtige gebeurtenis die hen overkomen was.

'Maar stel nou dat ze naar de gevangenis moeten?' vroeg Buster aan zijn zus. Die dacht even na en haalde toen haar schouders op. 'Dan liften we naar huis en wachten we tot ze ontsnappen.' Buster moest toegeven dat dat een goed plan was. 'Of anders blijven we gewoon hier in het winkelcentrum, zodat pa en ma ons niet meer kunnen vinden,' suggereerde hij. Annie schudde haar hoofd. 'Ze hebben ons nodig,' zei ze. 'Als wij niet meedoen, werkt het niet.'

Buster haalde de stuivers die hij eerder had opgevist uit zijn zak en maakte daar twee even hoge stapeltjes van. Hij en zijn zus gooiden omstebeurt een muntje terug in de fontein en deden wensen die hopelijk zo simpel waren dat ze misschien weleens uit zouden kunnen komen.

hoofdstuk een

Annie had nauwelijks voet op de set gezet of ze hoorde van iemand dat haar bloesje uit moest.

'Pardon?' zei Annie.

'Ja,' zei de vrouw, 'de volgende scène wordt topless.'

'Wie ben jij?' vroeg Annie.

'Janey,' zei de vrouw.

'Nee,' zei Annie, die het gevoel kreeg dat ze op de verkeerde set beland was. 'Ik bedoel, wat voor werk doe jij hier?'

Janey fronste haar voorhoofd. 'Ik ben de script supervisor. We hebben elkaar al vaker gesproken. Een paar dagen geleden heb ik je nog verteld dat mijn oom me ooit probeerde te kussen. Weet je dat niet meer?'

Annie kon zich er niets van herinneren. 'Dus jij houdt het script in de gaten, zeg maar?' zei ze.

Janey knikte.

'In míjn kopie van het script staat niets over naakt in deze scène.'

'Nou,' zei Janey, 'ik geloof dat dat min of meer in het midden gelaten is. We zouden kijken wat het beste werkt.'

'Tijdens de repetities heeft niemand er iets over gezegd,' zei Annie.

Janey haalde alleen maar haar schouders op.

'En nu moet van Freeman opeens m'n bloesje uit?' vroeg Annie.

'Klopt,' zei Janey. 'Hij kwam vanochtend vroeg naar me toe en zei: 'Vertel Annie dat de volgende scène topless wordt.'

'Waar is Freeman op dit moment?'

Janey keek om zich heen. 'Hij ging iemand zoeken die een heel speciale sandwich voor hem moest halen.'

Annie liep naar de wc's, zocht een leeg toilet op en belde haar agent. 'Ze willen dat ik uit de kleren ga,' zei ze. 'Geen sprake van,' zei Tommy, haar agent. 'Je staat als actrice bijna op de A-lijst; volledig naakt kan echt niet.' Annie legde uit dat ze niet helemaal bloot hoefde, maar alleen topless. Er viel even een stilte aan de andere kant van de lijn. 'Nou ja, dat valt eigenlijk nog best wel mee,' zei Tommy.

'Het stond niet in het script,' zei Annie.

'Er worden zoveel dingen verfilmd die eigenlijk niet in het script staan,' zei Tommy. 'Ik herinner me een verhaal over een film waarin een figurant op de achtergrond z'n lul uit z'n broek heeft hangen.'

'Ja,' zei Annie, 'en daar werd de film niet bepaald beter op.'

'Daar heb je ook weer gelijk in,' antwoordde Tommy.

'Dus je vindt dat ik moet weigeren?'

Haar agent liet opnieuw een stilte vallen. Annie dacht dat ze op de achtergrond het geluid van een computerspelletje hoorde.

'Ik weet eigenlijk niet of dat wel zo'n goed idee is. Je zou met deze rol een gooi kunnen doen naar een Oscar, en dan is het niet verstandig om dwars te gaan liggen.'

'Denk je dat ik met deze rol een gooi kan doen naar een Oscar?'

'Hangt ervan af hoeveel kandidaten er volgend jaar zijn,' zei Tommy. 'Zo te zien zijn sterke vrouwenrollen dun gezaaid, dus je zou best een kans kunnen maken. Maar ga alsjeblieft niet op mij af. Ik dacht ook niet dat je genomineerd zou worden voor *Date Due*, en kijk 'ns hoe dat gegaan is.'

'Oké,' zei Annie.

'Mijn gevoel zegt: doe dat bloesje nou maar uit en dan komt 't misschien alleen in de director's cut.'

'Dat is niet wat míjn gevoel zegt,' antwoordde Annie.

'Dat geloof ik graag, maar lastige actrices zijn niet bepaald populair.'

'Ik kan maar beter ophangen,' zei Annie.

'Bovendien heb je een geweldig lichaam,' zei Tommy, net op het moment dat Annie de verbinding verbrak.

Ze probeerde Lucy Wayne te bellen, de regisseur van *Date Due*. Die film had Annie een Oscarnominatie opgeleverd voor haar rol als timide, drugsverslaafde bibliothecaresse die met tragische gevolgen betrokken raakt bij een groep skinheads. Het was een film die je niet met een paar woorden kon beschrijven, maar hij had haar carrière wel een kickstart gegeven. Annie vertrouwde Lucy en had tijdens de opnames altijd het gevoel gehad dat ze in capabele handen was; als Lucy gezegd had dat ze haar bloesje uit moest trekken, zou ze dat meteen gedaan hebben.

Uiteraard nam Lucy niet op en Annie had het gevoel dat je een situatie als deze niet kort kon samenvatten op de voicemail. De enige betrouwbare, kalmerende invloed in haar leven was tijdelijk onbereikbaar en dus moest ze roeien met de riemen die ze had.

Haar ouders vonden het een geweldig idee. 'Ik vind dat je ál je kleren uit moet doen,' zei haar moeder. 'Waarom alleen haar bloesje?' hoorde Annie haar vader op de achtergrond roepen. 'Zeg dat je het alleen doet als de mannelijke hoofdrolspeler z'n broek uittrekt.'

'Je vader heeft gelijk,' zei haar moeder. 'Vrouwelijk naakt is allang niet controversieel meer. Zeg tegen de regisseur dat hij een penis moet filmen als hij een beetje reactie wil losmaken.'

'Ik heb de indruk dat jullie niet echt begrijpen wat het probleem is,' zei Annie.

'Wat is het probleem dan, liefje?' vroeg haar moeder.

'Ik wil m'n bloesje niet uitdoen. Ik wil m'n broek niet uitdoen. Ik wil al helemáál niet dat Ethan z'n broek uitdoet. Ik wil de scène gewoon filmen zoals we hem gerepeteerd hebben.'

'Nou, dat lijkt me anders behoorlijk saai,' zei haar moeder.

'Waarom verbaast me dat niet?' zei Annie en ze hing op, met de gedachte dat ze helaas omringd werd door mensen die, om er maar geen doekjes om te winden, niet helemaal goed snik waren.

Een stem uit het toilet naast haar zei: 'Weet je wat ik zou doen? Zeggen dat ik best m'n tieten wil laten zien, maar dan wel voor honderdduizend dollar extra.'

'Da's een goeie,' zei Annie. 'Bedankt voor het advies.'

Toen ze haar broer belde, zei Buster dat ze uit het toiletraampje moest klimmen en het op een lopen moest zetten, wat zijn oplossing was voor de meeste problemen. 'Vooruit, maak dat je wegkomt voor ze je dwingen om iets te doen wat je helemaal niet wilt,' zei hij.

'Ik bedoel, ik ben toch niet gek of zo?' zei Annie. 'Het is toch idioot?'

'Het is idioot,' verzekerde Buster haar.

'Niemand zegt ook maar één woord over naakt en op de dag dat de scène gefilmd moet worden, hoor ik opeens dat ik uit de kleren moet?'

'Het is idioot,' herhaalde Buster. 'Niet echt verrassend, maar wel idioot.'

'Is het niet verrassend?'

'Ik heb ooit gehoord dat Freeman, in zijn eerste film, een scène inlaste waarin een actrice gewipt werd door een hond, maar dat die er later uit is geknipt.'

'Dat is nieuw voor mij,' zei Annie.

'Het lijkt me ook niet iets waar Freeman meteen over zou beginnen tijdens jullie eerste kennismaking,' zei Buster.

'Maar wat moet ik nou doen?' vroeg Annie.

'Maken dat je wegkomt,' zei Buster.

'Ik kan niet zomaar opstappen, Buster. Ik heb ook nog zoiets als een contract. En het wordt volgens mij best een goede film. Het is in elk geval een goede rol. Nee, ik zeg gewoon dat ik weiger die scène te spelen.'

Een stem van buiten, de stem van Freeman, zei: 'Weiger je de scène te spelen?'

'Wie was dat nou weer?' vroeg Buster.

'Ik moet hangen,' zei Annie.

Toen ze de deur opendeed, stond Freeman tegen een wasbak geleund. Hij at een sandwich die meer weghad van drie op elkaar gestapelde sandwiches en droeg zijn vaste outfit: zwart pak, zwarte das, gekreukt wit overhemd, zonnebril en afgetrapte sneakers zonder sokken. 'Wat is het probleem?' vroeg hij.

'Hoe lang sta je daar al?' vroeg Annie.

'Nog niet lang,' zei hij. 'De scriptgirl zei dat je op het toilet was, en je bleef zo lang weg dat mensen zich gingen afvragen of je gewoon bang was om je bloesje uit te trekken of dat je coke aan het snuiven was. Het leek me verstandig om even te gaan kijken.'

'Nou, ik was geen coke aan het snuiven.'

'Ik ben een beetje teleurgesteld,' zei hij.

'Ik verdom het om m'n bloesje uit te trekken, Freeman.'

Freeman keek of hij zijn sandwich ergens kon neerleggen, besefte toen kennelijk dat hij zich in een openbaar toilet bevond en besloot hem toch maar in zijn hand te houden. 'Goed, goed,' zei hij. 'Ik ben tenslotte alleen maar de schrijver en de regisseur; wat weet ik ervan?'

'Het slaat gewoon nergens op,' schreeuwde Annie. 'Een of andere kerel die ik nog nooit eerder heb gezien, belt bij me aan en dan gooi ik meteen m'n tieten eruit?'

'Ik heb geen tijd om je alle ins en outs uit te leggen,' zei Freeman. 'Het draait in feite allemaal om controle. Gina zou deze situatie ook willen controleren en dan zou ze het zo aanpakken.'

'Dat bloesje gaat niet uit, Freeman.'

'Als je niet echt wilt acteren, hou je dan gewoon bij superheldenfilms en pornovideo's.'

'Val dood,' zei Annie. Ze wrong zich langs hem heen en beende het toilet uit.

Haar tegenspeler, Ethan, was bezig zijn tekst overdreven duidelijk te articuleren terwijl hij in een kringetje rondliep. 'Heb je het gehoord?' vroeg Annie. Hij knikte. 'En?' vroeg ze. 'Ik heb goede raad voor je,' zei hij. 'Probeer jezelf voor te stellen dat je geen actrice bent die haar bloesje moet uittrekken, maar een actrice die de rol speelt van een actrice die haar bloesje moet uittrekken.'

'Aha,' zei Annie, die weerstand moest bieden tegen de aandrang om Ethan tegen de grond te slaan.

'Zo'n extra element van vervreemding leidt misschien juist tot een complexere en interessantere rol,' zei hij.

Voor Annie antwoord kon geven kwam de eerste assistent-regisseur aanlopen, met het opnameschema in zijn hand. 'En, wat is de stand betreffende het volgende shot? Doen we het zonder bloesje?' vroeg hij.

'Nee,' zei Annie.

'Teleurstellend,' zei hij.

'Ik ben in m'n trailer,' zei Annie.

'Wachtend op talent,' riep de assistent haar na terwijl ze de set verliet.

De allerslechtste film waarin ze ooit had gespeeld, in een van haar eerste rollen, was *Pie in the Sky When You Die* geweest, over een privédetective die onderzoek doet naar een moord tijdens een wedstrijd taarteten op de gewestelijke kermis. Toen ze het script las, dacht ze dat het om een komedie ging en ze was geschokt geweest toen ze erachter kwam dat het als een serieus misdaaddrama bedoeld was, ondanks regels zoals: 'Dit is wel de slagroom op de taart' en 'Maak dat je wegkomt, ouwe taart.' 'Het is een soort *Moord in de Oriënt-Expres,*' zei de scenarioschrijver tegen Annie toen ze het script doornamen, 'maar dan met taarten in plaats van treinen.'

Op de eerste draaidag liep een van de hoofdrolspelers voedselvergiftiging op tijdens de taarteetwedstrijd en was hij voor de rest van de film uitgeschakeld. Veel opnameapparatuur werd onherstelbaar beschadigd door een varken dat ontsnapt was uit de kinderboerderij. Pas na vijftien takes van een uitzonderlijk lastige scène besefte iemand dat er geen film in de camera zat. Het was voor Annie een bizarre, onwerkelijke ervaring geweest om mee te maken hoe alles door je vingers glipte. Halverwege de opnames zei de regisseur tegen haar dat ze contactlenzen moest dragen, zodat haar blauwe ogen groen zouden lijken. 'De film heeft behoefte aan groene flitsen, iets om de aandacht van de kijker te trekken,' zei hij. 'Maar we zijn al halverwege,' zei Annie. 'Precies,' antwoordde de regisseur. 'We zijn pas halverwege.'

Een van de andere hoofdrolspelers was Raven Kelly, de femme fatale uit verscheidene klassieke films noirs. Raven was inmiddels zeventig en scheen op de set nooit haar script in te kijken. Ze deed kruiswoordpuzzels tijdens de repetities en stal iedere scène. Toen ze op een keer bij de make-up naast elkaar zaten, vroeg Annie haar hoe ze aan een film als deze kon meewerken. 'Het is werk,' zei Raven. 'Als iets betaalt, dan pak ik het aan. Je doet je best, maar soms is de film gewoon niet zo goed. Dat maakt ook weinig uit. Je krijgt je geld toch wel. Ik heb acteurs die zichzelf grote kunstenaars vinden nooit begrepen en al dat gezever over roeping en *method acting* en zo zal me worst wezen. Je gaat gewoon staan waar ze je hebben willen, zegt je tekst en dan ga je weer naar huis. Het is maar acteren.' De visagist ging door met de make-up, zodat Annie er jonger uitzag en

Raven juist ouder. 'Maar vind je het ook leuk?' vroeg Annie. Raven staarde naar Annies spiegelbeeld. 'Ik heb er geen hekel aan,' zei ze. 'Als je iets maar lang genoeg doet, kun je eigenlijk niet meer verlangen.'

In haar trailer ging Annie op de bank zitten, met haar ogen dicht. De jaloezieën waren gesloten en een stressbox produceerde ruis. Ze haalde diep en gelijkmatig adem en beeldde zich in dat met iedere ademhaling een deel van haar lichaam gevoelloos werd: haar vingers, haar handen, haar polsen, haar ellebogen, haar schouders, tot ze net zo dood was als ze maar zijn kon. Het was een oude techniek van de Fangs, die ze vaak gebruikten voor ze iets gruwelijks gingen doen. Je deed alsof je dood was en als je dan weer ontwaakte, leek niets meer belangrijk, hoe verschrikkelijk het in feite ook was. Ze herinnerde zich hoe ze met zijn vieren geluidloos in het busje hadden gezeten terwijl ze een voor een doodgingen en weer tot leven kwamen, in die paar korte minuten voor ze de portieren opengooiden om het leven van iedereen die toevallig in de buurt was ongevraagd in de war te schoppen.

Na een halfuurtje keerde ze terug in haar lichaam en stond op. Ze trok haar T-shirt uit, maakte haar bh los en liet die op de grond vallen. Ze staarde in de spiegel en bekeek zichzelf terwijl ze de tekst uit de scène citeerde. 'Ik ben niet verantwoordelijk voor mijn zus,' zei ze en weerstond de verleiding om haar armen over elkaar te slaan. 'Sorry, dokter Nesbitt, maar het kan me helemaal niets schelen.' Toen deed ze de deur van de trailer open en liep de vijftig meter naar de set. Ze negeerde de crew en productie-assistenten die haar met grote ogen aanstaarden en stapte naar Freeman, die in zijn regisseursstoel zat en nog steeds met zijn sandwich bezig was. 'Oké,' zei ze, 'laten we die klotescène doen.' Freeman glimlachte breed. 'Zo mag ik 't horen,' zei hij. 'Hou die woede vast tijdens de scène.'

Terwijl ze daar stond, met ontbloot bovenlijf, aangegaapt door de figuranten en de crew en haar tegenspeler en zo'n beetje iedereen die ook maar iets met de film te maken had, hield Annie zich voor dat het allemaal draaide om controle. Zij had de situatie onder controle. Ze had alles volkomen onder controle, dat stond vast.

[het geluid en de drift, maart 1985
kunstenaars: caleb en camille fang]

Buster hield zijn stokken ondersteboven vast, maar dat maakte het er volgens zijn ouders juist nog beter op. Hij drukte spastisch met zijn voet op het pedaal van de bass drum en iedere keer als de trommel dreunde, vertrok zijn gezicht. Annie tokkelde op haar gitaar; ze waren nog geen vijf minuten bezig, maar haar vingers deden nu al pijn. Voor kinderen die nooit geleerd hadden een muziekinstrument te bespelen, deden ze het nog slechter dan verwacht had mogen worden. Ze schreeuwden de tekst van het nummer dat meneer Fang had geschreven, vals en uit de toon. Ze hadden het nummer maar een paar uur voor het begin van hun optreden geleerd, maar hadden geen enkele moeite om het refrein te onthouden dat ze de verbijsterde omstanders toezongen. 'De wereld is hard, niets wordt vergeven,' brulden ze zo luid als ze maar konden. 'Dood je ouders, dan blijf je leven.'

Voor hen lag een opengeklapte gitaarkoffer met wat kleingeld en één dollarbiljet erin. Aan de binnenkant van de koffer was een handgeschreven briefje geplakt met de tekst: *Onze Hond Heeft Een Operatie Nodig. Help Ons Alstublieft Om Hem Te Redden.*

De avond tevoren had Busters vader die woorden gedicteerd en had Buster ze zorgvuldig opgeschreven. 'Maak een spelfout in *operatie*,' zei meneer Fang. Buster knikte en schreef *operasie*. Mevrouw Fang schudde haar hoofd. 'Ze hebben geen talent, maar het zijn geen analfabeten,' zei ze. 'Weet je hoe je *operatie* moet spellen, Buster?' Hij knikte. 'Goed, dan spellen we het zoals het hoort,' zei zijn vader en hij gaf Buster een nieuw stuk karton. Toen de tekst af was, hield Buster hem omhoog zodat zijn ouders het konden zien. 'O, hemeltje,' zei meneer Fang. 'Dit is bijna té.' Mevrouw Fang lachte en zei: 'Bijna.' 'Bijna te wat?' vroeg Buster, maar zijn ouders lachten zo hard dat ze hem niet hoorden.

'Dit is een nieuw nummer dat we pas geschreven hebben,' zei Annie tegen de toeschouwers, die onverklaarbaar genoeg talrijker waren dan aan het begin van hun optreden. Ze hadden al zes nummers ten gehore gebracht, stuk voor stuk somber en zwartgallig en zo slecht gespeeld dat het niet zozeer op muziek leek als wel op het geluid van kinderen die een woedeaanval hadden. 'We zijn blij met elk dubbeltje dat u kunt missen voor ons zieke hondje, meneer Cornelius. Dank u.' Buster begon met zijn stokken op de cimbaal van de hi-hat te tikken, ting-tang-ting-tang-ting. Annie plukte aan één snaar en produceerde een melancholiek gekreun, dat wel van toon veranderde toen ze haar vinger op en neer liet gaan over de hals van de gitaar, maar dezelfde impact bleef houden. 'Eet dat bot niet op,' zong ze en Buster herhaalde de regel: 'Eet dat bot niet op.' Annie keek naar het publiek maar zag haar ouders niet, alleen gezichten vol medeleven en plaatsvervangende schaamte, van mensen die te aardig waren om zomaar weg te lopen bij die schattige en o zo serieuze kinderen. 'Dan word je ziek,' zong Annie en Buster herhaalde de regel opnieuw. 'Eet dat bot niet op,' zong Annie maar voor Buster haar kon volgen riep de stem van hun vader: 'Jullie kunnen er geen zak van!' Veel mensen in het publiek snakten scherp naar adem, alsof er iemand was flauwgevallen, maar Annie en Buster speelden stug door. 'We kunnen de dierenarts niet betalen,' zei Annie met een stem vol gespeelde emotie.

'Ik bedoel, ik heb toch gelijk, mensen?' riep hun vader. 'Ze zijn verschrikkelijk, of niet soms.' Een vrouw die vooraan stond draaide zich om en siste: 'Stil! Stil!' Op dat moment hoorden ze hun moeder vanuit een andere hoek zeggen: 'Hij heeft anders wel gelijk. Die kinderen zijn vreselijk. Boe! Leer eerst 'ns je instrument te bespelen. Boe!' Annie begon te huilen en Buster keek zo intens nijdig dat zijn hele gezicht pijn deed. Ze hadden verwacht dat hun ouders zo zouden reageren – dat was per slot van rekening het punt van de hele performance – maar desondanks was het niet moeilijk om te doen alsof ze zich gekwetst en opgelaten voelden. 'Hou godverdomme nou eens op!' riep iemand, al was het niet duidelijk of hij het tegen meneer en mevrouw Fang of tegen de kinderen had. 'Gewoon doorspelen, kinderen,' zei iemand anders. 'Ik zou dat platencontract nog maar even vergeten,' riep weer een andere stem, niet die van hun ouders, en dat leidde tot een bemoedigende kreet vanuit het publiek. Tegen de tijd dat Annie en Buster klaar waren met het nummer, was het publiek in twee vrijwel gelijke kampen verdeeld: de mensen die meneer Cornelius wilden redden en de mensen die gewoon grote klootzakken waren. Meneer en mevrouw Fang hadden hun kinderen al gewaarschuwd dat dat zou gebeuren. 'Zelfs vreselijke mensen kunnen een paar minuten lang beleefd zijn,' had hun vader gezegd. 'Maar als het ietsje langer duurt, worden het weer de eikels die het zijn.'

Terwijl het publiek verder ruziede, en na alle liedjes uit hun repertoire gezongen te hebben, begonnen Annie en Buster gewoon zo hard mogelijk te gillen en vielden ze met zoveel geweld op hun instrumenten aan dat twee snaren van Annies gitaar braken. Busters cimbaal viel om en hij schopte ertegen met zijn linkervoet. Er werd geld in hun richting gegooid, dat neerregende aan hun voeten, maar het was niet duidelijk of dat afkomstig was van mensen die aardig wilden zijn of mensen die hen vreselijk vonden. Uiteindelijk schreeuwde hun vader: 'Ik hoop dat die hond van jullie crepeert!' en greep Annie, zonder er verder bij na te denken, haar gitaar bij de hals en beukte ermee op de grond, zodat hij aan stukken spatte en de splinters het publiek in vlogen. Buster snapte meteen dat er geïmproviseerd werd. Hij tilde de snaredrum hoog op en ramde daarmee op de bassdrum. Vervolgens lieten Annie en Buster de chaos om hen heen voor wat hij was en zetten het op een lopen. Ze zigzagden over het gras van het park om eventuele achtervolgers af te schudden en toen ze bij de sculptuur van een grote schelp waren, klommen ze erin en wachtten ze tot hun ouders hen zouden komen ophalen. 'We hadden dat geld moeten houden,' zei Buster. 'We hebben het wel verdiend,' zei Annie. Buster plukte een gitaarsplinter uit Annies haar en ze bleven zwijgend zitten tot hun vader en moeder aan kwamen lopen. Hun vader had een blauw oog en zijn camerabril was stuk en hing scheef op zijn gezicht. 'Dat was echt verbluffend,' zei hun moeder. 'De camera is kapot,' zei meneer Fang. Zijn oog was zo gezwollen dat het bijna dicht zat. 'Dus jammer genoeg hebben we geen opnames.' Zijn vrouw wuifde die opmerking weg, te blij om zich daar druk om te maken. 'Dit was alleen voor ons viertjes,' zei mevrouw Fang. Annie en Buster klauterden langzaam uit de schelp en volgden hun ouders naar het busje. 'Jullie waren echt te gek,' zei mevrouw Fang tegen haar kinderen. Ze bleef staan, knielde naast Annie en Buster en kuste hen op hun voorhoofd. Meneer Fang knikte en legde zijn handen op hun hoofd. 'Jullie waren écht vreselijk,' zei hij en de kinderen moesten onwillekeurig lachen. De gebeurtenis was niet vastgelegd en zou alleen voorleven in hun herinnering en in die van de weinige verbijsterde toeschouwers en dat leek Annie en Buster eigenlijk perfect. Het gezin liep de zonsondergang tegemoet, net over de horizon, en zong hand in hand en bijna in harmonie: 'Dood je ouders, dan blijf je leven.'

hoofdstuk twee

Buster stond in een veld in Nebraska. Het was zo koud dat zijn blikje bier in zijn hand bevroor en hij werd omringd door exsoldaten die net een jaar terug waren uit Irak. Ze waren jong en merkwaardig vrolijk en het was wetenschappelijk bewezen dat ze onkwetsbaar waren, na meerdere uitzendingen naar het Midden-Oosten. Op vellen plastic lagen komisch grote, kanonachtige wapens die zo te zien bedoeld waren voor grootschalige vernietiging. Buster keek hoe Kenny, een van de ex-mariniers, met een laadstok munitie omlaag duwde in de loop van een kanon dat ze *Gaan Met Dat Propaan* noemden. 'Oké,' zei Kenny, die omgeven werd door lege bierblikjes en niet helemaal helder meer praatte. 'Ik draai dus de klep van de propaangastank open en stel de drukregelaar in op zestig PSI.' Buster probeerde dat allemaal op te schrijven in zijn notitieboekje, ook al waren zijn vingertoppen gevoelloos van de kou. 'Wat betekent PSI eigenlijk?' vroeg hij. Kenny keek hem aan en fronste zijn voorhoofd. 'Geen idee,' zei hij. Buster knikte en noteerde dat hij dat later moest opzoeken.

'Je doet de gasklep open,' vervolgde Kenny, 'en je wacht een paar seconden tot de druk is opgebouwd. Dan doe je de eerste klep dicht en open je de tweede, waardoor het propaan in de verbrandingskamer stroomt.' Joseph, die nog maar drie vingers aan zijn linkerhand had en een gezicht dat zo rond en roze was als dat van een baby, nam nog een slok bier en giechelde. 'Nu wordt 't leuk,' zei hij. Kenny sloot de kleppen en richtte de loop van het kanon omhoog. 'Dan druk je op de afvuurknop en...' Voor hij zijn zin kon afmaken, trilde de lucht rond de mannen en klonk er een geluid dat Buster nog nooit eerder had gehoord: een doffe, staccato explosie. Een aardappel, met een staart van ijle vlammen, schoot hoog de lucht in en verdween ergens in de verte, honderden meters of misschien zelfs wel bijna een kilometer verderop. Buster voelde zijn hart bonzen en vroeg zich af – ook al interesseerde het antwoord hem eigenlijk niet – waarom zoiets stoms, zoiets belachelijks en overbodigs, hem zo gelukkig maakte. Joseph sloeg zijn arm om Buster heen en drukte hem tegen zich aan. 'Fantastisch, hè?' zei hij. Buster knikte, met het gevoel dat hij ieder moment in tranen kon uitbarsten, en zei: 'Dat is 't zeker. Absoluut!'

Buster was in Nebraska in opdracht van het mannenblad *Potent,* om een stuk te schrijven over vier oud-soldaten die nu al een jaar bezig waren met het bouwen en testen van de meest geavanceerde aardappelkanonnen ooit. 'Het is zo verdomde mannelijk,' zei de hoofdredacteur, die bijna zeven jaar jonger was dan Buster. 'Dit móét gewoon in ons blad.'

Buster had in zijn eenkamerflatje in Florida gezeten toen de hoofdredacteur belde om te vragen of hij het artikel wilde schrijven. Busters internetvriendinnetje beantwoordde zijn e-mails niet, zijn banksaldo was vrijwel nul en hij had al tijden niet meer gewerkt aan zijn al veel te lang uitgestelde derde roman, maar ondanks al die ellende had hij toch lang geaarzeld voor hij ja had gezegd.

Na twee jaar schrijven over parachutespringen en baconfestivals en virtuele gemeenschappen op internet die zo gecompliceerd waren dat Buster er niet eens aan kon meespelen, had hij op het punt gestaan ander werk te zoeken. Al die zogenaamd unieke evenementen vielen in werkelijkheid zwaar tegen en dan was Buster gedwongen stukken te schrijven waarin ze niet alleen geweldig en amusant leken, maar zelfs levensveranderende ervaringen. Een strandbuggy besturen leek Buster meteen geweldig, ook al had hij dat nooit eerder serieus overwogen, maar zodra hij achter het stuur zat, besefte hij hoe technisch en ingewikkeld geinige dingen voor de happy few waren. Terwijl hij moeite deed om de buggy in bedwang te houden en de instructeur geduldig uitlegde hoe hij gas moest geven en sturen, betrapte Buster zichzelf erop dat hij eigenlijk veel liever lekker thuis had gezeten, met een boek over detectives in buggy's die misdaden op het strand oplosten. Toen hij de buggy over de kop liet slaan en niet meer mee mocht doen aan de cursus, ging hij terug naar zijn hotelkamer, schreef het stuk in minder dan een uur en blowde tot hij in slaap viel.

Hij had verwacht dat het met het stuk over aardappelkanonnen net zo zou gaan: een paar oersaaie uren uitleg over constructie en werking, waarna een of twee aardappels de lucht in zouden worden geschoten en hij hartje winter zou vastzitten in niemandsland tot hij weer een vlucht naar huis kon boeken. Terwijl hij in het vliegtuig stapte, met een barbecuesandwich en een inderhaast aangeschafte *World Music Monthly* die hij eigenlijk helemaal niet wilde lezen, realiseerde hij zich dat hij een grote vergissing had gemaakt.

Toen het toestel geland was in Nebraska, werd hij tot zijn verbazing in de aankomsthal opgewacht door de vier mannen die het onderwerp van zijn artikel zouden vormen. Ze waren alle vier hetzelfde gekleed: petjes van de Nebraska Cornhuskers, zwarte wollen jassen, dikke canvas broeken en Red Wing laarzen. Ze waren stuk voor stuk groot, potig en knap. Eentje had vreemd genoeg Busters koffer in zijn hand. 'Is deze van jou?' vroeg de man toen Buster aan kwam lopen, met zijn handen in de lucht alsof hij wilde laten zien dat hij ongewapend was. 'Ja,' zei Buster, 'maar jullie hoefden me echt niet af te halen, hoor. Ik was van plan een auto te huren. Jullie hebben vorige week nog aan m'n hoofdredacteur laten weten hoe ik moest rijden.' De man met Busters koffer draaide zich om en liep naar de uitgang. 'We wilden gastvrij zijn,' zei hij over zijn schouder.

In de auto, aan alle kanten omringd door ex-soldaten, probeerde Buster het idee van zich af te zetten dat hij ontvoerd werd. Hij haalde een notitieboekje en een pen uit de zak van zijn jack, dat eigenlijk te dun was voor dit weer. 'Waar is dat voor?' vroeg een van de mannen. 'Aantekeningen,' zei Buster. 'Voor het artikel. Ik dacht, misschien kan ik vast jullie namen noteren en een paar vragen stellen.' 'Onze namen zijn gemakkelijk te onthouden,' zei de bestuurder. 'Ik denk niet dat je die hoeft op te schrijven.' Buster stopte het notitieboekje weer in zijn zak.

'Ik ben Kenny,' zei de bestuurder en hij gebaarde naar de man naast hem: 'Dat is David.' Kenny zwaaide met zijn hand in de richting van de achterbank. 'En die jongens naast je zijn Joseph en Arden.' Joseph gaf Buster een hand. 'Dus je houdt van wapens?' vroeg Joseph. Buster schudde zijn hoofd. 'Nee, niet echt,' zei hij en hij voelde de sfeer in de auto drukkender worden. 'Ik bedoel, ik heb nog nooit ergens mee geschoten. Ik ben eigenlijk niet zo dol op geweld.' Arden zuchtte en staarde naar buiten. 'Ik ken maar weinig mensen die er wel dol op zijn,' zei hij. 'En aardappelkanonnen?' vroeg Joseph. 'Heb je er als kind nooit eentje gemaakt? Je weet wel, vullen met haarlak en dan op de hond van de buren schieten?' 'Nee,' zei Buster. 'Sorry.' Hij voelde het artikel door zijn vingers glippen en vroeg zich af of hij niet wat dingen kon opzoeken op internet en de rest gewoon verzinnen. 'En de oorlog?' vroeg David. 'Daar was ik niet zo'n voorstander van,' zei Buster. Hij staarde naar zijn schoenen, zwarte leren sneakers met ingewikkelde stiksels. Zijn tenen begonnen nu al gevoelloos te worden. Hij overwoog om vlug langs Joseph heen te reiken, het portier open te gooien en uit de auto te springen. 'Ben je weleens eerder in Nebraska geweest?' vroeg Arden. 'Ik ben er een paar keer overheen gevlogen,' zei Buster. 'Tenminste, dat denk ik.' Tijdens de rest van de rit naar Busters hotel heerste in de auto de oorverdovende stilte van vijf mannen die elkaar niets te zeggen hadden.

De radio was stuk en produceerde alleen maar ruis en aan de motor te horen reed de auto wat sneller dan eerst.

Terwijl de anderen wachtten in de auto, met de motor nog aan, droeg Joseph de koffer van Buster naar diens kamer. 'Maak je geen zorgen over m'n vrienden,' zei Joseph. 'Ze zijn gewoon een beetje zenuwachtig. Ik bedoel, we hebben geen werk en we fabriceren aardappelkanonnen en we willen in je artikel liever niet overkomen als een stelletje losers. Maar ik heb al zo vaak tegen ze gezegd dat jij er juist voor moet zorgen dat we cool lijken. Ja toch?' Buster besefte dat hij de sleutelkaart ondersteboven in het slot stak. Hij draaide hem om, maar de deur ging nog steeds niet open. 'Ja toch?' herhaalde Joseph. 'Ja, natuurlijk,' zei Buster. In zijn verbeelding zag hij de drie anderen in de auto zitten, rusteloos en met spijt als haren op hun hoofd van hun beslissing om een buitenstaander – en dan nog wel een journalist – getuige te laten zijn van hun bizarre bezigheid.

Na het nog zo'n tien keer geprobeerd te hebben ging de deur eindelijk open en liep Buster regelrecht naar de minibar. Hij haalde er een flesje gin uit, goot dat in één keer naar binnen, pakte nog een flesje en dronk dat ook leeg. Vanuit zijn ooghoek zag hij dat Joseph zijn koffer voor hem uitpakte en zijn shirts en broeken en ondergoed in verschillende lades deed. 'Je hebt niet genoeg warme kleren meegenomen,' zei Joseph. 'Er zit een lange onderbroek bij, geloof ik,' zei Buster, die zijn best deed om zo vlug mogelijk dronken te worden. 'Jezus Christus, Buster,' schreeuwde Joseph bijna, 'je ballen vriezen er dadelijk af!' Buster wilde voorstellen om de demonstratie aardappelschieten dan maar te laten zitten. In plaats daarvan zou hij een hamburger bestellen, naar softporno kijken en de hele minibar leegdrinken. Hij zou net lang genoeg teruggaan naar Florida om uit zijn appartement gezet te worden en dan weer bij zijn ouders gaan wonen. Maar toen zag hij zichzelf aan de eettafel zitten met zijn vader en moeder, terwijl die steeds complexere projecten bedachten waarvan Buster nooit wist of hij er nou deel van uitmaakte of niet, wachtend tot er iets zou exploderen uit naam van de kunst. 'Wat vind je dat ik moet doen?' vroeg Buster, vastbesloten om een capabele indruk te maken. 'We gaan shoppen!' zei Joseph glimlachend.

Terwijl Kenny, Arden en David op veilige afstand bleven in de Fort Western Outpost, zocht Joseph snel in de rekken en laadde Busters uitgestoken armen vol met kleren en andere zaken die onontbeerlijk waren bij vrieskou. 'Dus je bent schrijver van beroep?' vroeg hij en Buster knikte. 'Ja,' zei hij. 'Voornamelijk artikelen, op freelancebasis. Ik heb ook twee romans geschreven, maar die leest niemand.'

'Weet je,' zei Joseph en hij gaf Buster twee paar dikke wollen sokken, 'ik denk er zelf ook over om schrijver te worden.' Buster maakte een geluidje dat hopelijk belangstellend en bemoedigend klonk en Joseph vervolgde: 'Ik volg een avondcursus in het buurtcentrum, op donderdag. Creatief Schrijven. Ik ben nog niet echt goed, maar volgens m'n leraar ga ik wel vooruit.' Buster knikte opnieuw en merkte dat de drie anderen dichterbij waren gekomen, om het gesprek te kunnen volgen. 'Hij is een verdomd goeie schrijver,' zei David. Kenny en Arden knikten instemmend. 'Weet je wat m'n lievelingsboek is?' vroeg Joseph. Buster schudde zijn hoofd en Joseph zei met een grijns van oor tot oor: '*David Copperfield* door Charles Dickens.' Dat had Buster nooit gelezen, al wist hij dat hij dat eigenlijk wel had moeten doen en dus knikte hij en zei: 'Een geweldig boek.' Joseph klapte in zijn handen, alsof hij maanden op dit moment gewacht had. 'En het allerbeste vind ik nog de eerste regel: *Mijn naam is David Copperfield.* Je weet meteen alles wat je weten moet. Zo beginnen mijn verhalen ook altijd: *Mijn naam is Harlan Aden* of *Ik sta bekend als Sam Francis* of *Toen hij geboren werd, noemden zijn ouders hem Johnny Rodgers.*'

Buster herinnerde zich de eerste regel van *Moby-Dick* en citeerde die. Joseph herhaalde de regel: *Noem me Ishmael.* Hij schudde zijn hoofd. 'Nee,' zei hij, 'dat doet me toch minder. Het is niet zo goed als *Mijn naam is David Copperfield.*'

Een man op leeftijd, met een boodschappenkarretje, vroeg of hij er even langs mocht omdat hij bij de sokken moest zijn, maar niemand verroerde zich.

'Kijk,' zei Kenny, 'die zogenaamde Ishmael heeft 't volgens mij een beetje hoog in z'n bol. Kan hij niet gewoon zeggen hoe hij heet? Waarom wil hij met alle geweld dat we hem bij een bepaalde naam noemen?' Kenny trok een gezicht, alsof hij al zijn hele leven met dat soort mensen te maken had.

'En misschien is 't niet eens zijn echte naam,' deed Arden een duit in het zakje. 'Hij wil alleen graag dat we hem zo noemen.' De vier waren het erover eens dat *Moby-Dick* geen boek was dat ze gauw zouden lezen. 'Sorry, Buster,' zei Joseph. '*David Copperfield* is de winnaar en nog steeds de onbetwiste wereldkampioen.' David verdween even en kwam terug met een zak chemische handwarmers. 'Lekker voor als 't écht koud wordt,' zei hij en gaf ze aan Buster.

Nadat Buster bijna tot aan de limiet was gegaan op zijn creditcard en een zwarte wollen jas, een dikke canvas broek, Red Wing-laarzen en een honkbalpetje van de Nebraska Cornhuskers had gekocht, stapten ze weer in de auto en gingen op weg naar hun op een na laatste bestemming, de slijter. 'Waar ging je laatste artikel over?' vroeg David aan Buster en die zei: 'De grootste neukmarathon ter wereld.'

Kenny gaf zorgvuldig richting aan, remde en parkeerde aan de kant van de weg. Hij zette de auto in zijn vrij en draaide zich toen om. 'Vertel,' zei hij.

'Hebben jullie ooit van Hester Bangs gehoord?' vroeg Buster. De anderen knikten met nadruk. 'Nou, ik was erbij toen ze een nieuw neukrecord vestigde. Ze deed het op één dag met zeshonderdvijftig verschillende mannen.'

'Heb jij...' vroeg Joseph, met een vuurroofd hoofd. 'Ik bedoel... jij hebt 't toch ook niet met haar gedaan?'

'Jezus, nee,' zei Buster. Hij herinnerde zich nog maar al te goed hoe hij twee uur lang telefonisch had moeten bakkeleien met zijn hoofdredacteur toen hij geweigerd had zelf aan de orgie deel te nemen. 'Het heet participatiejournalistiek,' zei zijn hoofdredacteur. 'Ik zit het net te checken op internet.'

'Dus in feite moest je kijken hoe die vrouw met zeshonderdvijftig kerels wipte?' zei Kenny.

'Ja,' zei Buster.

'En daar kreeg je nog voor betaald ook?'

'Ja,' herhaalde Buster.

'Nou,' zei Arden, 'dat is zo'n beetje het geweldigste dat ik ooit gehoord heb.'

'Eigenlijk was het helemaal niet zo geweldig,' zei Buster.

'Hoezo?' vroeg Kenny.

'Ja, oké, het klínkt misschien geweldig, maar in feite zat ik daar te niksen terwijl een heleboel harige, veel te dikke kerels met slappe piemels netjes in de rij stonden om een vrouw te mogen neuken die het zo te zien allemaal behoorlijk saai vond. Ik heb een stel van die mannen geïnterviewd en sommigen zeiden dat ze hun vrouw hadden wijsgemaakt dat ze gingen golfen of naar de film gingen. Eentje schepte op dat zijn vriendin gedreigd had het uit te maken als hij het echt zou doen en terwijl hij dat vertelde begon hij bijna te huilen en zei: "En het was zo'n geweldige meid." En iedere keer als er iemand klaar was met Hester keek ze naar een vent aan een tafeltje, met drie verschillende klokken, stapels toestemmingsformulieren en een telmachine en vroeg dan hoeveel er nog te neuken waren.'

'Dat is zo'n beetje het ergste dat ik ooit gehoord heb,' zei Arden.

Buster merkte dat hij niet meer kon ophouden nu hij er eenmaal over begonnen was. 'En er stond ook een tafel met eten voor de deelnemers en al die naakte kerels schuifelden daar langs en stelden van die verlepte sandwiches samen en aten handjes M&M's.'

'Jezus,' zei David hoofdschuddend.

'En toen moest je er ook nog 'ns over schrijven. Dat was nog het ergste, denk ik,' zei Joseph.

'Precies,' zei Buster, blij dat Joseph begreep hoe vreemd het was om te moeten schrijven over iets wat je veracht. 'Daarom heb ik er een bizar artikel van gemaakt. Ik schreef dat Hester Bangs helemaal geen actrice was, en zelfs geen pornoster, maar meer een topsporter. Ze was een soort marathonloopster en ik bewonderde haar uithoudingsvermogen, ook al was het dan bijna traumatisch om naar te kijken.'

Kenny knikte goedkeurend. 'Dat klinkt als een goed artikel.'

'Nou,' vervolgde Buster, 'nog geen drie weken nadat het stuk verschenen was, brak een andere pornoster het record met een verschil van ruim tweehonderd kerels.'

Iedereen in de auto lachte zo hard dat ze bijna niet hoorden dat er een politieman op het raam tikte.

Zodra hij de agent zag, had Buster het overweldigende gevoel dat hij onmiddellijk alle contrabande moest verbergen. Het enige probleem was dat hij absoluut niets illegaals bij zich had. Kenny deed het raampje open en de agent stak zijn hoofd naar binnen. 'Niet zo verstandig om zomaar aan de kant van de weg te gaan staan, jongens,' zei hij.

'We wilden net weer doorrijden, agent,' zei Kenny.

De politieman staarde naar Buster op de achterbank en je merkte zijn desoriëntatie toen hij besefte dat er zich iemand in zijn stad bevond die hij niet kende.

'Vriend van jullie?' vroeg hij, met een knikje naar Buster.

'Klopt,' zei Joseph.

'Ook uit 't leger?'

'Special Forces,' zei Arden en hij legde zijn vinger tegen zijn lippen.

'Aha,' zei de agent, 'geheime operaties, hè?'

Ondanks het feit dat hij zijn leven lang moeiteloos gelogen had, kon Buster nu alleen maar zwakjes knikken.

'Nou, doorrijden dan maar,' zei de agent en hij gebaarde naar de horizon.

'Geheime operaties,' fluisterde Buster in zichzelf. Iedereen was duizelig van opwinding.

Bij de slijter gebruikte Buster, opgezweept door het gevoel dat hij voor het eerst sinds jaren weer eens nieuwe vrienden had gemaakt, het allerlaatste geld uit zijn portemonnee om alle alcohol aan te schaffen die de soldaten maar wilden. Hij voelde zich warm en authentiek in zijn nieuwe kleren en terwijl hij alles wat hij aan contanten bezat aan de man achter de toonbank overhandigde, bedacht hij dat hij hier misschien wel voorgoed zou kunnen wonen.

Nu was het de beurt van Buster. Hij boog zich over een gigantisch luchtkanon op een driepoot, dat de soldaten *Leve de Luchtmacht* noemden. In plaats van aardappels schoot dit kanon petflessen van twee liter af. 'We noemen het ook liever geen aardappelkanonnen,' zei David, die meer gespannen leek te worden naarmate de avond vorderde. 'Sommige vuren pingpongballen af en sommige petflessen en weer andere tennisballen gevuld met centen. De beste term is in feite pneumatische of interne verbrandingsartillerie.' Joseph schudde zijn hoofd. 'Ik zeg altijd gewoon aardappelkanon,' zei hij en Arden voegde eraan toe: 'Ik heb ze nooit anders genoemd.' 'Ja, oké,' antwoordde David, 'maar voor het artikel zou de beste term pneumatische of interne verbrandingsartillerie zijn.'

Kenny deed nog één keer voor wat Buster moest doen en hoewel het ingewikkeld was en een vergissing tot ernstige verwondingen kon leiden, had Buster het gevoel dat hij iedere stap intuïtief begreep. Hij laadde het kanon en zette de compressor aan tot de druk op het juiste niveau was. 'Oké,' zei Joseph, 'we zullen niet roepen dat dit beter is dan seks of zo, maar je zult je wel ontzettend gelukkig voelen als je dit gedaan hebt.'

Buster wilde zich dolgraag ontzettend gelukkig voelen; vaak, als hij zat te tobben, had hij het gevoel dat heel de aarde draaide op de kracht van zijn emoties. Toen hij dat ooit tegen een psychiater had gezegd, had die geantwoord: 'Als dat zo is, zou het dan niet verstandig zijn om eens wat – hoe zal ik het zeggen – waardevollers te gaan doen?'

Buster drukte op de afvuurknop en er klonk een galmende dreun, gevolgd door een zacht gesis, alsof er lucht ontsnapte uit een vaardig lekgeprikte band. Iemand gaf hem een verrekijker en Buster volgde de baan van de fles, die bijna driehonderd meter verderop neerdaalde. Tot zijn verrassing was het geluksgevoel ook lang nadat hij het kanon had afgevuurd nog steeds even intens. 'Gaat dit ooit vervelen?' vroeg Buster en de anderen antwoordden zonder enige aarzeling: 'Nee.'

Nadat ze twee zakken aardappelen hadden leeggeschoten, gingen de mannen in een kring staan. Af en toe zei iemand dat het een goed idee zou zijn om nog wat bier te halen, maar niemand maakte aanstalten om dat ook echt te doen.

Lichtelijk gehinderd door een alcoholische roes schetste Buster in gedachten alvast in ruwe lijnen zijn artikel: ex-soldaten die nepwapens bouwden om hun oorlogservaringen aan de ene kant te vergeten, maar aan de andere kant ook juist levend te houden. Hij had alleen nog feiten nodig om dat idee te onderbouwen. 'Hoe vaak doen jullie dit?' vroeg hij. De anderen keken hem aan alsof dat toch wel duidelijk moest zijn. 'Iedere avond, natuurlijk,' zei Kenny. 'Of er moet iets leuks op tv zijn, maar dat is bijna nooit.'

'We zitten zonder werk, Buster,' zei Joseph. 'We wonen bij onze ouders en we hebben geen vriendinnen. Het enige wat we doen is drinken en dingen opblazen.'

'Je zegt het alsof dat iets slechts is,' zei Arden tegen Joseph.

'Dat was niet m'n bedoeling,' zei Joseph en hij keek naar Buster. 'Zo klinkt het alleen als ik het hardop zeg.'

'Maar goed,' begon Buster, die zich afvroeg hoe hij zijn vraag het beste kon formuleren. 'Herinnert al dat geschiet met aardappelkanonnen jullie aan je tijd in Irak?' Hij had de woorden nog niet gezegd of de anderen leken op slag broodnuchter. 'Bedoel je of we flashbacks hebben of zo?' vroeg David. 'Nou ja,' zei Buster, die besefte dat hij misschien beter gewoon aardappels af had kunnen blijven vuren, 'ik vroeg me alleen af of dat geschiet met aardappelkanonnen jullie herinnert aan je tijd in het leger.' Joseph lachte zachtjes. 'Alles herinnert me aan het leger. Als ik 's ochtends wakker word en naar de wc ga, denk ik aan Irak en hoe de pis en stront daar gewoon op straat lag. Als ik me aankleed, bedenk ik hoe ik daar m'n uniform aantrok en dan al zweette voor ik m'n overhemd had dichtgeknoopt. En als ik ontbijt, herinner ik me dat er in goddomme alles wat ik daar ooit gegeten heb zand zat. Het is moeilijk om er níét aan te denken.'

'Ik dacht dat die aardappelkanonnen misschien een manier waren om weer wat van de opwinding uit die tijd te voelen,' zei Buster zwakjes, met het gevoel dat het artikel door zijn vingers glipte.

'In Irak vulde ik rapporten in over de luchtkwaliteit in Bagdad,' zei Arden.

'Je verveelde je meestal te pletter,' zei Kenny. 'Tot het af en toe spannend werd, en dan scheet je in je broek.'

'Maar jullie hadden toch wapens, of niet soms?' vroeg Buster.

'Ja, we hadden wapens. Ik had een 9 mm Beretta en een M4 karabijn,' zei Joseph. 'Maar ik heb ze alleen afgevuurd op de schietbaan en tijdens oefeningen.'

'Dus je hebt daar niemand doodgeschoten?'

'Godzijdank niet,' antwoordde Joseph. Buster keek naar de anderen, die stuk voor stuk glimlachend hun hoofd schudden. 'Wat deden jullie dan?' vroeg hij. Het bleek dat Joseph en Kenny geholpen hadden om Tactische Operatiecentra op te zetten, en David was logistiek adviseur van het Iraakse leger geweest. 'In feite hoofdzakelijk boekhouden,' zei hij.

'En je hand dan?' vroeg Buster en hij wees naar de ontbrekende vingers aan Josephs linkerhand. 'Allemachtig, Buster, die ben ik niet kwijtgeraakt in Irak,' zei hij. 'Ik was wat explosieven aan het uitproberen voor een nieuw aardappelkanon. Die ontploften iets te vroeg en zo is 't gekomen.'

'O,' zei Buster.

'Je klinkt teleurgesteld,' zei Kenny.

'Nee, echt niet,' zei Buster vlug.

'We vervelen ons gewoon,' zei Joseph. 'Dat is het simpelste antwoord. Waar je ook bent en wat je ook doet, je moet altijd je uiterste best doen om je niet dood te vervelen. Daar komt 't op neer.'

Kenny dronk zijn laatste slok bier, bukte zich en pakte nog een aardappelkanon, dat kleiner was dan de andere. Een zilverkleurige bus was met een slang aan het kanon bevestigd en het was voorzien van een telescoopvizier. 'Dit, bijvoorbeeld,' zei Kenny. Hij stak het kanon uit naar Buster, zodat die het kon inspecteren. 'Kijk maar 'ns in de loop.' Buster aarzelde en wierp een blik op de anderen. 'Maak je geen zorgen,' zei Joseph en hij stak zijn verminkte hand op. 'Het is volkomen veilig.'

Buster boog zich over de loop, maar kon niets bijzonders ontdekken. 'Wat moet ik dan zien?' vroeg hij. 'De loop is getrokken,' zei Kenny, 'net als bij een echt kanon.' Buster stak zijn vingers in de loop en voelde de groeven in het pvc. 'Waar is dat voor?' vroeg hij. 'Accuratesse,' zei Kenny. 'Met deze jongen raak je een doelwit tot op vijftig meter afstand. Laat maar 'ns zien, Joseph.'

Kenny gaf het kanon aan Joseph en pakte een leeg bierblikje. Hij liep met afgemeten passen weg, zijn stappen tellend, tot hij een flink eind van de anderen vandaan was. Als een ober met een dienblad zette hij het blikje op zijn omhooggekeerde handpalm en hield die een eindje boven zijn hoofd. 'Dit lijkt me niet zo'n goed idee,' zei Buster, maar Joseph stelde hem gerust. 'Ik zou dit niet doen als ik niet zeker wist dat ik het kon,' zei hij. Arden scheurde een nieuwe zak aardappels open en gaf er een aan Joseph. Die duwde de pieper voorzichtig in de scherpgeslepen loop, zodat er stukjes aardappel werden afgesneden. 'Kijk,' zei Joseph, 'nu zit er een prop munitie in.' Hij draaide de klep open, vulde de verbrandingskamer met de juiste hoeveelheid gas en richtte met behulp van het telescoopvizier. Toen hij de trekker overhaalde, zag Buster alleen de sliert brandend gas die achter de aardappel aan kolkte. Hij hoorde het geluid van indeukend aluminium en toen zag hij hoe Kenny, nog steeds in het bezit van al zijn vingers, het verkreukelde bierblikje opraapte en omhoog hield. 'Dat was echt ongelooflijk!' zei Buster en hij gaf Joseph een stomp tegen zijn schouder. 'Niet slecht, hè?' zei Joseph, opgelaten of opgewonden of misschien wel allebei.

'Nu ik,' zei Arden. Hij pakte een van de laatste volle bierblikjes en holde naar de plek waar Kenny stond. Arden zette het blikje op zijn hoofd, net als het zoontje van Willem Tell, en wachtte tot Joseph zou richten en schieten. 'Wil iemand een weddenschap afsluiten?' vroeg David, maar de kansen leken zo ongelijk dat niemand daar zin in had. 'Nou, laten we 't dan maar doen,' zei Joseph en hij schoot. En miste. 'Kom op, Joseph,' schreeuwde Arden. 'Je zat er een kilometer naast.' Kenny kwam aansjokken en liet Buster het blikje zien dat Joseph eerder aan gort had geschoten. Het zag eruit als een granaatscherf die operatief uit een of andere arme stakker was verwijderd, een en al scherpe kartelranden en overdekt met warme brokjes aardappel. Het velletje tussen Kenny's duim en wijsvinger bloedde, maar daar trok hij zich niets van aan. 'Jammer dat we geen videocamera hebben,' zei hij. 'Dit zijn dingen die je je nog lang wilt herinneren.'

Joseph herlaadde en schoot opnieuw. En opnieuw. 'Ik denk dat ik een beetje te hoog mik omdat ik bang ben dat ik hem anders in zijn gezicht raak,' zei hij. 'Zet die angst opzij,' riep Kenny, die in het volle zicht van de anderen begon te plassen. Joseph duwde opnieuw een aardappel in de loop en zijn gezicht was nu bleek en serieus. Het was alsof de temperatuur het afgelopen halfuur minstens tien graden was gedaald. Joseph nam heel lang de tijd om te richten met behulp van het telescoopvizier en drukte toen af. De dreun van het kanon galmde door de ijskoude lucht, een geluid dat hij nooit zat zou worden, dacht Buster. Het blikje op Ardens hoofd spatte uiteen in een paddestoelvormige wolk van bier en landde zo'n twintig meter achter Arden, die doorweekt was en onder de aardappelklodders zat. Arden liep terug naar de anderen, klappertandend en stinkend naar bier en friet. Buster gaf hem zijn biertje, dat Arden in één keer naar binnen goot. David pakte een nieuw blikje en bood dat Buster aan. 'Moeten we de goden blijven verzoeken?' vroeg hij.

Buster keek eerst naar het blikje en toen naar Joseph. 'Ik weet niet,' zei Buster. 'Je krijgt er wel een goed artikel door,' zei Kenny. 'Hoe het ook afloopt.' Daar kon Buster niets op afdingen, maar hij merkte dat hij zijn benen niet kon laten bewegen. Joseph liet het kanon zakken en bood dat aan Buster aan. 'Schiet jij dan maar op mij,' zei hij. 'Dat is ook een mooi verhaal.' Buster wilde lachen, maar besefte toen dat Joseph het meende. 'Nee, echt,' zei Joseph. 'Ik weet praktisch zeker dat je het kunt.'

'Door die getrokken loop is ie zo nauwkeurig als wat,' zei Arden. Het drong tot Buster door dat ze allemaal weliswaar stomdronken waren, maar dat hun bewustzijn nog niet al te veel was aangetast. Eventuele risico's werden redelijk luchtig weggewuifd, dat wel, maar toch had Buster het idee dat ze nog vrij logisch handelden. Hij probeerde de situatie zo goed mogelijk in te schatten. Het was zeker mogelijk dat hij iemand zou verwonden, maar zelf kon hij niet gewond raken; hij had het gevoel dat het noodlot geen enkele vat op hem had. 'Ik ben onkwetsbaar,' zei hij en iedereen knikte instemmend. Buster pakte het blikje en begon te lopen. 'En niet missen, hè?' zei hij over zijn schouder. 'Maak je geen zorgen,' riep Joseph.

Buster trilde zo erg dat hij het blikje niet op zijn hoofd kon laten balanceren. 'Even wachten,' schreeuwde hij. Hij deed zijn ogen dicht, dwong zijn longen om langzaam en diep te ademen en voelde hoe zijn lichaam gevoelloos werd. Hij verbeeldde zich dat de artsen de beademing hadden stopgezet en dat hij langzaam en definitief wegzakte. Uiteindelijk was hij dood, en toen haalde hij nog een keer adem en was hij plotseling weer levend. Hij deed zijn ogen open en was klaar voor alles wat komen zou.

Het begon donker te worden, maar hij kon duidelijk zien dat Joseph het wapen naar zijn schouder bracht. Buster sloot zijn ogen en voor hij goed en wel besefte dat het schot was afgevuurd, gierde er een vlaag van hitte en wind over hem heen en spatte het bierblikje op zijn hoofd uiteen, met het geluid van iets wat zijn oorspronkelijke vorm onherroepelijk verloor en in een flits iets totaal nieuws werd.

De soldaten juichten en gaven elkaar high fives en toen Buster terug kwam lopen, omhelsden ze hem een voor een, alsof ze hem zojuist gered hadden uit een ingestorte mijngang of hem uit een donkere put hadden gehesen. 'Als ik nóg gelukkiger was, zou ik spontaan in brand vliegen,' zei Kenny. Buster maakte zich los uit hun omarming en griste het laatste ongeopende blikje bier uit de koelbox. 'Nog een keer,' zei hij en zonder op antwoord te wachten rende hij de invallende duisternis in, zonder een spoortje angst. Hij had zich nog nooit zo levend gevoeld, tot in al zijn poriën.

Toen Buster weer bijkwam en met moeite zijn ogen open had gedaan, zag hij het gezicht van Joseph boven zich zweven. 'O god!' jammerde Joseph, 'ik dacht dat je dood was!' Buster kon zijn hoofd niet bewegen en alles leek afwisselend helder en wazig. 'Wat is er gebeurd?' vroeg hij. 'Ik heb je geraakt, godverdomme,' schreeuwde Joseph. 'Vol in je gezicht, Buster.' Op de achtergrond schreeuwde Kenny: 'We brengen je naar het ziekenhuis, oké?'

'Wat?' zei Buster. Hij begreep dat mensen van alles riepen, maar kon hen nauwelijks verstaan. 'Het ziet er niet best uit,' zei Joseph. 'M'n gezicht?' vroeg Buster, nog steeds verward. Hij wilde de rechterkant van zijn gezicht aanraken, dat gevoelloos was maar tegelijkertijd in brand leek te staan, maar Joseph greep hem bij zijn pols. 'Dat is misschien niet zo verstandig,' zei hij. 'Is er iets mis mee?' vroeg Buster. 'Het is er nog wel,' zei Joseph, 'maar het is niet... zoals het hoort.' Buster nam het besluit om weer te gaan slapen, wat de nodige concentratie vereiste, maar dat wilde Joseph niet. 'Je hebt absoluut een hersenschudding,' zei hij. 'Luister naar mijn stem en probeer wakker te blijven.'

Er viel een ongemakkelijke stilte en toen zei Joseph: 'Ik heb vorige week een verhaal geschreven voor mijn avondcursus. Het gaat over een kerel die net terug is uit Irak, maar ik ben het niet. Het is een totaal ander iemand. Die vent uit mijn verhaal woont in Mississippi. Nou, hij is dus weer terug in zijn geboortestad, nadat hij bijna tien jaar is weggeweest, en gaat iets drinken in een bar. Als hij een potje wil gaan flipperen, wordt hij aangesproken door een oude vriend van de middelbare school en raken ze aan de praat.' Joseph zweeg even en kneep toen in Busters hand. 'Ben je nog wakker?' vroeg hij. Buster probeerde te knikken, maar dat lukte niet en dus zei hij. 'Ja, ik ben wakker. Ik luister.'

'Goed zo. Nou,' vervolgde Joseph, 'ze praten over vroeger en drinken te veel en de bar staat op het punt om te sluiten. De hoofdpersoon vertelt z'n vriend dat hij werk zoekt, zodat hij eindelijk weer 'ns wat geld kan verdienen en weer op zichzelf kan gaan wonen in plaats van bij z'n ouders. Nou, die vriend zegt tegen de hoofdpersoon dat hij hem best vijfhonderd dollar wil betalen als hij iets voor hem doet. Hoe vind je het tot dusver?' Buster vroeg zich af of hij op sterven lag en of hij dood zou zijn als Joseph aan het einde van zijn verhaal was. 'Klinkt goed,' zei hij.

'Kijk, die schoolvriend had een hond waar hij dol op was, maar nu heeft z'n ex-vrouw dat beest en ze wil hem niet meer teruggeven. Dus hij vraagt aan de hoofdpersoon of hij de hond voor hem wil stelen en als dat lukt, krijgt hij vijfhonderd dollar. Dat is het conflict. Nou, de hoofdpersoon dubt er een tijdje over, maar twee dagen later belt hij die vriend en zegt hij dat hij het wil doen.'

'Oeps,' zei Buster.

'Precies,' zei Joseph. 'Geen goed idee. Nou, op een nacht breekt hij in bij die ex en steelt hij de hond, maar het loopt verkeerd. De hond denkt dat hij een inbreker is – en dat is hij natuurlijk ook. Hij valt hem aan en bijt een heel stuk uit z'n arm. De hoofdpersoon slaagt erin de hond naar buiten te sleuren en in de auto te duwen, maar als hij thuis is, ziet hij dat de hond dood is. Hij heeft per ongeluk z'n luchtpijp verbrijzeld of zo, dat heb ik een beetje in het midden gelaten. In elk geval is de hond dood.'

'We zijn er bijna,' schreeuwde Kenny.

'Dus de hoofdpersoon pakt een schep en begraaft de hond in de achtertuin van z'n ouders. Als hij dat gedaan heeft, loopt hij naar het busstation, koopt een kaartje en stapt in de bus, zonder te weten waar die nou eigenlijk heen gaat. Dus daar zit hij in de bus, met z'n gewonde arm. Hij bloedt als een rund, al probeert hij dat niet te laten merken, en hij hoopt dat aan het einde van de rit iets goeds op hem wacht. En dat is het einde.'

'Mooi verhaal,' zei Buster.

Joseph glimlachte. 'Ik moet 't natuurlijk nog bijschaven.'

'Ik vind het echt mooi, Joseph,' zei Buster.

'Ik ben er nog steeds niet uit of het nou goed of juist slecht afloopt,' zei Joseph.

'We zijn er,' zei Kenny en de auto stopte abrupt.

'Het is goed en slecht tegelijk,' zei Buster terwijl hij langzaam weer wegzakte. 'Zo eindigen de meeste dingen, niet alleen goed maar ook niet alleen slecht.'

'Je komt er weer helemaal bovenop,' zei Joseph.

'Ja?' zei Buster.

'Je bent onverwoestbaar,' zei Joseph.

'Ik ben onkwetsbaar,' verbeterde Buster hem.

'Je voelt geen pijn,' zei Joseph.

'Ik ben onsterfelijk,' zei Buster en hij verloor het bewustzijn weer, terwijl hij hoopte dat aan het einde van de rit iets goeds op hem wachtte.

een bescheiden voorstel, juli 1988
kunstenaars: caleb en camille fang

Het was hoog tijd voor vakantie, dus kozen ze allemaal een valse naam. De Fangs hadden onlangs een prestigieuze beurs van meer dan driehonderdduizend dollar gekregen en hadden besloten dat te vieren. De nagemaakte identiteitsbewijzen lagen op tafel: meneer en mevrouw Fang waren respectievelijk Ronnie Payne en Grace Truman en de kinderen mochten hun eigen naam kiezen. Annie was Clara Bow en Buster Nick Fury. In ruil voor hun medewerking aan het project – wat dan dan ook mocht zijn – hadden Caleb en Camille de kinderen beloofd dat tijdens hun vier dagen op het strand niets zou gebeuren wat met kunst te maken had. Ze zouden een doodnormaal gezin zijn, vuurood verbranden, souvenirs kopen die van van schelpen waren gemaakt en alleen maar dingen eten die gefrituurd waren of voorzien van een laag chocolade, en misschien wel allebei.

Op het vliegveld lazen meneer en mevrouw Fang bladen over mensen die zogenaamd beroemd waren, maar van wie ze nog nooit hadden gehoord. Ze dwongen zichzelf om banale informatie tot zich te nemen over wonderdiëten en films die ze nooit zouden zien, allemaal om hun rol beter te kunnen spelen. Ronnie was eigenaar van een reeks Pizza Huts en al drie keer getrouwd en gescheiden. Grace was verpleegster en had Ronnie ontmoet in de afkickkliniek. Ze woonden nu al negen maanden samen. Waren ze verliefd? Waarschijnlijk wel. 'Krijg ik ook te horen wat je gaat zeggen?' vroeg meneer Fang aan zijn vrouw. 'Dat is een verrassing,' zei mevrouw Fang. 'Ik denk dat ik wel weet wat je gaat zeggen,' zei hij en zijn vrouw glimlachte. 'Ik geloof graag dat je dat denkt,' antwoordde ze.

Annie zat alleen in een rij stoelen en tekende mensen in de vertrekhal. Ze hield een vuist vol kleurpotloden vast, als een boeket bloemen, en kraste een afbeelding op de blocnote op haar schoot. Tien meter verderop zat een man met een reusachtige haakneus en een overdreven grote zonnebril onderuitgezakt in zijn stoel en nam stiekem slokjes uit een zilveren heupflacon. Glimlachend overdreef Annie zijn toch al groteske gelaatstrekken en maakte iets wat niet helemaal een karikatuur was, maar ook niet echt een portret. Terwijl ze de man bestudeerde, speurend naar nog meer details, keek hij haar plotseling aan. Annie voelde dat ze rood werd. Ze trok een gezicht, keek gauw weer naar haar blocnote en kraste zigzagstrepen over haar tekening tot hij onherkenbaar was en niemand meer kon zien waar ze naar had zitten kijken. Ze stopte de blocnote en de potloden weer in haar boekentas en repeteerde in gedachten haar verhaal nog een keer. Haar moeder was blut en had Clara achtergelaten bij haar oma, terwijl ze zelf naar Florida verhuisde om werk te zoeken. Dat was een halfjaar geleden, maar nu kon Clara eindelijk weer bij haar moeder gaan wonen. 'Het is een gloednieuw begin voor ons,' zou Annie tegen de stewardess zeggen, of tegen andere passagiers die het zouden vragen. Als ze het goed bracht, en dat deed ze altijd, zou iemand haar vast veel geluk wensen en haar een briefje van twintig dollar toestoppen. Als ze in Florida aankwamen, fantaseerde Annie, zou ze die twintig dollar vergokken bij Jai-Alai en zo'n grote Shirley Temple drinken dat ze wel drie rietjes nodig zou hebben om op de bodem van het glas te komen.

Buster was tot de conclusie gekomen dat het te lang duurde om een plausibel achtergrondverhaal te verzinnen en dat je daardoor bovendien juist meer kans liep om betrapt te worden. Daarom was hij druk bezig allerlei onzinnige dingen te verzinnen die op hun beurt ook weer een soort achtergrondverhaal zouden vormen, namelijk dat van een heel raar kind bij wie je maar beter uit de buurt kon blijven. Terwijl Buster in de bar van de luchthaven het ene glas limonade na het andere dronk en handenvol pinda's en zoute krakelingen verorberde, besloot hij dat hij desgevraagd zou zeggen dat hij geen echt kind was maar een robot, ontworpen en gebouwd door een technisch genie. Een kinderloos echtpaar had hem gekocht en hij was nu op weg naar Florida om bij hen te worden afgeleverd. Biep-biep-tuut. Buster wist niet eens zeker wat er deze keer op het programma stond. Zijn vader en moeder hadden alleen gezegd dat hij moest doen alsof zij niet zijn ouders waren, dat ze in het vliegtuig niet bij elkaar moesten gaan zitten en dat ze, als de gebeurtenis plaatsvond, hun reactie moesten laten afhangen van de stemming onder het publiek. 'Hoe minder jullie ervan weten, hoe beter,' zei zijn vader. 'Het wordt een verrassing,' zei zijn moeder.' 'Je houdt toch van verrassingen?' Buster schudde zijn hoofd. Daar hield hij helemaal niet van.

In het toestel werden Annie en Buster door verschillende stewardessen naar stoelen op de eerste rij gebracht, aan weerszijden van het gangpad, zodat ze hoogstens twee meter van elkaar zaten terwijl ze moesten doen alsof ze elkaar niet kenden. De kinderen keken hoe hun ouders hand in hand langsliepen en Buster staarde hen onwillekeurig aan. Meneer Fang knipoogde en toen liepen ze verder naar hun stoelen in het midden van het toestel. Buster vroeg een stewardess om pinda's en toen ze drie zakjes bracht, vroeg hij of hij er nog eentje kon krijgen. De stewardess ging een extra zakje pinda's halen voor Buster terwijl ze haar ogen ten hemel sloeg. Dat zag Annie, die plotseling een gespannen gevoel kreeg vanbinnen. Het was nog net geen woede, maar wel bijna. Toen de stewardess terugkwam met pinda's voor haar broertje, trok Annie haar aan haar mouw en vroeg om vijf zakjes pinda's, met ogen als spleetjes. Ze hoopte eigenlijk op een scène waarbij alles wat er tijdens de vlucht zou gebeuren zou verbleken. De stewardess leek nogal te schrikken van Annies bijna onmerkbare getril en ging vlug nog meer pinda's halen. Zodra Annie de buit binnen had, gooide ze de zakjes bij Buster op schoot. 'Bedankt,' zei Buster. 'Graag gedaan, jongetje,' zei Annie.

Iedereen zat inmiddels en de stewardessen demonstreerden wat je moest doen als het vliegtuig een noodlanding maakte. Annie en Buster hoopten dat, wat hun ouders ook van plan waren, het er niet mee zou eindigen dat ze ronddobberden in de oceaan, zich vastklampend aan hun stoelkussens en wachtend op hulp die misschien nooit zou komen.

Toen ze ruim een uur onderweg waren, keken de kinderen om en zagen ze hoe meneer Fang door het gangpad naar een van de stewardessen liep en zijn hand op haar elleboog legde. Annie en Buster probeerden te verstaan wat hun vader zei, maar dat lukte niet. Hij liet iets aan de stewardess zien en die drukte met grote ogen haar hand tegen haar mond, alsof ze ieder moment in tranen uit kon barsten. Meneer Fang gebaarde naar de voorkant van het toestel en de stewardess knikte en ging hem voor naar de intercom. Annie bedacht dat ze vrijwel zeker de bak in zouden draaien als hun ouders probeerden een vliegtuig te kapen. Toen meneer Fang Busters stoel passeerde, moest die de aandrang onderdrukken om zijn vaders hand te pakken en: 'Pa?' te zeggen, wat de hele voorstelling geruïneerd zou hebben. Annie maakte een tekening van twee kinderen, een jongen en een meisje. Ze sprongen met parachutes uit een vliegtuig en onder hen gaapte alleen de leegte van het blanco papier.

'Dames en heren,' zei de stewardess, 'we vragen uw aandacht voor een belangrijke mededeling. Deze meneer hier, Ronnie Payne, wil graag iets zeggen.' Over de intercom klonk even alleen het gezoem van stilte en toen zei de stem van hun vader: 'Ik wil niet al te veel van jullie tijd in beslag nemen, beste mensen. Ik zit daar op rij 17, stoel C, met naast me m'n lieve vriendin, Grace Truman. Zwaai 'ns even, schat.' Iedereen in het vliegtuig keek hoe Camille haar hand boven de stoel uitstak en onzeker wuifde naar de overige passagiers. 'Nou,' vervolgde hun vader, 'deze dame betekent heel veel voor me en eigenlijk wilde ik dit in Florida doen, maar ik kan gewoon niet langer wachten. Grace Truman, wil je met me trouwen?' Meneer Fang gaf de microfoon aan de stewardess en liep terug naar rij 17. Annie en Buster waren het liefst door het gangpad naar hun ouders gehold om het allemaal beter te kunnen zien, maar ze bleven zitten en volgden reikhalzend de gebeurtenissen. Hun vader knielde in het gangpad, naast mevrouw Fang die de kinderen niet konden zien. Het was doodstil in het toestel, afgezien van het gebrom van de motoren. Annie en Buster fluisterden allebei zachtjes hetzelfde woord: 'Ja.'

Plotseling sprong meneer Fang overeind en riep: 'Ze zegt ja!' Iedereen in het toestel juichte en verscheidene mannen stonden op om meneer Fang een hand te geven, terwijl hun moeder de trouwring liet zien aan een oudere dame naast haar. Het geknal van ontkurkte champagneflessen galmde door het vliegtuig en de stewardessen liepen door het gangpad met bladen vol glazen. De diepe, zelfverzekerde stem van de piloot zei over de intercom: 'Een toost op het gelukkige paar!' Buster wist stiekem twee flutes van een blad te grissen en gaf er eentje aan Annie. 'Bedankt, jongetje,' zei Annie. 'Graag gedaan,' antwoordde Buster. Ze proostten opgetogen, goten de inhoud van de glazen in één keer naar binnen en negeerden het brandende gevoel in hun keel.

De vier dagen daarna gingen in een roes voorbij. De Fangs, nog nagenietend van het succes van het huwelijksaanzoek, waren duizelig van het veel te lang bakken in de zon. Ze lazen stripboeken en flutromannetjes en sliepen op de vreemdste tijden. Op het strand begroeven ze elkaar omstebeurt tot aan hun nek in het zand en zaten elkaar achterna met kwallen op stokjes. Ze stonden tot aan hun knieën in zee, terwijl de golven zachtjes rond hun benen bruisten, en aten suikerspinnen met een licht zilte bijsmaak. Als iemand gezegd had dat dit soort geluk binnen het bereik van iedereen lag, zouden de Fangs hem niet geloofd hebben.

Tijdens de retourvlucht zaten ze weer apart, onder valse namen. Hun vader schoot de stewardess weer aan, liet haar de trouwring zien die hij voor zijn vriendin had gekocht en vroeg of hij gebruik mocht maken van de intercom. De stewardess was opnieuw bijna tot tranen toe geroerd door zo'n romantisch verzoek en leidde meneer Fang naar de voorkant van het vliegtuig. Buster scheurde zijn achtste zakje pinda's open en spelde met de nootjes het woord JA op zijn neergeklapte tafeltje.

'Ik zit op rij 14, stoel A, en mijn vriendin Grace Truman zit naast me. Zou je even hier willen komen, Grace, schat?' Mevrouw Fang schudde opgelaten haar hoofd, maar meneer Fang bleef haar roepen, tot ze uiteindelijk opstond en naar haar man liep. Toen ze bij hem was liet meneer Fang zich op één knie zakken, opende het doosje dat hij in zijn hand had en liet de ring zien, haar eigen trouwring. Door hun vier dagen in de zon was de witte streep om haar ringvinger verdwenen. 'Grace Truman,' zei hun vader, 'wil je me de gelukkigste man ter wereld maken en met me trouwen?' Annie wachtte tot haar moeder antwoord zou geven en maakte ondertussen een tekening van toeschouwers die handenvol pinda's in de lucht gooiden terwijl een kersvers echtpaar door het middenpad van een vliegtuig liep. 'O Ronnie,' zei mevrouw Fang, met een gezicht alsof ze ieder moment in tranen zou kunnen uitbarsten, 'ik heb nog zó gezegd dat je dit niet moest doen.' Haar vader leek nogal ongemakkelijk, omdat hij zo lang geknield moest blijven, maar hij weigerde op te staan. 'Vooruit, schat, zeg nou ja.' Mevrouw Fang wendde haar gezicht af, maar haar man hield de microfoon voor haar mond. 'Zeg nou ja, hier door de microfoon, en laat m'n dromen uitkomen.' Annie en Buster hadden geen idee wat er precies aan de hand was, maar beseften wel met een wee gevoel in hun maag dat het vast allemaal nog veel erger zou worden. 'Nee, Ronnie,' zei mevrouw Fang. 'Ik wil niet met je trouwen.' Sommige passagiers snakten naar adem terwijl Camille terugliep naar haar stoel. Hun vader bleef nog een paar seconden geknield zitten, met de ring in zijn hand, en stamelde toen door de microfoon: 'Nou, mensen, sorry dat ik zoveel van jullie tijd in beslag heb genomen. Het mocht helaas niet zo zijn, denk ik.' Hij stond op en liep ook terug naar zijn stoel, naast die van zijn vrouw. Hij ging zitten, maar ze keken elkaar niet aan.

De rest van de vlucht hing er zo'n gespannen en ongemakkelijke sfeer in het toestel dat het haast een opluchting zou zijn geweest als ze waren neergestort. Dan had iedereen zich tenminste niet meer zo opgelaten hoeven voelen.

Terwijl de Fangs vanaf het vliegveld naar huis reden, heerste er een doodse stilte in de auto. Het was allemaal nep geweest, in scène gezet, maar toch konden ze de angst die door hun borst gierde niet van zich afzetten. Het was een eerbetoon aan hun talent als kunstenaars. Het moment was zo authentiek geweest dat ze er zelf van ondersteboven waren.

Annie en Buster stelden zich een wereld voor waarin hun ouders nooit getrouwd waren of waren gescheiden en elkaar nooit meer hadden gevonden, een wereld waarin zij, tot hun afschuw, niet bestonden. Buster legde zijn hoofd op Annies schoot en zij streelde zijn haar. Terwijl ze afsloegen naar de lange, slingerende oprijlaan van hun huis in het bos drukte meneer Fang zijn vrouw eindelijk tegen zich aan en fluisterde: 'Ik hou van je, Grace Truman.' Hun moeder kuste hem op zijn wang en zei: 'Ik hou van jou, Ronnie Payne.' Annie boog zich over haar broertje en kuste hem zachtjes op zijn voorhoofd. 'Ik hou van je, Nick Fury,' zei ze. Glimlachend antwoordde hij: 'En ik hou van jou, Clara Bow.' Zelfs nadat de auto was gestopt en de motor was uitgezet bleven de Fangs nog even zitten, met hun gordels om, en lieten de wereld een tijdje draaien zonder hun hulp.

hoofdstuk drie

Annie stond in een amusementshal in Los Angeles bij *Whac-A-Mole*, op haar nagels bijtend en wachtend op de journalist van *Esquire*. Hij was al een kwartier te laat en Annie begon te hopen dat hij niet zou komen opdagen. Ze vond het alleen maar gênant om zich bloot te moeten geven, interessant te doen.

Annie stopte een kwartje in de gleuf en pakte de hamer. Zodra een plastic mol zijn kop uit zijn tunnel stak, kreeg hij zo'n ongenadige mep van Annie dat die, wanneer het diertje kennelijk ongeschonden opnieuw opdook, dat als een persoonlijke belediging opvatte en er nog harder op los beukte.

Ze stond daar, tussen de flitsende lichtjes en het elektronische gepiep en getuut, om promotie te maken voor *Sisters, Lovers*, een film die in Cannes in première was gegaan en door de kritiek tot de grond toe was afgebrand. 'Slappe, quasi-intellectuele, slechtgemaakte softporno die wanhopig probeert voor serieuze cinema door te gaan,' was een van de betere recensies geweest. Kortom, de film was een absolute flop en hoewel Annie door meerdere critici was geprezen omdat zij als enige behoorlijk geacteerd had, zou de film weinig tot niet gepromoot worden voor hij in de bioscoop kwam. Tijdens het maken van de film waren er echter een paar incidenten geweest die geresulteerd hadden in iets meer persoonlijke aandacht dan Annie lief was en ze vermoedde dat dat de enige reden was waarom ze nu geïnterviewd zou worden.

'Kijk, het zit zo,' zei Sally, haar publiciteitsagente, eerder die week door de telefoon. 'Je hebt me genaaid.'

'Aha,' antwoordde Annie.

'Ik hou van je, Annie,' zei Sally, 'maar het is mijn taak om je carrière in goede banen te leiden, om te zorgen voor een positieve informatiestroom rond jou en je interesses. En helaas heb je me in dat opzicht genaaid.'

'Dat was niet m'n bedoeling,' zei Annie.

'Weet ik. Dat is een van de redenen waarom ik van je hou. Maar desondanks heb je me genaaid. Tijd voor een korte analyse?'

'Liever niet,' zei Annie.

'Echt heel kort,' zei haar publiciteitsagente. 'Goed. Ten eerste besloot je, tijdens de opnames voor die draak van een film, zomaar opeens je bloesje uit te trekken en lekker over de set rond te wandelen.'

'Ja, klopt, maar –'

'Hoppa, tieten bloot, in het volle zicht van de crew, zodat iedere Jan, Piet of Klaas – en misschien wel alledrie – je uitgebreid kon kieken met z'n mobieltje en je nu in volle glorie op zo'n beetje iedere sterrensite pronkt.'

'Ik weet het.'

'Allemaal ook weer niet zo'n ramp, maar uiteraard hoor ik het pas als die foto's op internet staan, als ik gebeld word door iemand van *US Weekly* en ik opeens naar je tieten zit te staren en verhalen lees over je labiliteit op de set.'

'Het spijt me echt,' zei Annie.

'Nou, dat brandje heb ik geblust.'

'Bedankt.'

'Graag gedaan. Ja, dat brandje heb ik geblust. Zoveel heeft 't nou ook weer niet om het lijf. Zo'n beetje overal waar je kijkt zie je tegenwoordig blote tieten. Allemaal niet zo vreselijk.'

'Gelukkig,' zei Annie.
'Maar. Maar. Dan hoor ik dat je lesbisch bent.'
'Welnee.'
'Doet er niet toe,' zei Sally. 'Dat is wat ik hoor, en uiteraard weer als laatste. Ik moet het horen van je vriendinnetje en niet van jou.'
'Ze is m'n vriendinnetje niet,' zei Annie. 'Ze is gek.'
'En als klap op de vuurpijl is ze je tegenspeelster in die draak van een film, zodat alle geruchten over je labiliteit nog 'ns bevestigd worden.'
'O god.'
'Gelukkig heb je mij nog en ben ik heel, heel goed in m'n vak. Maar ik kan ook geen wonderen verrichten. Het zou leuk zijn als je eerst 'ns iets aan mij vertelt voor het allemaal wereldkundig wordt, zodat ik kan bepalen of en hoe die informatie je carrière moet beïnvloeden.'
'Voortaan doe ik dat, Sally. Echt, ik zweer het.'
'Beschouw me als je beste vriendin. Aan je beste vriendin vertel je alles, nietwaar? Dus vraag je af en toe 'ns af: wie is m'n beste vriendin?'
'Dat zou jij kunnen zijn, Sally. Ik meen het.'
'Ik moet bijna huilen, schat. Maar toch, als je me vertelt wat er allemaal aan de hand is, zal ik voor je zorgen. Oké?'
'Oké.'
'Goed. Dus doe nu een interview met die kerel van *Esquire*, dan schrijft hij een mooi stuk over je, zonder al te veel nadruk op blote tieten en lesbisch gedoe. Oké?'
'Oké.'
'Wees charmant.'
'Moet lukken,' zei Annie.
'Wees sexy.'
'Moet lukken,' zei Annie.
'Doe alles wat je moet doen, behalve met die vent het bed in duiken.'

'Begrepen.'
'En nu even herhalen, graag.'
'Wat?'
'Sally, ik zal je nooit meer naaien.'
'Sally, ik zal je nooit meer naaien,' herhaalde Annie.
'O, dat weet ik ook wel, schat,' zei Sally en ze hing op.

Annie verbeeldde zich dat de mol in het midden haar voormalige tegenspeelster was, Minda Laughton, met haar tere gelaatstrekken, krankzinnige ogen en bijna overdreven lange hals. Ze liet de hamer met zo'n kracht neerdalen dat de machine kraakte en schudde en de mol zich klikkend en ratelend terugtrok in zijn hol. 'Laat ik je nooit meer zien!' dacht Annie.

'Dus je bent een soort *Whac-A-Mole*-expert,' zei een man die opeens naast haar stond.

Annie draaide zich vliegensvlug om, met de plastic hamer verdedigend opgeheven, en zag een kleine man met een bril, een net wit overhemd en een spijkerbroek. Hij had een klein recordertje in zijn hand en glimlachte. Kennelijk vond hij het grappig dat hij en Annie elkaar in een amusementshal ontmoetten. Dat was een idee van zijn redactie geweest.

'Ik ben Eric,' zei hij. 'Je weet wel, van *Esquire*. Je liet die mollen wel even zien wie de baas is.'

Heel even, voor ze zich Sally's waarschuwing herinnerde, voelde Annie de aandrang om te zeggen dat hij zijn recorder in zijn hol kon steken. Eerst te laat komen en haar dan ook nog eens in een onbewaakt moment bespieden. Maar ze dwong zichzelf om kalm te blijven, ademde diep en regelmatig en werd niet zichzelf.

'Indrukwekkend, hè?' zei ze glimlachend en ze zwaaide met de hamer alsof het een obsceen instrument was.

'Zeg dat wel. Ik heb de openingsalinea van het artikel nu al in m'n hoofd. Wil je hem horen?'

Annie kon niets bedenken wat ze minder graag wilde. 'Nee, ik wacht wel tot het blad in de winkel ligt, net als iedereen,' zei ze.

'Oké, maar hij is echt goed.'

'Nog even wat kwartjes halen,' zei Annie en ze liep weg. Eric bukte zich en scheurde de strook met kaartjes af die de machine, bijna vergeetachtig, alsnog had uitgespuwd.

'Vergeet deze niet,' zei hij.

'Misschien win ik wel een teddybeer voor je,' zei Annie terwijl ze de kaartjes in haar tasje stopte.

'Dan wordt het helemaal het beste artikel ooit.'

Tijdens een van haar eerste interviews naar aanleiding van *The Powers That Be*, de op een stripverhaal gebaseerde kassakraker waarin zij Lady Lightning speelde, vroeg de journalist of ze als kind veel strips had verslonden. 'Ik geloof dat ik nog nooit van m'n leven één stripboek heb gelezen,' zei ze. De verslaggever trok een gezicht en schudde toen zijn hoofd. 'Ik denk dat ik maar schrijf dat je als kind gek was op strips. Dat je eigenlijk altijd zat te lezen toen je klein was. Goed?' Annie knikte verbijsterd, en zo ging het eigenlijk het hele gesprek lang. De verslaggever vroeg iets, zij gaf antwoord en dan luisterde ze terwijl hij haar vertelde wat haar antwoord werkelijk zou worden. Het was het ergste interview uit haar carrière geweest, maar na nog eens vijftig, zestig, zeventig interviews over dezelfde film, met steeds dezelfde vragen en zonder dat kennelijk één journalist de film had gezien of zelfs maar van haar had gehoord, snakte ze naar de eenvoud en het gemak van dat eerste gesprek.

De daaropvolgende twintig minuten liet Annie werkelijk geen spaan heel van Eric tijdens een potje *Fatal Flying Guillotine III*. Aangezien ze de twee eerste versies nooit gespeeld had, drukte ze gewoon lukraak op de knopjes en was ze getuige van de bijna wonderbaarlijke manier waarop haar personage, een reusachtig wezen in een kilt dat half beer en half mens was, met zo'n razernij op haar instructies reageerde dat Eric alleen maar kon toekijken hoe zijn personage, een Japans vrouwtje dat was uitgedost als een showgirl uit Las Vegas, van de ene hoek van het scherm naar de andere werd geramd. 'Je bent hier echt heel goed in,' zei Eric. Annie bleef de Japanse de grond in beuken. 'Volgens mij ben jij gewoon heel slecht,' antwoordde ze, zonder haar blik ook maar één seconde van het scherm af te wenden. Ze genoot van de manier waarop al haar vage verlangens plotseling helder en volmaakt vorm kregen. 'Nee,' zei Eric. Hij ramde op de knopjes en greep de joystick zo verwoed beet dat hij helemaal in zijn hand verdween. 'Ik ben hier juist ontzettend goed in.' De Schotse beer tilde Erics showgirl op, liet haar drie keer ronddraaien boven zijn kop en ramde haar toen met haar hoofd omlaag tegen de grond, zo hard dat er alleen een klein gat in de aarde overbleef. 'Het is dat je het zegt,' antwoordde Annie.

Ze stopten nog meer muntjes in de machine en Eric koos deze keer een Bruce Lee-achtige slechterik die constant omgeven werd door vlammen. Annie hield het bij haar beermens. Vlak voordat de eerste ronde begon vroeg Eric: 'Wil je het over *Sisters, Lovers* hebben?' Annie verstijfde, heel even maar wel zo lang dat Erics personage drie razendsnelle, zwiepende trappen kon uitdelen en de vacht van haar beer schroeide. 'Daar ontkomen we niet aan, hè?' zei ze. Aan het einde van de eerste ronde lag haar beer smeulend uitgestrekt op de grond.

'Weet je wat?' zei Eric. 'Als ik de wedstrijd win, vertel jij me over dat blootincident op de set.'

Annie keek hoe de twee vechters gretig op hun tenen op en neer wipten, popelend om de strijd weer aan te gaan, terwijl werd afgeteld voor de tweede ronde. Ze dacht na over Erics aanbod. Sally zou liever willen dat ze er niets over zei en deed alsof het nooit gebeurd was, maar Annie voelde een zekere voldoening nu ze misschien haar kant van het verhaal kon vertellen. Bovendien begon ze zonder enig voorbehoud verliefd te raken op haar beermens. Ze wist dat hij haar niet zou teleurstellen. 'Oké,' zei ze.

Twee ronden later, nadat Erics personage zo overweldigend was verslagen dat het Annie niets verbaasd zou hebben als hij voorgoed uit het spel was verwijderd, keek ze hem glimlachend aan. 'Dat is dus één primeur die ik kan vergeten,' zei Eric. Hij haalde zijn schouders op en lachte toen ook. De vraag was van zijn lijstje gewist en Annie was geroerd door dat gebaar, door de eenvoudige manier waarop alles verliep.

'Het was een lastige film,' zei Annie. Ze keek Eric opzettelijk niet aan en wist eigenlijk zelf niet waarom ze de aandrang voelde om dat op te biechten. 'Het was een ongelooflijk lastige rol, dat wist ik vantevoren, maar misschien besefte ik niet goed hoe uitputtend het zou zijn om dag in dag uit zo'n personage te spelen.'

'Wat vind je van de recensies tot dusver?' vroeg hij, met zijn recorder nog steeds in de borstzak van zijn overhemd.

'Ik ben niet de meest aangewezen persoon om daarover te oordelen,' zei ze. 'Ik weet wel dat Freeman een unieke visie heeft, en dat anderen het misschien moeilijk vinden om die op waarde te schatten.'

'Heb je van de film genoten?'

'Ik zou nooit het woord genieten gebruiken als ik wil beschrijven hoe het is om naar een van mijn eigen films te kijken.'

'Oké,' zei Eric. Ze staarden elkaar even zwijgend aan. Op het scherm draaide een promo voor het spel, waarin een reusachtige demoon met wit haar de kijker lachend wenkte en hem uitnodigde om mee te doen.

'Ik deed m'n bloesje uit omdat ik niet wist of ik dat wel kon.'

'Hmm,' zei Eric en hij knikte.

'Ik had nog nooit eerder een naaktscène gedaan en ik wist niet zeker of ik dat wel zou kunnen. Daarom deed ik het eerst in het echt en toen besefte ik dat het me dus ook in de film moest lukken. En daardoor vergat ik eigenlijk een beetje dat iedereen me kon zien.'

'Logisch. Ik bedoel, het moet moeilijk zijn om steeds te wisselen tussen fictie en realiteit, vooral als je zo'n intense rol speelt. We kunnen het daar later verder over hebben of het hierbij laten. Maar wat dacht je nu van een paar potjes *Skee-Ball*?'

Annie knikte. 'Annie,' zei ze in zichzelf, 'hou je kop. Hou je kop, hou je kop, hou je kop.'

Toen de foto's op internet verschenen, wazig en in lage resolutie maar desondanks maar al te herkenbaar, stuurden Annies ouders haar een e-mail: *Het wordt tijd dat je begint te experimenteren met het idee van beroemdheid en het vrouwelijk lichaam als lustobject*. Haar broer zei of schreef helemaal niets en leek van de aardbodem verdwenen te zijn; misschien wel een normale reactie als je je zus naakt ziet. Haar losvaste vriendje, op dat moment los, belde haar op en zei: 'Is dit weer zo'n typisch Fang-iets? Ik bedoel, is het nou echt onvermijdelijk dat je idiote dingen doet?'

'Daniel,' zei Annie, 'je hebt beloofd dat je niet zou bellen.'

'Inderdaad, behalve in noodgevallen. En dit is duidelijk een noodgeval. Je wordt gek.'

Daniel Cartwright had eerst twee romans geschreven die aanvoelden als films en daarna filmscripts die aanvoelden als tv-shows. Hij droeg tegenwoordig altijd een cowboyhoed en had laatst een script verkocht voor een miljoen, over twee mannen die een robot bouwen die president wil worden. Het heette *President 2.0* en afgezien van het feit dat hij knap en gestoord was, kon Annie eigenlijk geen enkele reden bedenken waarom ze een relatie met Daniel had gekregen en waarom ze, nadat ze hem gedumpt had, later opnieuw een relatie met hem zou krijgen.

'Ik word helemaal niet gek,' zei ze. Ze vroeg zich af of het mogelijk was het internet op te blazen.

'Daar lijkt het anders wel op,' zei hij.

'Ik ben bezig met een film,' antwoordde Annie. 'Een proces waarbij altijd een zekere mate van gekte komt kijken.'

'En ik kijk op dit moment naar je tieten,' zei Daniel. Annie kon daar geen antwoord op verzinnen en hing op.

Later die dag, tijdens een feestelijk diner voor de cast in Freemans grote, gehuurde villa, zag Annie bij binnenkomst dat het huis volhing met uitvergrotingen van haar naaktfoto's. Freeman kwam de hal in om haar te begroeten en nam nonchalante happen van een belachelijk grote reep waar links en rechts caramel uit droop.

'Wat is dit nou weer?' vroeg Annie. Ze rukte een van de foto's van de muur en verfrommelde die.

'Je bent nu beroemd,' zei hij. 'Dankzij mij.'

Ze sloeg de reep uit zijn hand en holde naar buiten.

'Ooit zullen we hierom lachen,' riep Freeman haar na.

Annie zocht haar autosleuteltjes, liet die drie keer vallen en wilde net in tranen uitbarsten toen Minda aan kwam rennen over de oprit. Ze waren de twee sterren van de film, maar hadden bijna geen scènes samen gehad en Annie had haar maar zelden gezien op de set. Toen ze Minda op zich af zag komen, met uitgestoken handen en een verwrongen gezicht, roepend dat ze even moest wachten, voelde Annie de aandrang om zo snel mogelijk de benen te nemen, maar merkte dat ze zich niet kon verroeren. Een paar tellen later hing Minda aan haar arm, hijgend en bijna huilend.

'Verschrikkelijk, hè?' bracht ze er moeizaam uit.

Annie knikte; ze had haar sleuteltjes in haar hand en wilde het portier van haar auto openmaken, maar Minda liet haar arm niet los.

'Echt verschrikkelijk,' zei ze, maar nu met een wat normalere stem. 'Ik zei nog tegen Freeman dat hij het niet moest doen, maar hij luisterde niet. Hij schrijft wel geweldige rollen voor ons, maar diep van binnen haat hij vrouwen.'

Annie knikte opnieuw. Ze vroeg zich af of ze jaren later een permanente nekbeschadiging zou hebben omdat ze nu zo verwoed haar best deed om niets te hoeven zeggen.

'Zullen we ergens iets gaan drinken?' vroeg Minda.

Annie reikte diep in zichzelf, hervond haar stem en zei: 'Ja, goed.'

Ze belandden in een kleine bar, waar de overige klanten kennelijk gewend waren aan beeldschone vrouwen met belachelijk dure T-shirts of ze simpelweg niet zagen, en konden ongestoord aan een tafeltje in een hoek gaan zitten met glazen whisky en gemberbier.

'Wat ga je nu doen?' vroeg Minda. Ze hield Annie nog steeds bij haar arm, alsof ze bang was dat ze op de vlucht zou slaan als ze haar losliet, en Annie bedacht dat dat best eens zou kunnen kloppen. Aan de andere kant was het wel fijn om met iemand te praten die in haar geïnteresseerd was en niet meteen riep dat ze gek werd.

'Ik weet niet,' zei Annie. 'De film afmaken, denk ik, en dan een tijdje van het toneel verdwijnen. Misschien wel stoppen met acteren.'

'Nee, niet doen,' zei Minda oprecht geschrokken.

'Hoezo? Waarom niet?' vroeg Annie.

'Je bent zo goed,' zei Minda. 'Ik bedoel, je bent echt fantastisch.'

'Ach, ik, ach, nou, ik, ach...' Annie had zo nog uren kunnen doorgaan als Minda haar niet had onderbroken.

'Zelf ben ik gek op acteren, maar ik ben er nog niet zo goed in. Meestal weet ik niet wat ik moet doen en laat ik me leiden door de meest geflipte ideeën, maar jij voelt instinctief aan wat je moet doen. Het is geweldig om je te zien spelen.'

'Maar we hebben samen helemaal geen scènes gehad.'

'Toch kijk ik naar je,' zei Minda glimlachend. 'Van een afstand.'

'O,' zei Annie.

'Dat vind je toch niet erg?' vroeg Minda en Annie schudde haar hoofd.

'Nee hoor. Er kijken zoveel mensen naar me.'

'Maar ik kijk héél goed,' zei Minda en ze kneep zo hard in Annies arm dat haar vingers begonnen te tintelen.

Eindelijk besefte Annie dat Minda Laughton haar probeerde te versieren. Annie besefte dat Minda Laughton in zeven films had gespeeld en in vier daarvan een andere vrouw had gekust. Annie besefte dat Minda Laughton eigenlijk beeldschoon was, met grote ogen, een sierlijke hals en een gezicht dat zo glad en egaal was dat het niet het gevolg leek van chirurgische ingrepen maar eerder van een soort toverkracht.

Minda boog zich over tafel en kuste Annie, die zich niet verzette. Toen Minda weer was gaan zitten beet ze even op haar onderlip en zei: 'Een paar weken geleden heb ik met Freeman gevrijd.'

'Wat een verschrikkelijk idee!' zei Annie.

Minda lachte en zei: 'Ik wil gewoon niet dat je het van iemand anders hoort en de indruk krijgt dat ik het met iedereen in de film probeer aan te leggen.'

'Alleen met mij en Freeman.'

'En de scriptgirl.'

'Meen je dat?'

'Ze vertelde me dat haar oom geprobeerd had haar te zoenen en ik had ook zo'n soort verhaal en opeens zoenden wij elkaar ook. Ik denk niet dat ze er nog veel van weet. Ze was behoorlijk dronken.'

'En jij niet?'

'Ik niet,' zei Minda.

'Dus alleen ik, Freeman en de scriptgirl?'

'Meer niet. En als je wilt, hou ik het voortaan alleen bij jou.'

'Laten we nou niet meteen alle remmen losgooien,' zei Annie, met een gevoel alsof ze zich met haar tenen vastklampte aan de rand van iets belangrijks.

'Waarom niet?' zei Minda en Annie, die inmiddels lichtelijk aangeschoten was, kon niet één reden bedenken.

Annie pakte een Skee-Ball van gepolijst hardhout, die als een wapen aanvoelde in haar handen, en rolde hem over de baan. Hij sprong over de ball-hop en belande in de vijftig-puntenring. 'Gewoon geluk,' zei ze. Eric, die bij de machine ernaast stond, glimlachte en wachtte tot zijn negen ballen in positie lagen. 'Nog een kleine weddenschap?' vroeg hij. 'De vorige heb je tenslotte dik gewonnen.' Annie rolde opnieuw een bal over de baan: vijftig punten. 'En toch heb je me zover gekregen dat ik je vraag heb beantwoord,' zei ze.

'Ik ben goed in m'n vak.'

'Wat is deze keer de vraag?' vroeg Annie, die al wist wat het antwoord zou zijn.

'Minda Laughton,' antwoordde Eric.

Nou goed, dacht Annie. Waarom niet?

'Nou goed,' zei Annie. 'Waarom niet?'

Eric pakte zijn eerste Skee-Ball en rolde die vakkundig over de baan. Een klein sprongetje en de bal belandde in de vijftig-puntenring, een fractie van een seconde later gevolgd door een tweede bal en toen een derde, vierde en vijfde. Annie staarde naar Eric, die probeerde niet te grijnzen. Even later lagen zijn negen ballen allemaal in de vijftig-puntenring. Op de machine knipperden lichtjes en loeiden sirenes en uit een gleuf spoten kaartjes die zich aan Erics voeten opstapelden.

'Dus je bent een Skee-Ballexpert?' zei Annie gepikeerd.

'Ik speel in een competitie.'

'Een Skee-Ballcompetitie?'

'Ja.'

'We kunnen nog gelijkspelen,' zei Annie. 'Dan hoef ik je vraag niet te beantwoorden.'

'Dat is waar,' zei Eric. 'Nog maar zeven ballen.'

Annie woog de Skee-Ball in haar hand, zwaaide haar arm met kracht achteruit en voelde toen hoe die beweging volkomen onverwacht en met een schok onderbroken werd. Haar wijs- en middenvinger werden pijnlijk geplet en ze trok haar hand abrupt terug, alsof hij onder stroom stond. Meteen daarna hoorde ze een kind huilen en toen ze omkeek, zag ze een meisje van een jaar of zes languit op de grond liggen, met haar handen tegen haar hoofd gedrukt. Annies Skee-Ball rolde langzaam nog een stukje verder en bleef toen liggen.

'Godallemachtig!' fluisterde Eric.

'Wat?' zei Annie. 'Wat is er gebeurd?'

Eric holde naar het kleine meisje en Annie volgde hem. 'Nou,' zei Eric, 'je hebt dit meisje een dreun op haar hoofd gegeven met je Skee-Ball. Of met je vuist. Of misschien wel allebei.'

'Godallemachtig!' zei Annie met overslaande stem.

Het meisje was inmiddels halfovereind gekomen. Ze wreef over haar hoofd en huilde zo hard dat ze ervan moest hikken.

'Rustig maar,' zei Eric. 'Alles komt goed.'

Annie holde naar Erics Skee-Ballmachine, scheurde de strook kaartjes af die hij gewonnen had en liep haastig terug naar het kind, alsof dat een instabiel element was dat elk moment kon ontploffen.

'Pak aan,' zei Annie en het meisje begon minder hard te huilen.

'En dit,' zei Annie en ze gaf haar de nog bijna volle beker met muntjes.

'En dit,' zei Annie en ze gaf het meisje twintig dollar.

Het meisje glimlachte, met rode ogen en een snotneus, en liep weg. Annie zag dat ze al een buil op haar achterhoofd had en vroeg zich af wat er zou gebeuren als haar ouders dat ook zagen en verhaal kwamen halen.

'Laten we maken dat we wegkomen,' zei ze tegen Eric.

'Ik heb dat potje gewonnen,' zei Eric.

'Ja, oké. Jezus, laten we gaan!'

'Wat een sensatie!'

'Je zet dit toch niet in je artikel, hè?'

'Ik kan het er moeilijk níét in zetten. Ik bedoel, je hebt net een kind knock-out geslagen.'

Annie liep vlug naar de uitgang, woedend en bang voor vergelding, en werd even verblind door de zon. Ze zou Erics vragen beantwoorden, naar huis gaan, haar koffers pakken en naar Mexico verhuizen. Ze zou in *telenovelas* spelen en ervoor zorgen dat ze dag en nacht stomdronken was. Ze zou alles eerst nog veel erger laten worden voor het beter werd.

Nog geen week nadat ze met Minda gevrijd had in de bar en later op Minda's hotelkamer, liep Annie naar de make-uptrailer. Terwijl de visagiste haar opmaakte, viel haar blik op het nieuwste

Razzi Magazine. 'Tegenspeelsters Verliefd,' stond op het omslag, met daaronder een foto van Annie en een foto van Minda die zo bewerkt waren dat het leek alsof ze samen schouder aan schouder op één foto stonden. De visagiste zag Annie vol afschuw naar het blad kijken. 'Dat ben jij,' zei ze en ze wees op het omslag. 'Weet ik,' zei Annie. 'En dat is Minda,' vervolgde de visagiste. 'Ja,' zei Annie. 'Weet ik.' Er viel een stilte die misschien tien seconden duurde en waarin Annie probeerde te bedenken wat voor gevolgen het omslag allemaal zou kunnen hebben. 'Er staat dat jullie een stel zijn,' zei de visagiste. Annie griste het blad van tafel en smeet de deur van de trailer open.

Toen ze Minda had opgespoord, las Annie haar een paar regels uit het artikel voor. '"Volgens een hartsvriendin van het paar zijn ze echt verliefd en nog nooit zo gelukkig geweest",' citeerde Annie. Minda glimlachte. 'Lief, hè?'

'Het is niet waar,' zei Annie.

'Een beetje toch wel,' antwoordde Minda, nog steeds glimlachend.

'Een beetje toch niet,' zei Annie.

'Appels en peren.'

'Wat?'

'Appels en peren.'

'Dat slaat –'

'Nou, ik vind het lief.'

'En wie is die *hartsvriendin*?' vroeg Annie. 'Ik heb geen hartsvriendinnen.'

'Dat ben ik,' zei Minda, wier glimlach steeds minder een glimlach werd en meer een soort kramp.

'Jezus Cristus!'

'Ik heb het aan mijn publiciteitsagent verteld en die weer aan de bladen, dus nu is het officieel.'

Annie had het gevoel alsof ze van een berg af raasde in een voertuig waarvan precies op dat moment de wielen waren afgebroken. Ze suisde omlaag, terwijl de vonken langs haar gezicht spoten, en kon alleen maar wachten tot ze volledig tot stilstand was gekomen, zodat ze kon uitstappen en wegrennen.

Zodra ze een restaurantje haden gevonden dat ver genoeg van de amusementshal was legde Annie haar hand plat op tafel, met haar handpalm omlaag. Haar wijs- en middelvinger begonnen dik te worden en ze kon ze al bijna niet meer buigen. Terwijl Eric een hamburger at die leek op de creatie van iemand die nog nooit een hamburger had gezien maar had gewed dat hij er best eentje kon maken, vertelde Annie hem over Minda, de misverstanden, de intimiteit die onvermijdelijk ontstaat als twee mensen hun creativiteit in een en hetzelfde project steken. Ze vertelde hem niet over de ruzies, over het stalken, over de keren dat ze soms toegaf en met Minda naar bed ging, of over de keren dat ze de aandrang voelde om haar gewoon te smoren met een kussen en de wereld te verlossen van de zoveelste krankzinnige. In tegenstelling tot Minda hield Annie sommige dingen voor zich.

'Nou,' zei Eric, wiens bord één groot slagveld was van ketchup en mosterd en champignons en gebakken uitjes en alle andere zaken die zijn hamburger niet binnen had kunnen houden (Annie dacht: Ik zou een salade kunnen maken van alles wat uit je burger is gevallen), 'waar ik het eigenlijk over wilde hebben – wat ik misschien nog wel het interessantst aan je vind – is je familie.'

Annie voelde een soort luchtbel omhoog rijzen naar haar hersens, een stekende pijn die even brandde en toen weer vervloog. Haar familie! Konden ze het niet gewoon over haar tieten en haar lesbische stalker hebben?

'Je gebruikt bijvoorbeeld niet je echte achternaam,' zei Eric.

'Mijn agent dacht dat ik dan te veel in bepaalde rollen zou worden geduwd. Horrorfilms en zo. De naam klinkt trouwens verzonnen, vind je ook niet?'

'Een beetje. Is hij ook verzonnen?'

'Nee, volgens mij niet. Het is oorspronkelijk een Oost-Europese naam, maar misschien hebben ze hem ooit korter gemaakt. Mijn vader beweerde altijd dat wij afstamden van de eerste echte weerwolf die de Atlantische Oceaan was overgestoken en naar Amerika was gevlucht. Hij had zoveel mensen vermoord in Polen of Wit-Rusland of waar het dan ook was dat hij zich als verstekeling moest verbergen op een schip naar Amerika om niet gelyncht te worden. En toen hij eenmaal hier was, vermoordde hij iedere keer met volle maan een stel Amerikanen. Later zei mijn vader dat zijn voorouder dat verhaal waarschijnlijk zelf verzonnen had, als een soort grap, en zijn naam opzettelijk had veranderd om het echter te laten lijken. Dat was als kind natuurlijk minder spannend om te horen.'

'Ja, daar wilde ik het over hebben,' zei Eric geanimeerd en er verscheen een kleine zenuwtrek bij zijn linkeroog. 'Jij was "Kind A" in al die performances van je ouders. In feite was jij de ster, zou je kunnen zeggen.'

'Nee, Buster was de ster. Zeker weten. Hij heeft het veel zwaarder gehad dan ik.'

Ze dacht aan Buster, vastgebonden aan een lantaarnpaal, beklemd in een berenval, vrijend met een sint-bernard en al die andere keren dat hij in een bizarre situatie was achtergelaten en het verder zelf maar had moeten opknappen.

'Maar goed, jij werd ook in omstandigheden geplaatst waarin je in zekere zin moest acteren, op een guerilla-achtige, geïmproviseerde manier. Denk je dat je ook actrice zou zijn geworden als je geen Fang was geweest?'

'Waarschijnlijk niet,' zei Annie.

'Daar ben ik in geïnteresseerd,' zei Eric. 'Ik moet toegeven dat ik je behoorlijk getalenteerd vind. Naar mijn mening had je een Oscar moeten winnen voor *Date Due* en het is je zelfs gelukt om de stripfiguurachtige seksualiteit van Lady Lightning te ondermijnen door haar een vleugje postfeminisme mee te geven in die twee *Powers That Be*-films, waarin je bliksemschichten afvuurt op nazi's.'

'Ik denk dat we veilig kunnen stellen dat iedereen het leuk vindt als nazi's door de bliksem getroffen worden.'

'Je bent dus een goede actrice, maar mijn scriptie ging over de carrière van je ouders. Ik heb bijna ieder project van je familie gezien en naar mijn idee had je je sterkste momenten, waarin je acteerwerk het verrassendst was en de grootste emotionele impact had, tijdens die kunstwerken.'

'Toen ik negen jaar oud was,' zei Annie, met een gevoel alsof ze moest overgeven. Eric had zojuist haar grootste angst verwoord, alles wat ze altijd moeizaam had geprobeerd te ontkennen: dat het simpele feit dat ze een Fang was, een soort doorgeefluik voor de visie van haar ouders, misschien wel het enige waardevolle was wat ze ooit in haar leven had gedaan.

'Ik ga iets te drinken halen,' zei ze en ze stond op. Het was pas twee uur 's middags, maar het was middag en na de middag kwam de avond en ze wilde iets drinken. Ze was van plan om tot ver in de avond door te drinken, of zo voelde het tenminste. Ze vroeg om een glas gin, zonder ijs of mixdrankjes of olijf, nam het mee naar hun tafeltje en goot een flinke slok naar binnen, om de boel op gang te brengen.

'Wat ik bedoel,' vervolgde Eric, alsof hij al de hele dag gewacht had om dit te kunnen zeggen, 'is dat die performances zo'n enorme complexiteit hebben. Onder de eerste schok gaat ook iets anders schuil, dat je pas ziet als je heel goed kijkt.'

'Wat dan?' vroeg Annie en ze nam nog een slok. Het smaakte zo schoon en medicinaal dat het wel iets weghad van een operatie onder lichte verdoving.

'Een triestheid, een melancholie die voortkomt uit het besef dat jullie argeloze mensen ongewild met schokkende gebeurtenissen confronteren.'

Hoe vaak had hij naar die video's gekeken? Wat had hij erin gezocht? Zodra een performance eenmaal gemonteerd en voltooid was, had Annie er zelf nooit meer naar gekeken als dat niet absoluut noodzakelijk was. Als ze terugdacht aan bepaalde gebeurtenissen waren dat losse flarden: een vloed van kleur die uit het lichaam van haar moeder stroomde of de kapotte snaar van een gitaar. Ze kwamen op in golven en verdwenen dan weer voor maanden of zelfs jaren voor ze terugkeerden.

Ze had naar haar glas zitten staren, maar nu keek ze op en zag Eric. Zijn gezicht was kalm en stralend.

'Jij bent altijd de beste Fang geweest,' zei hij. 'Dat vind ik tenminste.'

'Er is geen beste Fang,' zei ze. 'We zijn allemaal precies hetzelfde.'

Een paar weken eerder, net toen de grootste heisa rond de naaktfoto's weer een beetje voorbij was, had Annie een opgetogen telefoontje van haar ouders gehad. Annie zat een brief van vier pagina's van Minda te lezen, waarvan twee pagina's bestonden uit een sestina met de steeds herhaalde woorden *Fang, bloesem, locomotief, tong, film en bi-geluk*. Ze vond het helemaal niet erg om de brief weg te leggen.

'Geweldig nieuws,' zei haar vader en op de achtergrond hoorde Annie haar moeder: 'Geweldig nieuws' roepen.

'Wat dan?' vroeg Annie.

'We kregen net een e-mail van het MCA in Denver. Ze willen een van onze stukken exposeren.'

'Geweldig,' zei Annie. 'Gefeliciteerd. Iets nieuws?'

'Gloednieuw. 't Is zelfs nog maar net af,' zei meneer Fang.

'Wauw,' zei Annie.

'Ja, wauw. Precies, wauw,' zei haar vader.

'Pa,' zei Annie, 'ik moet nog een hoop tekst leren.'

'Ja, goed, oké,' zei meneer Fang, maar op dat moment riep mevrouw Fang ergens heel dicht bij de telefoon: 'Vertel het haar nou maar, schat.'

'Wat moet hij me vertellen?'

'Nou, de rode draad van het stuk zouden die foto's van je zijn die laatst in de publiciteit zijn gekomen.'

'De naaktfoto's?'

'Ja, die. Het museum belde om te vragen of jouw, eh, performance een Fang-project was.'

'O.'

'Je weet wel, een creatie van Kind A, op een wereldomvattende schaal. Een echte Fang-ervaring, maar dan in het kwadraat. En we hebben al heel lang niets meer gehad met Kind A erin.'

'Misschien omdat ik geen kind meer ben.'

'Nou, ik wilde je het gewoon even laten weten. We dachten dat je het opwindend zou vinden.'

'Dat is ook zo,' zei Annie, die zich plotseling afvroeg hoe die sestina eindigde.

'We houden van je, Annie,' zeiden haar ouders in koor.

'Ja,' zei Annie. 'Insgelijks.'

De volgende ochtend cirkelde Annie door haar slaapkamer en staarde naar de verslaggever van *Esquire*, die alleen gekleed in zijn ondergoed in haar bed lag. Hij droeg knalpaarse shorts, wat Annie niet aantrekkelijk of onaantrekkelijk vond, maar gewoon een opvallend detail. Ze had geen kater, wat betekende dat ze de avond tevoren niet dronken was geweest, wat betekende dat dit geen volkomen vreselijk idee van haar was. 'Nee,' zei ze in zichzelf, terwijl in de keuken de koffie doorliep. 'Dit was geen volkomen vreselijk idee.' Eric werd wakker en leek begrijpelijkerwijs verbaasd dat Annie naast het bed stond en aandachtig naar zijn knalpaarse kont staarde. 'Er is koffie,' zei Annie en ze liep haastig weer naar de keuken.

Ze zaten tegenover elkaar aan de eettafel, die Annie nooit gebruikte. Ze streek met haar hand over de fraaie houtnerf. Het was een mooie tafel. Eigenlijk zou ze hem vaker moeten gebruiken.

'We hebben de omgangsregels tussen interviewer en geïnterviewde wel met voeten getreden,' zei Eric. Annie luisterde maar half. Wat voor hout zou het zijn? vroeg ze zich af.

'Maar dat kan ook juist tot een interessant artikel leiden,' zei Eric. 'De nieuwe journalistiek. Een postmodern portret van een beroemdheid.'

Annie keek naar Eric. Hij gebruikte geen onderzetter voor zijn koffie, dus schoof ze er eentje naar hem toe en gebaarde naar zijn beker. Hij leek het niet te begrijpen en praatte gewoon verder.

'Hoe verwerk je zo'n belangrijk detail over je relatie met de geïnterviewde in je artikel zonder dat dat meteen de rest overschaduwt? Mag je, naast het officiële interview, ook putten uit persoonlijke gesprekken? En waar moet je de grens trekken als je eenmaal met iemand naar bed bent geweest?'

Annie wilde de tafel doormidden slaan.

'Was je van plan dit ook in je artikel te zetten?' vroeg ze.

'Ik zie niet hoe ik het weg zou kunnen laten; we hebben seks gehad.'

'Nou, ik zie anders heel goed hoe je het weg zou kunnen laten,' zei Annie. Haar hand klopte, omdat ze haar gekneusde vingers tot een vuist had gebald en daar nu mee op tafel bonkte. 'Je laat het gewoon weg!'

'Dat denk ik niet.'

'Dit is héél erg fout,' zei Annie ijsberend.

'Ik stuur je natuurlijk het artikel voor ik de definitieve versie inlever,' zei Eric. 'Als ik je verkeerd geciteerd heb, of we ons bepaalde dingen anders herinneren, kun je dat corrigeren.'

'Nee, ik wacht wel tot het blad in de winkel ligt, net als iedereen.'

'Moet ik je later nog bellen of –'

'Ga nou maar gewoon weg,' viel Annie hem in de rede. Ze wilde onder geen beding weten wat hij met *of* bedoelde.

'Ik vind je echt geweldig,' zei hij, maar Annie liep al naar de badkamer en deed de deur op slot.

Misschien werd ze inderdaad wel gek. Ze voelde zich niet gek, maar ze was er wel van overtuigd dat geestelijk gezonde mensen zich niet zo gedroegen. De voordeur ging open en dicht. Annie drukte een washandje tegen haar gezicht en verbeeldde zich dat ze een reusachtig, meedogenloos wezen was, half beer en half mens. Ze beukte al haar vijanden de grond in: het bloed spatte alle kanten op en boven haar hoofd cirkelden de gieren. Ze vermorzelde alles en iedereen wat maar vermorzeld moest worden en als ze klaar was, als alles misschien niet goed was maar in elk geval minder fout, kroop ze een diepe, donkere grot in voor een lange winterslaap, wachtend op een nieuw jaargetijde waarin ze verzadigd zou zijn. Ze keek naar haar handen; de rechter was paars en gezwollen, misschien wel gebroken. Ze kon niets vermorzelen zonder zichzelf te beschadigen.

Ze ging terug naar de keuken, zette de vuile bekers in de gootsteen, pakte de telefoon en draaide het nummer van Sally. Tot haar opluchting kreeg ze de voicemail.

'Sally,' zei ze, zoals altijd meteen in het diepe springend, 'volgens mij heb ik je weer genaaid.'

het portret van een dame, 1988
kunstenaars: caleb en camille fang

De andere Fangs konden het niet ontkennen: Buster was beeldschoon. Terwijl hij naar de rand van het podium liep in zijn bespottelijke glitterjurk, zijn blonde krullen dansend op het ritme van zijn zelfverzekerde passen, drong het tot de overige gezinsleden door dat hij weleens zou kunnen winnen. Meneer Fang bleef de gebeurtenissen filmen met zijn videocamera en mevrouw Fang kneep in Annies hand en fluisterde: 'Het gaat hem lukken, Annie. Je broer wordt Little Miss Crimson Clover.' Annie keek naar het gezicht van Buster, star van geluk, en begreep dat het voor haar broertje allang niet alleen meer om een artistiek statement ging. Hij wilde dat kroontje.

Twee weken eerder had Buster nog botweg geweigerd. 'Ik trek geen jurk aan,' zei hij. 'Het is een avondjurk,' zei mevrouw Fang. 'Eigenlijk meer een soort kostuum.' Buster was negen en niet geïnteresseerd in dat soort haarkloverijen. 'Het is en blijft een jurk,' zei hij. Meneer Fang, die een flink deel van het geld van de Beuys Foundation had besteed aan een Panasonic VHS/S-VHS camcorder, ter vervanging van de camera die onlangs kapot was geslagen door een woedende dierentuinmedewerker, zoomde in op het gezicht van zijn zoon, dat verwrongen was van afkeer. 'Kunstenaars hebben vaak zo hun nukken,' zei meneer Fang.

Mevrouw Fang keek recht in de camera en vroeg of hij even weg wilde gaan.

'Vraag gewoon of Annie het doet,' suggereerde Buster, die zich aan alle kanten gevangen voelde tussen de onontkoombare wensen van zijn ouders. 'Als Annie een missverkiezing wint, is dat geen commentaar op geslacht en objectificatie en mannelijke invloed op vrouwelijke schoonheid,' antwoordde mevrouw Fang. 'Als Annie een missverkiezing wint, is dat de gewoonste zaak van de wereld. De status quo.' Dat kon Buster niet ontkennen; zijn zus zou de minimissverkiezing van het Crimson Clover-festival zelfs op haar naam schrijven als ze onbedwingbaar snikte en schunnige woorden schreeuwde. Zij was de schoonheid van het gezin, degene die in ongeacht welke situatie gegarandeerd ieders aandacht kon afleiden, zodat de overige Fangs hun heimelijke activiteiten konden voortzetten. Buster begreep dat Annie de schoonheid van het gezin was en hij was dus... níét de schoonheid van het gezin. Buster was... iets anders. Hij wist niet precies wat, maar in elk geval niet de Fang die jurken droeg en aan missverkiezingen deelnam. Konden zijn ouders dat niet begrijpen?

'Buster,' zei zijn moeder, 'we hebben ook andere projecten op stapel staan. Als je iets echt niet wilt, hoef je het niet te doen.'

'Ik wil dit echt niet.'

'Nou, goed dan. Ik wil alleen nog een ding kwijt. We zijn een gezin. We doen dingen die soms moeilijk zijn omdat we van elkaar houden. Weet je nog hoe ik op een motorfiets over die auto ben gesprongen?'

Na een stadje in Georgia te hebben volgehangen met posters waarin een megastunt werd aangekondigd, was mevrouw Fang, die zo was opgemaakt dat ze een vrouw van negentig leek, op een gehuurde motor over een geparkeerde auto gesprongen. Ze had het maar net gehaald, had na de landing nog een paar wiebelige metertjes gereden en was toen in een greppel beland, maar had er niets aan overgehouden. De plaatselijke krant had er een stuk over geschreven dat later was overgenomen door de landelijke media. Mevrouw Fang had nog nooit in haar leven op een motor gezeten en was er al helemaal niet mee over een auto gesprongen. 'Misschien overleef ik dit niet,' zei ze vlak voor de stunt tegen haar kinderen, die deden alsof ze haar achterkleinkinderen waren. 'Maar jullie moeten doorgaan, wat er ook gebeurt.'

Natuurlijk herinnerde Buster zich dat nog. Op de terugweg, in de auto, had hun moeder grote slokken whisky genomen, zo uit de fles, en hadden de kinderen haar latex make-up mogen afpellen zodat haar eigen, lachende gezicht weer tevoorschijn kwam.

'Ik was doodsbang, Ik wilde het niet doen toen je vader het voorstelde. Ik weigerde. Maar toen dacht ik, hoe kan ik ooit van je vader of een van jullie verlangen dat jullie iets moeilijks doen als ik dit zelf niet durf? Dus deed ik het en het was fantastisch. Je zult merken dat de dingen die je het liefste wilt vermijden, juist de dingen zijn die je na afloop de meeste voldoening geven.'

'Ik doe het niet.'

'Ook goed,' zei ze, wonderbaarlijk genoeg glimlachend en opgewekt. Ze stond op, klopte haar broek af en liep naar haar werkkamer. Annie kwam de woonkamer binnen, waar Buster nog steeds op de grond zat, en zei: 'Ma is echt pissig, jongen.'

'Nietes,' corrigeerde Buster haar.

'Jawel,' zei Annie.

'Nietes,' herhaalde Buster, minder zelfverzekerd.

'Jawel,' zei Annie en ze aaide Buster over zijn hoofd, alsof hij een jong hondje was.

Die avond drukte Buster zijn oor tegen de slaapkamerdeur van zijn ouders en ving hij flarden op van hun gesprek, gefluisterde boodschappen. *Dat heb ik gedaan* en *Nou, misschien* en *Hij wil niet* en *Hè, jezus* en *We verzinnen wel iets*. Buster stond op en liep naar Annies kamer. Ze keek naar een stomme film waarin een vrouw vastgebonden in een ton zat en naar een waterval dreef, terwijl de held kilometers ver weg was, tientallen kilometers ver weg. 'Dit is het mooiste stukje,' zei Annie en ze gebaarde dat hij naast haar moest komen zitten. Buster legde zijn hoofd op haar schoot en ze kneep zachtjes in zijn oorlel, het velletje heen en weer rollend tussen haar duim en wijsvinger alsof ze een wens deed.

Op tv dobberde de ton in het water en stuitte tegen rotsblokken, op weg naar een zekere dood. 'O,' zei Annie, 'dit wordt mooi.' Net toen de held bij de waterval arriveerde, kiepte de ton over de rand en verdween hij in het kolkende water. Onderaan de waterval kwamen stukken hout bovendrijven. 'Goddomme,' fluisterde Annie. Maar toen verscheen er een silhouet onder water: de heldin. Ze kwam boven en de blik op haar gezicht zei: *Vuile klootzak, mij krijg je niet dood.* Ze zwom naar de oever, klauterde op de wal en schudde ook de laatste restjes dood uit haar lichaam. Met trage en nadrukkelijke muziek op de achtergrond, zonder zich te bekommeren om haar vriend en waarom die niet op tijd was gekomen, marcheerde de heldin in de richting van de schurk, klaar om *de rekening te vereffenen.* Annie deed de tv uit. 'Ik kan niet langer kijken,' zei ze. 'Als ik nog langer kijk, schop ik dadelijk een gat in de muur.'

'Zijn er dingen die je niet zou doen als pa en ma het vroegen?' zei Buster tegen zijn zus.

Ze dacht even na. 'Ik zou niemand vermoorden,' zei ze. 'En ik zou geen dieren kwaad doen.'

'Maar verder?' vroeg Buster.

'Geen idee,' zei Annie. Het was duidelijk dat de vraag haar verveelde. 'Misschien wel, misschien niet.'

'Ik wil geen meisje zijn,' zei Buster.

'Natuurlijk,' zei Annie.

'Maar ik doe het wel,' zei Buster, die op dat moment een besluit nam.

'Natuurlijk,' zei Annie.

Buster stond op en liep naar de gang. De last leek van zijn schouders gevallen, maar nadat hij zich een paar seconden lichter had gevoeld, daalde die al weer op hem neer.

Hij deed de slaapkamerdeur van zijn ouders open en zag dat zijn moeder elastiekjes om de vingers van zijn vader wikkelde. Die waren vuurrood en in segmenten verdeeld, op een manier die aan amputatie deed denken. Ze leken verbaasd hem te zien, maar deden geen poging hun activiteiten te verbergen.

'Ik doe het,' zei hij en meneer en mevrouw Fang juichten. Ze wenkten hem en Buster sprong op bed en wurmde zich tussen hen in. 'Het wordt vast geweldig,' fluisterde mevrouw Fang en gaf Buster de ene kus na de andere. Meneer Fang trok met een opgewekt gezicht de elastiekjes van zijn vingers, balde zijn vuisten en ontspande ze weer. De Fangs sloegen hun armen om Buster heen en vielen in slaap. Buster bleef als enige wakker, terwijl het gewicht van zijn ouders hem op zijn plaats hield en hem geleidelijk liet wegzinken in iets wat niet echt slaap was, maar wel geborgen aanvoelde.

Buster liep met een tot dusver ongekend zelfvertrouwen naar de rand van het podium. Zijn hoge hakken klikten op de gladde catwalk, klik-klak, klik-klak, klik-klak, en zijn achterwerk deinde mee op het ritme van zijn passen. Toen hij bij het gemarkeerde punt was, keerde hij zijn zij naar de zaal, trok zijn schouder op, legde zijn hand op zijn heup, hield zijn hoofd schuin en keek naar het luidkeels juichende publiek. Terwijl Buster zich omdraaide en terugliep naar de andere meisjes, hief hij zijn hand even op en zwaaide nonchalant, een gebaar waaruit moest blijken dat het publiek werd achtergelaten ten gunste van iets veel, veel beters. De twee andere meisjes staarden naar hem, een vreemde, iemand die ze nooit eerder hadden gezien en die vol slechte bedoelingen zat. Buster staarde koeltjes terug en ging naast hen staan: de drie finalisten.

Buster zag nauwelijks wat er om hem heen gebeurde. Zijn tanden waren ontbloot, alsof hij op het punt stond een klein dier te verslinden. Hij genoot met volle teugen van de glamour van de jurken, de schoenen, het haar, de nagels en de aandacht van mensen die hém nooit enige aandacht schonken. Het feit dat hij onder zijn kostuum nog steeds gewoon Buster was, betekende dat hij een soort talent moest hebben, iets wat ervoor zorgde dat dit allemaal ging zoals het ging. Het was net een goocheltruc en hij prentte zichzelf steeds in dat hij het geheim niet moest verklappen. Het was in feite heel simpel en gemakkelijk, als je maar wist hoe je moest kijken. Daarom was het zo'n geweldige truc.

Bla bla bla, zijn ze niet beeldschoon, bla bla bla, geweldig gedaan, bla bla bla, iedereen is vandaag een winnaar, bla bla bla, nummer drie, bla bla bla, een naam die niet Busters naam was of Busters nieuwe naam, Holly Woodlawn, bla bla bla, in het geval dat Little Miss Crimson Clover haar verplichtingen niet kan nakomen, bla bla bla, onze nieuwe Little Miss Crimson Clover, bla bla bla en toen een daverend applaus. Shit, dacht Buster, hij had alleen maar bla bla bla gehoord in plaats van de naam van de winnares.

Hij keek naar zijn rivale en zag dat die huilde. Had ze nou gewonnen of verloren? Hij liet zijn blik door de zaal gaan, speurend naar zijn ouders, maar die waren onzichtbaar door alle flitsende camera's en de spot die het podium liet baden in het licht. Toen voelde hij dat iemand zijn handen op zijn schouders legde en iets op zijn hoofd plaatste, zo licht dat het bijna onstoffelijk leek. Er werd een boeket rode klaver in zijn hand gedrukt. 'Omhels me,' hoorde hij de nummer twee sissen en Buster kuste haar wang en legde zijn hand heel even op haar rug. Nu was het tijd voor het onvermijdelijke, voor hetgene dat Busters overwinning tot kunst zou verheffen.

Ze hadden dagenlang alle mogelijke variaties van deze gebeurtenis geoefend: Buster die er in de eerste ronde al uit vloog, Buster die de laatste tien haalde, Buster die moest afdruipen als de laatste drie werden aangekondigd, Buster die wel een sjerp en applaus kreeg maar geen kroontje. En dit hadden ze ook gerepeteerd, maar eigenlijk minder energiek: een podium met daarop alleen Buster, glitterend en stralend, het middelpunt van aandacht, een vacuüm dat alle lucht uit de zaal in zijn eigen longen zoog.

Buster zwaaide zoals hij andere meisjes ook had zien doen op video's, niet echt zwaaiend maar ronddraaiend, alsof hij een stuk opwindspeelgoed was. De tranen stroomden over zijn wangen, zodat zijn mascara doorliep en zwarte strepen op zijn gezicht maakte. Hij liep naar de rand van het podium, rotsvast op zijn hoge hakken, en maakte een gracieuze buiging terwijl hij zogenaamd zijn kroontje wat beter op zijn hoofd zette. Hij kwam abrupt weer overeind, en zoals gepland schoot de pruik van zijn hoofd en rolde achter hem over het podium. Het was kilometers in de omtrek het enige geluid, tot het geluid klonk van de mensen in het publiek die de overmaat aan lucht weer uit Busters longen zogen omdat ze die zelf nodig hadden, om naar adem te snakken, te gillen en de zaal in één grote chaos te laten veranderen, zoals de Fangs gehoopt hadden.

Met één kleine verandering van houding, door zijn schouders te laten zakken en zijn heupen anders te houden, werd Buster weer overduidelijk een jongen. De bewegingen waren zo natuurlijk dat het leek op de manier waarop een kameleon van kleur veranderde, in een moeiteloze metamorfose. Struikelend op zijn hoge hakken rende Buster naar het kroontje, ontwarde dat uit de lange krullen van de pruik en zette het weer op zijn hoofd, in zijn rechtmatige positie. Een van de organisatrices van de verkiezing kwam aanhollen en probeerde het kroontje van zijn hoofd te grissen, maar Buster dook snel weg en de vrouw verloor haar evenwicht en viel van het podium. Het was de manier waarop iedere act van de Fangs eindigde: met het besef dat er iets radicaal veranderd was en dat je nu in de problemen zat en moederziel alleen was.

'Zeg het,' riep mevrouw Fang tegen Buster, die te verbijsterd leek om nog verder te gaan. Eigenlijk moest er nog één ding gebeuren voor de Fangs elkaar weer opzochten en dan wegvluchtten van de plaats van de misdaad. Buster moest het kroontje in het publiek gooien en roepen: 'Deze kroon, al glittert hij als goud, is in wezen slechts een doornenkroon.' In plaats daarvan drukte

Buster het kroontje op zijn hoofd alsof het een deel was van zijn schedel dat per ongeluk was losgeraakt. 'Laat vallen,' riep mevrouw Fang. 'Gooi weg dat ding!' Buster sprong van het podium en holde over het gangpad langs de andere Fangs, de deur uit en het donker in. Meneer Fang bleef de verwarde gezichten van de toeschouwers nog even filmen en zoomde toen in op de snikkende, hikkende nummer twee, die wild met Busters pruik zwaaide alsof het de pompom van een cheerleader was. 'Dat was echt geweldig,' zei meneer Fang. 'Het had nog beter kunnen zijn,' antwoordde zijn vrouw. 'Nee,' zei Annie, die nog steeds klapte voor haar geliefde broertje, 'nee, helemaal niet.'

De Fangs troffen Buster uiteindelijk aan onder hun busje, opvallend glitterend terwijl hij een wat gemakkelijkere positie zocht op het harde asfalt. Meneer Fang bukte zich en hielp zijn zoon terwijl die zich moeizaam onder de auto uit wurmde. 'Hoe zat het nou met die regel van Milton?' vroeg mevrouw Fang en Busters gezicht vertrok. 'Je zou je kroontje weggooien.'

Buster keek zijn moeder aan. 'Het is míjn kroontje,' zei hij.

'Maar dat wil je toch niet echt hebben,' zei mevrouw Fang geërgerd.

'Jawel,' antwoordde Buster. 'Ik heb het gewonnen. Ik ben Little Miss Crimson Clover en dit is míjn kroontje.'

'O Buster,' zei zijn moeder en ze wees naar het kroontje op zijn hoofd. 'Hier verzetten we ons nou juist tegen: het idee dat iemands waarde wordt bepaald door zijn of haar uiterlijk. Als er iets is wat we proberen te herdefiniëren, zijn het zulke oppervlakkige symbolen.'

'Het. Is. Míjn. Kroontje,' antwoordde Buster, bijna trillend van gerechtvaardigde woede. Na enkele ogenblikken glimlachte mevrouw Fang langzaam en ontspande ze haar op elkaar geklemde kaken. Ze knikte drie keer en stapte in het busje. 'Nou, goed dan,' zei ze. 'Herdefinieer het kroontje dan maar, als je dat wilt.'

hoofdstuk vier

Buster was er slecht aan toe. In zijn ziekenhuisbed, correct gepositioneerd, kreunde hij zacht en voelde hij een diepe, structurele pijn door zijn gezicht trekken. Hij was nauwelijks bij zijn positieven en volgepompt met pijnstillers, maar toch was hij zich bewust van zijn onfortuinlijke omstandigheden.

'Je bent wakker,' zei iemand.

'Ja?' zei Buster met enige moeite. Hij probeerde zijn gezicht aan te raken, dat pijn deed en leek te zoemen in zijn oren.

'Nee, nee,' zei de vrouwenstem. 'Niet doen. Als iets net geopereerd is, willen mensen er altijd met hun fikken aan zitten.' Maar Buster zonk alweer weg in iets wat op slaap leek.

De volgende keer dat hij bijkwam, zat er een beeldschone vrouw aan zijn bed. Haar uitdrukking was hartelijk en zelfverzekerd, alsof ze al verwacht had dat hij precies op dat moment wakker zou worden. 'Hallo, Buster,' zei ze. 'Hoi,' antwoordde hij zwakjes. Hij had even het gevoel dat hij moest plassen, maar dat verdween meteen weer.

'Ik ben dr. Ollapolly,' zei ze. 'Ik ben Buster,' antwoordde hij, maar dat wist ze natuurlijk al. Hij vond het jammer dat ze hem geen lagere dosis morfine hadden gegeven; ze was mooi en kundig en hij was nauwelijks bij bewustzijn en misschien wel verminkt. Ondanks de roes waarin hij verkeerde dacht hij: Ik ben er slecht aan toe.

'Weet je nog wat er gebeurd is, Buster?' vroeg ze en hij dacht even na. 'Aardappelkanon?' zei hij.

'Ja, je bent per ongeluk in je gezicht geraakt door een projectiel uit een aardappelkanon.'

'Ik ben onkwetsbaar,' zei hij.

Ze lachte. 'Ik ben blij dat te horen, Buster, al klopt het niet helemaal. Je bent wel een bofkont, dat geef ik toe.'

Dr. Ollapolly legde uit wat er precies aan de hand was. Hij had zwaar gezichtsletsel, te beginnen met een ernstige zwelling die zich voornamelijk aan de rechterkant bevond. Buster ging er terecht van uit dat de aardappel hem daar geraakt had. Hij had een stervormige wond in zijn bovenlip. Hij was zijn rechter bovenhoektand kwijt. Hij had rechts meerdere gecompliceerde breuken in de botten van zijn gezicht, waaronder de bovenzijde van zijn oogkas. Een stuk positiever was het feit dat zijn gezichtsvermogen nog intact was, zo verzekerde ze hem, ondanks het oogkapje dat hij momenteel droeg.

'Gelukkig,' zei hij.

'Je zult er wel een litteken op je bovenlip aan overhouden,' zei ze.

'Een stervormig litteken,' zei Buster, die graag goed op haar wilde overkomen.

'Ja, een stervormig litteken.'

'Dat is best moeilijk uit te spreken,' zei hij.

'Je mist een tand,' vervolgde ze.

'Oké.'

'En na de operatie om al die breuken te stabiliseren, zal het wel een tijdje duren voor je gezicht weer helemaal genezen is.'

'Je hebt m'n leven gered,' zei hij.

'Ik heb je behandeld,' zei ze. 'Meer niet.'

'Ik hou van je,' zei hij.

'Goed zo, meneer Fang,' antwoordde ze. Voor ze wegging glimlachte ze oprecht, zoals alle artsen naar Busters idee dat deden als ze wilden dat hun patiënt weer zou herstellen.

Volgens de bezorgde financieel medewerkster die op een ochtend op haar tenen zijn kamer kwam binnensluipen, stond hij voor ongeveer twaalfduizend dollar bij het ziekenhuis in het krijt. Was hij verzekerd? Dat was hij niet. De sfeer werd meteen een stuk killer. Wilde hij een betalingsregeling treffen? Dat wilde Buster niet. Hij deed alsof hij in slaap viel en wachtte tot de vrouw weer wegging. Twaalfduizend dollar? Twaalf mille, voor een half gezicht? Voor zo'n bedrag verwachtte hij toch minstens een bionisch oog, of het vermogen om dwars door muren heen te kijken. Jezus, ze hadden hem in elk geval een nieuwe hoektand kunnen geven! Hij overwoog om uit het raam te springen en de benen te nemen, maar op dat moment viel hij echt in slaap en hoefde hij niet meer te doen alsof.

Op de derde dag van Busters herstel, één dag voor hij uit het ziekenhuis ontslagen zou worden, kwam Joseph binnen met Busters bagage uit het hotel. 'Ha soldaat,' zei Buster en Joseph werd rood en verstijfde. 'Ha Buster,' zei Joseph uiteindelijk. Busters gezicht moest behoorlijk verminkt en opgezwollen zijn, want Josephs eigen gezicht vertrok toen hij het zag.

'Je hebt me flink te grazen genomen,' zei Buster. Hij probeerde te glimlachen, maar dat was een gelaatsuitdrukking waar hij voorlopig nog niet toe in staat was.

Joseph staarde zwijgend naar de vloer.

'Ik maakte maar een grapje,' zei Buster. 'Het was jouw schuld niet.'

'Ik wou dat ik dood was,' zei Joseph.

Hij sleepte Busters bagage naar een hoek van de kamer en ging voorzichtig op de koffer zitten in plaats van op de stoel naast Busters bed. Joseph steunde met zijn ellebogen op zijn knieën en liet zijn gezicht in zijn handen rusten. Hij zag eruit als een grijze regenlucht waar ieder moment druppels uit konden vallen.

'Ik wou dat ik dood was, echt waar,' herhaalde hij.

'Maak je niet zo druk,' zei Buster. 'Het valt allemaal best mee.'

'Heb je je gezicht gezien?' vroeg Joseph. Dat had Buster niet. Hij had zorgvuldig zelfs niet een blik geworpen in de spiegels die op strategische plaatsen in zijn kamer en boven de wastafel in de badkamer hingen.

'Ik word morgen ontslagen,' zei Buster, om het ergens anders over te hebben. 'Al weet ik niet of dat is omdat ik beter ben of omdat ik de rekening niet kan betalen.'

Joseph zei niets en durfde Buster kennelijk niet in zijn goede oog te kijken.

Buster pakte zijn plastic tuitbeker en nam een paar voorzichtige slokjes water. Het meeste morste hij over zijn pyjama. 'Waar zijn de anderen?' vroeg hij.

'Die konden niet komen,' zei Joseph. 'Ik hoor hier eigenlijk ook niet te zijn, maar ik wilde je bagage brengen en zeggen hoe erg ik het allemaal vond.'

'Waarom hoor je hier niet te zijn?' vroeg Buster verbaasd. 'Is het bezoek afgelopen?'

'Mijn ouders hebben een advocaat gesproken en die zei dat ik verder geen contact met je mag hebben.'

'Waarom niet?'

'Voor het geval je ons een proces aandoet,' zei Joseph, die nu echt begon te huilen.

'Ik doe jullie heus geen proces aan,' zei Buster.

'Dat zei ik ook al,' zei Joseph, onregelmatig ademend, 'maar volgens die advocaat heeft onze relatie nu een *conflictueus karakter* en mag ik niet met je praten zolang je het recht hebt een aanklacht tegen ons in te dienen.'

'Maar toch ben je er,' zei Buster.

'Ondanks alle idiote dingen die gebeurd zijn, ben ik toch blij dat we elkaar ontmoet hebben,' zei Joseph en hij glimlachte voor het eerst sinds hij gearriveerd was. Buster, met zijn gereconstrueerde, nog steeds pijnlijke gezicht en zijn schuld van twaalf mille, was het met hem eens.

Buster verliet het ziekenhuis met een stapel fotokopieën van zijn medische dossier, een stapel officiële betalingsherinneringen en zijn plastic tuitbeker. Terwijl hij op een taxi wachtte, besefte hij dat hij niet wist waar hij heen zou gaan of – minstens zo belangrijk – hoe hij daar moest komen. Omdat hij niet zeker had geweten hoe lang zijn trip naar Nebraska zou duren, had hij geen retourticket gekocht en hij had het maximale saldo op zijn creditcard al opgebruikt. Hij probeerde te bedenken wat de ergste manier was om te reizen en net toen de taxi arriveerde, realiseerde hij zich wat hij moest doen. Hij stapte in en zei: 'Busstation.'

Buiten strekte Nebraska zich uit, vlak en koud, en Buster verzette zich tegen de aandrang om weer in slaap te vallen tot de taxi op de plaats van bestemming was. Hij staarde naar de met rijp overdekte velden, de onverklaarbare vogels die bijna vastgevroren zaten aan de elektriciteitsdraden en besefte dat, waar hij ook heen zou gaan, die plek verbaasd zou zijn om hem te zien.

Terwijl hij in de rij stond bij het busstation besefte hij dat hij niet genoeg geld had voor een kaartje naar Florida. Hij legde al zijn geld op de balie, met handen die onbedwingbaar trilden, en vroeg: 'Hoever kan ik hiermee komen?' De baliemedewerkster glimlachte en telde het geld geduldig uit. ''t Is genoeg voor een kaartje naar St. Louis en dan hou je nog vijf dollar over,' zei ze. 'Ik ken niemand in St. Louis,' antwoordde Buster. 'Waar ken je dan wel iemand?' vroeg ze. Alleen haar vriendelijkheid voorkwam dat Buster in tranen uitbarstte.

'Eigenlijk nergens,' zei hij.

'Wat dacht je van Kansas City? Of Des Moines?' vroeg ze en haar vingers vlogen over haar toetsenbord, alsof ze met behulp van zeer beperkte middelen zocht naar het antwoord op een uiterst lastige vraag.

'St. Louis is eigenlijk wel goed,' zei Buster, die zich niet langer groot kon houden.

'Chuck Berry komt er vandaan,' zei ze.

'Dat geeft de doorslag,' zei Buster. Hij pakte zijn kaartje en vijf dollar wisselgeld en plofte op een stoel in het midden van een verder lege rij. Hij haalde een pil uit zijn medicijnflesje, nam die in en wachtte tot de pijn die strak om zijn gezicht gewikkeld zat, als een soort huishoudfolie, weer zou verdwijnen. Hij zei: 'Ik zie je in St. Louis,' maar wist eigenlijk niet tegen wie hij het had. Joseph? Dr. Ollapolly? De baliemedewerkster? Misschien moest hij die uitnodiging gewoon aan alle drie richten en dan maar hopen dat er eentje reageerde.

Buster viel in slaap en toen hij weer wakker werd, misschien een uur later, lagen er wat biljetten van één en vijf dollar op zijn borst en schoot. Hij telde het geld: zeventien dollar in totaal. Het was zowel ontroerend als ongelooflijk neerbuigend: Buster concentreerde zich op het ontroerende aspect en voelde zich een beetje beter. Het leek hem een dolkomische eerste aanbetaling op zijn ziekenhuisrekening, maar in plaats daarvan liep hij naar een eettentje aan de overkant van de straat en bestelde een koude, zoete milkshake. Het was een van de weinige dingen die hij naar binnen kon krijgen, gezien het feit dat zijn mond constant pijn deed. Hij plaatste het rietje in het gat waar zijn ontbrekende tand zich had bevonden en negeerde de weinige andere klanten die zonder veel succes probeerden niet naar hem te kijken, om hun eetlust niet te bederven.

In de telefooncel op het busstation belde hij Annie, op haar kosten, maar de telefoon rinkelde en rinkelde maar zonder dat er opgenomen werd. Hij kreeg niet eens haar voicemail. Als ze opnam zou ze hem natuurlijk helpen, ook al wilde hij eigenlijk niet om hulp vragen en daardoor toegeven dat hij zelf niet in staat was om gezond en geestelijk stabiel te blijven. Hij had haar niet meer gesproken sinds hij per ongeluk haar borsten had gezien op internet. Het feit dat hij haar naakt had gezien was het probleem niet, al was het niet iets wat hij zou aanbevelen aan andere gevoelige jongens die hun oudere zus altijd hadden verafgood. Het was meer het gevoel dat hij aan die foto's had overgehouden, het gevoel dat zijn zus afgleed naar iets rampzaligs en deprimerends, plus de frustratie van het feit dat hij haar hoogstwaarschijnlijk niet kon helpen. Maar dat deed er op dat moment allemaal niet toe omdat ze niet opnam, en dus hing Buster op.

Hij bedacht wat hij verder nog voor opties had. Eigenlijk was er maar één en die was gruwelijk. Zijn ouders. Hij probeerde wanhopig de feiten zo te manipuleren dat er een ander antwoord uit zou rollen, maar iedere keer als hij alles op een rijtje had gezet was de uitkomst hetzelfde: pa en ma, Caleb en Camille, meneer en mevrouw Fang.

'Hallo?' zei zijn moeder.

'Ma,' zei Buster, 'je spreekt met je kind.'

'O. Het is ons kind!' zei ze, oprecht verbaasd.

'Welk kind?' hoorde hij zijn vader vragen en zijn moeder, die niet slim genoeg was om haar hand over de hoorn te leggen of die het misschien gewoon niets kon schelen, zei: 'B.'

'Het gaat niet zo goed met me, ma,' zei hij.

'Nee toch!' zei ze. 'Wat is er dan, Buster?'

'Ik zit in Nebraska,' zei hij.

'O, wat erg,' riep ze. 'Maar wat doe je in Nebraska?'

'Dat is een lang verhaal.'

'Nou, je belt op onze kosten, dus laten we het kort houden.'

'Ja, oké. Ik heb jullie hulp nodig. Ik ben in m'n gezicht geschoten en –'

'Wat?' riep ze. 'Ben je in je gezicht geschoten?'

Zijn vader kwam aan de lijn. 'Ben je in je gezicht geschoten?'

'Ja,' zei Buster. 'Maar het valt mee. Nou, eigenlijk valt het helemaal niet mee, maar ik lig niet op sterven of zo.'

'Wie heeft je in je gezicht geschoten?' vroeg zijn moeder.

'Is het een lang verhaal?' vroeg zijn vader.

'Ja,' zei Buster. 'Een heel lang verhaal.'

'We halen je op,' zei zijn moeder. 'We komen eraan. Ik heb net de atlas gepakt en ik trek nu een lijn van Tennessee naar Nebraska. Wauw, dat is een heel eind rijden. We kunnen maar beter meteen gaan. Kom op, Caleb.'

'We komen eraan, jongen,' zei meneer Fang.

'Wacht even, wacht even,' zei Buster. 'Over een paar uur ben ik in St. Louis.'

'St. Louis?' zei zijn moeder. Buster zag in verbeelding hoe ze de potloodstreep in de atlas uitgumde en een nieuwe trok. 'Mag je eigenlijk wel reizen als je in je gezicht geschoten bent?'

'Ja, dat kan best. Het was maar een aardappel.'

'Wat was maar een aardappel?' vroeg meneer Fang.

'Ik ben met een aardappel in mijn gezicht geschoten.'

'Buster,' zei zijn moeder, 'ik ben nu even heel erg in de war. Is dit een soort guerillatheater? Neem je dit soms op? Wordt dit gesprek opgenomen?'

Buster voelde hele aardverschuivingen plaatsvinden onder de huid van zijn gezicht. Het duizelde hem en hij moest moeite doen om niet te vallen. De daaropvolgende vijf minuten deed hij zijn best om zijn ouders duidelijk te maken wat er de afgelopen dagen allemaal gebeurd was en tegen de tijd dat hij was uitgesproken, waren ze het erover eens dat Buster naar huis zou komen om daar te herstellen. Meneer en mevrouw Fang zouden voor hun kind zorgen. Buster zou kunnen relaxen, zijn lichaam zou zichzelf genezen en alle drie de Fangs zouden, volgens zijn moeder, 'een geweldige tijd hebben.'

In de bus naar St. Louis stond een man met een ukelele op en vroeg of iemand een verzoeknummer had. Een stem riep: 'Freebird,' en de man ging boos weer zitten. Buster liep voorzichtig door het middenpad naar de wc. Na verscheidene mislukte pogingen om de deur goed dicht te doen gaf hij het maar op en staarde hij in het bijna matglasachtige spiegeltje. Zijn gezicht was grotesk. Hij had geprobeerd zich mentaal voor te bereiden op vreselijke verminkingen, maar had desondanks niet verwacht dat de boel dagen na het ongeluk nog zo spectaculair gezwollen zou zijn. De helft van zijn gezicht was bont en blauw, vol korsten en schaafplekken en alles was twee keer zo dik als normaal, behalve zijn oog, dat potdicht zat en vijf keer zo dik was als normaal. Het litteken op zijn bovenlip leek niet zozeer op een ster als wel op het vorkbeen van een kip, of misschien nog meer op een hoefijzer. Sterren, vorkbenen, hoefijzers: zijn litteken was een en al geluksymbolen. Hij pakte de tube met dure antibioticazalf, die binnenkort bijgevuld zou moeten worden, en smeerde alle schrammen en wondjes in, wat de nodige tijd en moeite kostte. Toen hij klaar was, glimlachte Buster naar zijn spiegelbeeld maar dat maakte de boel er alleen maar erger op. Hij liep terug naar zijn plaats. Om hem heen zat niemand, want iedereen in de bus bleef minstens drie stoelen van hem vandaan. Dit was het soort leven dat Buster begreep: rondom drie stoelen ruimte, of hij wilde of niet, tijd om na te denken, of hij wilde of niet, en ondertussen de snelweg afreizen naar een nieuwe bestemming, of hij wilde of niet.

Na aankomst in St. Louis slenterde Buster een paar uur door het busstation, stapte een cafetaria binnen, bestelde weer een milkshake en bette voorzichtig zijn wanstaltige gezicht met een vochtig doekje. 'Mag ik vragen hoe dat komt?' zei een vrouw aan het tafeltje naast hem en ze wees naar zijn gezicht. Buster wilde antwoord geven maar voelde opeens iets klikken in zijn brein: synapsen die lang gesluimerd hadden en die geprogrammeerd waren om zonder aanleiding te liegen, om altijd iets mooiers te verzinnen dan de werkelijkheid. 'Ik werkte mee aan een stuntprogramma in Kentucky,' zei Buster. 'Ik zou me in een ton laten meesleuren naar een waterval, maar iemand had stiekem gaten in de ton geboord en die begon al een heel eind voor de waterval te zinken.' De vrouw schudde haar hoofd, ging aan Busters tafeltje zitten en liet haar eten staan. 'Dat is vreselijk,' zei ze. Buster knikte en vervolgde: 'Happend naar adem kiepte ik ten slotte over de rand van de waterval. De ton barstte open op de rotsen en ik werd heen en weer geslingerd in het kolkende water. Tegen de tijd dat ze me eindelijk op het droge hesen, een kilometer stroomafwaarts, dacht iedereen dat ik dood was.'

'Janie Cooper,' zei ze en ze stak haar hand uit.

'Lance Reckless,' zei Buster, die probeerde niet te glimlachen. Hij wist nu hoe zijn gezicht eruit zag.

'Dus iemand had gaten in je ton geboord?'

Buster nam een lange, dramatische teug van zijn milkshake. Hij had besloten dat hij van nu af aan uitsluitend van milkshakes zou leven. 'Poging tot moord,' zei hij. 'Daar ben ik van overtuigd. Het leven van een stuntman is vol gevaren, Janie, en niet altijd om de redenen die je zou vermoeden.'

Ze haalde pen en papier uit haar tas en schreef haar telefoonnummer op. 'Hoe lang ben je in St. Louis?' vroeg ze.

'Alleen vandaag,' zei hij.

'Nou,' zei ze en ze drukte het papiertje in zijn hand, 'bel me vanavond als je toch langer blijft.'

Ze liep terug naar haar tafeltje en Buster nam zo'n lange teug van zijn milkshake dat zijn hoofd pijn deed van inspanning.

Nog geen tien minuten later strompelden meneer en mevrouw Fang het cafetaria binnen. Mevrouw Fang had haar arm in het gips en in een mitella en haar hoofd was nogal onbeholpen verbonden. Meneer Fang had twee blauwe ogen, er staken gaasjes vol bloedkorsten uit zijn neusgaten en hij liep moeizaam en bijna dubbelgebogen. 'Buster!' riepen ze in koor. 'We vroegen of iemand een gewonde jongen had gezien en ze stuurden ons naar dit cafetaria,' zei zijn vader.

Terwijl hij zijn ouders omhelsde zag Buster dat Janie zich had omgedraaid, met haar arm over de achterkant van haar stoel, en keek wat er allemaal gebeurde. 'O lieve schat,' zei mevrouw Fang luid. 'We dachten dat we je kwijt waren,' voegde zijn vader eraan toe. 'Wat moet dit allemaal?' vroeg Buster. Ondanks al zijn talent wist hij dat hij niet tegen zijn ouders was opgewassen. Zij waren met zijn tweeën. Het was gewoon geen eerlijke strijd.

Janie stond op en stelde zichzelf voor aan meneer en mevrouw Fang. 'Zijn jullie de ouders van Lance?' vroeg ze.

'Van wie?' zeiden de Fangs.

'Lance is mijn artiestennaam',' zei Buster tegen Janie.

'Hebben jullie je ook in een ton van een waterval laten storten?' vroeg ze.

De ouders van Buster hadden zich nog nooit in hun leven in verwarring laten brengen door een vreemde.

'We zijn aangevallen door een beer,' zeiden ze, alsof ze Janies vraag niet gehoord hadden.

'We kampeerden in de bergen in Michigan,' zei mevrouw Fang, 'gewoon mijn man en ik en onze zoon Buster, en toen werd onze tent aangevallen door een grizzlybeer en moesten we hem met geweld verjagen om ons leven te redden.'

'Lance?' zei Janie. 'Waar heeft ze het over?'

'Dat was nog voor die toestand met die waterval,' zei Buster zwakjes, maar Janie legde al geld op tafel voor haar maaltijd en liep het restaurant uit.

'We zijn haar kwijt,' zei meneer Fang.

'Wat heeft dit in godsnaam allemaal te betekenen?' vroeg Buster. 'Waarom zitten jullie in het verband?'

'O, we dachten – nou ja, ik weet niet – dat we er misschien een leuke draai aan konden geven.'

'Wilden jullie een leuke draai geven aan het feit dat ik op een haar na dood was?'

'*Leuk* is misschien niet helemaal goed uitgedrukt. We wilden onze eigen interpretatie geven van de gebeurtenis, laat ik het zo zeggen.'

'Bestellen jullie nog?' vroeg de serveerster. Meneer en mevrouw Fang namen ook allebei een milkshake.

'St. Louis,' zei meneer Fang. 'Ik geloof niet dat ik hier ooit eerder ben geweest.'

'Ik moet altijd aan die film met Judy Garland denken. *Meet me in St. Louis*,' zei mevrouw Fang.

'Geweldige film,' zei meneer Fang.

'Een klein meisje in die film, ik weet niet meer hoe ze heet, vermoordt mensen met Halloween.'

'Jezus, ma,' zei Buster.

'Ja, echt. Ze beweert dat ze iemand gaat vermoorden en als ze ergens aanbelt en een man opendoet, om snoep te geven, gooit ze een handvol meel in zijn gezicht. Het is echt krankzinnig. Ik wilde vroeger dolgraag dat jij en Annie dat ook een keer zouden doen, maar misschien had het er te dik bovenop gelegen.'

'De hele film had eigenlijk over dat gestoorde meisje moeten gaan,' zei meneer Fang.

'Ik ben de engste!' riepen de ouders van Buster luidkeels, blijkbaar citerend uit de film. 'Ik ben de engste!' Ze leken net patiënten uit een gesticht die samen een romance hadden.

De serveerster kwam aanlopen en smeet de rekening op hun tafeltje. 'Een beetje rustiger zou fijn zijn,' zei ze. 'En graag betalen aan de kassa.'

'We zullen goed voor je zorgen, Buster,' zei mevrouw Fang.

'Er moet goed voor me gezorgd worden,' antwoordde Buster.

'Wie kan dat beter doen dan wij?' zei meneer Fang. Ze stonden op en verlieten het cafetaria, zonder te betalen.

[de hel van hollywood, 1989
kunstenaars: caleb en camille fang]

'Soms is het net alsof mijn hart in mijn buik zit,' zei Annie. Ze zweeg even, dacht na over wat ze gezegd had en herhaalde de regel toen. Ze herhaalde hem keer op keer, tot het een zin in een vreemde taal leek, tot de woorden geen woorden meer waren maar geluiden en de zin geen zin meer was maar een lied.

'Soms is het net alsof mijn hart in mijn buik zit,' zei ze en beklemtoonde *Soms*, *net* en *buik*, knikkend op het ritme van haar woorden.

'Soms is het net alsof mijn *hart* in mijn buik zit,' zei ze.

'*Soms* is het net alsof mijn hart in mijn buik zit,' zei ze.

'Soms is het *net* alsof mijn hart in mijn buik zit,' zei ze.

'Soms... is het net alsof mijn hart in mijn *buik* zit,' zei ze.

'Soms is het net... alsof mijn hart in mijn buik zit,' zei ze.

'Soms is het... net alsof mijn hart... in mijn buik zit,' zei ze.

Soms –' maar op dat moment kreeg ze een plastic beker tegen haar oor. Ze keek om en zag Buster in de deuropening van haar kamer staan.

'Als je die zin nog één keer zegt steek ik het huis in brand,' dreigde hij.

'Ik zit te repeteren,' zei Annie.

'Je lijkt wel een papegaai!' zei Buster nijdig.

'Ik zit te repeteren!' schreeuwde ze en ze gooide de beker terug naar Buster. Die slofte boos naar zijn eigen kamer en sloeg de deur met een klap achter zich dicht.

'Soms is het net alsof mijn hart in mijn buik zit,' fluisterde Annie zacht, alsof het een gecodeerde boodschap was. Haar hart – in haar borst – bonsde van opwinding.

Annie zou Nellie Weaver speler in *Knives Out*, een low-budgetfilm over een handelsreiziger, Donald Ray, die een jaar lang door het land trekt en steakmessen verkoopt om zijn gokschulden af te lossen. Annie was de geestelijk gehandicapte dochter van de hoofdpersoon en zou één regel tekst hebben.

Er was een auditie geweest in Nashville en Annie had haar ouders gesmeekt om ernaartoe te mogen. 'O, schatje,' zei mevrouw Fang. 'Actrice? Dat is maar één stap verwijderd van danseres.' 'En dat is maar één stap verwijderd van model,' voegde meneer Fang eraan toe.

'Ik wil het gewoon proberen,' zei Annie.

'Ik weet niet,' zei meneer Fang. 'Stel je voor dat die film een succes wordt en dat je dadelijk door iedereen herkend wordt als wij met een performance bezig zijn? Dan zouden we onze broodnodige anonimiteit kwijtraken.'

Dat klonk Annie als muziek in de oren. Ze zou Annie Fang, kindsterretje zijn in plaats van Kind A, rekwisiet. Mensen zouden haar herkennen als de Fangs weer eens met een project bezig waren en om haar handtekening vragen; haar ouders, die geen aandacht wilden trekken, zouden moeten wachten tot ze voldoende handtekeningen had uitgedeeld en handjes had geschud. In feite kon ze alles ruïneren voor haar ouders.

'Alsjeblieft?' vroeg Annie.

Na nog een paar dagen zeuren gaven meneer en mevrouw Fang toe. Tijdens gedempte, nachtelijke discussies bespraken ze de verschillende manieren waarop ze de boel in de war zouden kunnen sturen en hun eigen stempel op de film zouden kunnen drukken als Annie gekozen werd. 'Nou, goed dan,' zeiden ze uiteindelijk.

'Je mag actrice worden als je dat zo nodig wilt.'

Tijdens de auditie speelde Annie een scène uit *All About Eve*, haar favoriete film, en terwijl ze de onaangestoken sigaret die ze in de foyer uit een tasje had gestolen naar haar lippen bracht zei ze: 'Langzame fade-out. Einde,' en nam een lange trek. De regisseur begon te klappen, met een brede grijns op zijn gezicht, en keek naar de mensen links en rechts van hem aan de castingtafel. 'Fantastisch,' zei hij tegen Annie en hij gaf haar een hand. 'Echt fantastisch.' Toen Annie terugkwam in de foyer, vroegen haar ouders hoe het gegaan was. 'Gordels om, mensen,' zei Annie, terwijl de sigaret nog aan haar lippen bungelde. 'Het wordt een wilde vlucht.' De Fangs hadden geen idee waar ze het over had.

Twee weken voor ze zou vertrekken naar Little Rock in Arkansas, de locatie waar haar scènes zouden worden opgenomen, zaten de Fangs in de wachtkamer van de JCPenney fotostudio, om hun jaarlijke kerstportret te laten maken. Annie was al een maand lang helemaal in haar rol. Ze at met een slabbetje om, had moeite haar veters te strikken en liep altijd rond met een wezenloze glimlach op haar gezicht: de meer opvallende kenmerken van achterlijkheid die, hoopte ze, haar spel extra authenticiteit zouden verlenen. Ze hield een tijdschrift ondersteboven en had een snotneus terwijl de andere gezinsleden hun wolventanden in deden. 'Jeetje, Annie,' zei mevrouw Fang, met haar tong aan de punten van haar nieuwe tanden voelend, 'soms valt er ook wat te zeggen voor subtiliteit.' Annie viel bijna uit haar rol bij de gedachte dat haar ouders, die speciaal vervaardigde neptanden droegen zodat ze op weerwolven zouden lijken, graag wat subtielere gebaren wilden zien. Haar moeder legde haar rechterhand over Annies gezicht en stopte de lange hoektanden in haar mond. 'En verlies ze alsjeblieft niet,' zei mevrouw Fang. 'Ze zijn peperduur.'

Ze hadden de tanden aangeschaft bij een goedkope tandtechnieker, die best zijn diensten wilde ruilen voor interessante goederen. Ze hadden hem een antieke quilt gegeven uit de tijd van de

Amerikaanse Burgeroorlog, die al jaren in meneer Fangs familie was, en hadden na het maken van afdrukken en veelvuldig passen vier paar wolventanden gekregen, kunstgebitten die ze over hun eigen tanden konden klikken en die ze jarenlang konden gebruiken. 'Vrolijk kerstfeest,' zei meneer Fang, grijnzend met zijn lange, puntige hoektanden.

De Fangs gingen met sombere, serieuze gezichten de studio binnen en namen daar plaats volgens instructies van de fotografe, een zwaar opgemaakte, zenuwachtige vrouw met uitpuilende ogen. Vijf minuten lang wees de vrouw en zei ze alleen maar: 'Daar, daar, daar.' Annie deed alsof ze haar niet begreep en staarde wezenloos naar de camera. 'Ga naast je mama zitten,' zei de fotografe. 'Ze is geestelijk gehandicapt,' zei mevrouw Fang, met haar hand voor haar mond. 'O,' zei de vrouw en herhaalde toen, luid en duidelijk: 'Ga naast je mama zitten.' Annie ging zitten en staarde naar de camera, klaar voor haar close-up.

'Een, twee, drie, cheese,' zei de vrouw. De Fangs ontblootten hun tanden en riepen: 'Cheese!' De fotografe maakte een zacht, piepend geluidje, als een schoen die te strak zat, maar liet zich verder niet uit het veld slaan door de blikkerende tanden. 'Ik geloof dat u net even met uw ogen knipperde, vader,' zei ze en ze ving het gezin nogmaals in de zoeker van de camera.

De neptanden begonnen een beetje zeer te doen en tussen de foto's door voelden de Fangs met hun tong aan de gebitten. 'Mogen we ze nu uitdoen?' vroeg Buster toen de fotografe eindelijk klaar was, maar meneer en mevrouw Fang hadden hun tanden alweer opgeborgen in een plastic bakje. 'Als we de foto's eenmaal hebben en als kerstkaart rondsturen, krijgen we vast meer reacties,' zei meneer Fang maar hij was van zijn stuk gebracht door de onaangedane reactie van de fotografe. 'Ze had het veel te druk met fotograferen,' zei mevrouw Fang en ze probeerde de spanning weg te masseren uit de schouders van haar man. 'Je kunt ook niet van een hersenchirurg verlangen dat hij je goocheltrucje ziet terwijl hij met een operatie bezig is.'

'Misschien moeten we nepbloed gebruiken,' zei Buster. 'Misschien,' zei meneer Fang. 'Dat is niet eens zo'n slecht idee. 'En een opgezet hert dat we zogenaamd opeten,' zei mevrouw Fang. 'Dat kan geregeld worden,' zei meneer Fang. 'Soms is het net alsof mijn hart in mijn buik zit,' zei Annie. Niemand reageerde.

Drie dagen later kreeg Annie een telefoontje van de assistent-regisseur. 'Ik heb slecht nieuws,' zei hij. Annie hield abrupt op met geestelijk gehandicapt doen, alsof ze door de bliksem was getroffen. 'Wat dan?' vroeg ze. Waren ze gestopt met filmen? Was het geld op?

'We moeten helaas je tekst schrappen,' zei hij.

Het was alsof een dokter tegen Annie had gezegd dat haar been geamputeerd moest worden. Voor Annie was het misschien zelfs nog erger, want ze zou liever een been gemist hebben maar wel tekst hebben gehad in een heuse speelfilm.

'Waarom?' vroeg Annie. 'Denken jullie dat ik het niet kan?'

'Nee, dat is het niet, Annie,' zei de assistent-regisseur.

'Soms is het net alsof mijn hart in mijn buik zit,' zei Annie.

'Geweldig, Annie, maar Marshall heeft het idee dat de hoofdpersoon nog gekwelder overkomt als hij zijn dochtertje helemaal niet spreekt tijdens zijn handelsreis en dus ook niet dat ene gesprek met haar heeft.'

'Daar ben ik het niet mee eens,' zei Annie.

'Nou, Marshall en de scriptwriter hebben het er uitgebreid over gehad en ze hebben hun besluit genomen.'

'Wat willen ze?' vroeg mevrouw Fang aan Annie. Die legde haar hand over de hoorn en gilde: 'Rot op!' Een verbijsterde mevrouw Fang draaide zich om en liep de kamer uit.

'Dus ik word uit de film geschrapt?' vroeg Annie.

'Nee, Annie, je houdt gewoon je rol, alleen heb je geen tekst meer. Je bent nog steeds aanwezig tijdens de scènes waarin Donald Ray zijn gezin bij elkaar roept en als de film uitkomt, speel jij daar gewoon in mee.'

'Als figurante,' zei Annie en ze begon te huilen.

'O schatje, niet huilen,' zei de assistent-regisseur, die zo te horen zelf ook op het punt stond om in tranen uit te barsten. 'Mag ik je vader of moeder even spreken?'

'Die zijn dood,' zei Annie.

'Wat?' vroeg hij.

'Ze hebben het druk,' zei Annie. 'Ze willen niet met je praten.'

'Annie,' zei de assistent-regisseur en zijn stem klonk nu weer wat kalmer, 'ik snap dat je boos bent, maar als je actrice wilt worden, moet je leren met teleurstellingen om te gaan. Je hebt een lange carrière in het verschiet; ik zou het heel jammer vinden als je om zoiets het bijltje erbij neergooide.'

Annie, die maar al te goed wist wat teleurstelling was, voelde de hoop verschrompelen in haar lichaam en oplossen, zonder dat er iets achterbleef. 'Weet ik,' zei ze en ze hing op.

'Wat wilden ze?' vroeg meneer Fang toen Annie weer aan de eettafel zat. Annie prikte een stukje broccoli aan haar vork, kauwde langzaam en nam een grote slok water.

'Filmgedoe,' zei ze. 'Niks belangrijks.'

'Nou, het klonk anders wel belangrijk, zoals je tegen me tekeer ging,' zei mevrouw Fang.

''t Was niks,' zei Annie.

'Annie Fang, Oscarwinnares,' zei meneer Fang.

'Zeg dat niet,' zei Annie.

Buster was klaar met eten. Hij schoof zijn stoel achteruit en zei: 'Soms is het net alsof mijn hart in mijn buik zit.'

Annie gooide haar glas naar zijn hoofd. Het miste hem op een haar en spatte tegen de muur aan scherven. Annie holde de keuken uit en sloot zichzelf op in haar slaapkamer. Die avond keek ze naar een video van Bette Davis in *Of Human Bondage*. In de scène waarin Davis tekeergaat tegen de manke medische student die van haar houdt, zette Annie de film stop, staarde in de spiegel en gilde: 'Ploert! Vuile smeerlap! Ik heb nooit van je gehouden – nog geen seconde.' Ze vervolgde de monoloog terwijl ze wegschuifelde bij de spiegel en kleiner en kleiner werd, langzaam uit het beeld verdween. Plotseling stormde ze weer op haar spiegelbeeld af en schreeuwde: 'En als je me gekust had, veegde ik later altijd m'n lippen af. DAN VEEGDE IK M'N LIPPEN AF!'

De overige Fangs, die in de woonkamer naar punkrock luisterden, zetten gewoon het geluid wat harder en deden alsof ze verder niets hoorden.

Zes maanden later kwam *Knives Out* uit, in een beperkt of eigenlijk minimaal aantal bioscopen. De weinige recensies waren min of meer lovend maar Annies rol werd nergens genoemd. Desondanks kon Annie haar opwinding niet verbergen toen de Fangs een bioscoop in Atlanta hadden weten te vinden waar de film draaide. 'Jullie zullen zo trots op me zijn!' zei Annie tegen haar ouders.

Ze had niet gewild dat meneer of mevrouw Fang aanwezig zouden zijn tijdens de opnames. Ze waren in het motel achtergebleven en zodra Annies weinige scènes waren gefilmd, allemaal in één take om film te sparen voor belangrijkere scènes, had ze op hun vragen gereageerd met ja of nee of met schouderophalen. De Fangs waren ervan uitgegaan dat Annie was afgeknapt op acteren en hadden niet verder aangedrongen. Maar toen ze hun dochter zagen stralen in de auto, op weg naar de enige bioscoop binnen vijfhonderd kilometer omtrek waar de film draaide, vroegen ze zich af hoe erg ze zouden moeten liegen om Annie wijs te maken dat het een meesterwerk was.

Ze kochten popcorn, snoep en fris en zochten een plaatsje in de schaars bevolkte bioscoop. Zodra het licht doofde en de eerste beelden op het doek verschenen, klonk de titelmuziek door de speakers. Een nasale stem zong:

Niemand wil wat ik verkoop,
M'n schulden gaan met me op de loop.
Blinkende messen, roestvrij staal,
Ik zie wel hoe ik afbetaal.

'O, hemel,' zei meneer Fang en mevrouw Fang kneep zijn arm bont en blauw.

De film ging verder, al viel er weinig positiefs over te melden: een man met zijn kofferbak vol steakmessen, gebukt onder gokschulden, reed over lange, kaarsrechte snelwegen.

Toen de film een uur aan de gang was, had Buster met succes negenendertig chocorozijnen in zijn mond weten te proppen. Hij wees op zijn bolle wangen, maar Annie weigerde hem aan te kijken. Ze bleef naar het scherm staren, breed glimlachend en wippend met haar knieën. Buster haalde zijn schouders op en spuwde de rozijnen een voor een terug in het doosje. Op het doek haalde Donald Ray zijn hand open met een mes, tijdens een demonstratie bij een dronken vrouw thuis, en het rondspattende bloed voorkwam dat de Fangs in slaap sukkelden. De film was zo low budget dat meneer Fang zich afvroeg of de acteur die Donald Ray speelde zijn hand werkelijk had opengesneden, om geld uit te sparen. Hij kreeg meteen een hogere dunk van de man.

'Nu komt het,' fluisterde Annie tegen haar ouders. 'Nou kom ik.' Donald Ray, met een geïmproviseerd verband om zijn hand, pakte de telefoon in zijn hotel en belde zijn gezin in Little Rock. Terwijl het gerinkel van de telefoon blikkerig en zacht opklonk uit de hoorn, versprong de scène naar het huis van Donald Ray, waar de telefoon schril rinkelde op een salontafeltje. De camera gleed achteruit en een vrouw boog zich over het tafeltje om op te nemen. Ze luisterde even en zei toen dat ze bereid was de gesprekskosten te betalen. 'Donald Ray,' zei ze, boos maar ook opgelucht dat ze eindelijk iets van hem hoorde.

'Goed kijken,' zei Annie. Achter de vrouw van Donald Ray zat Annie op de grond, dof naar het tapijt starend. 'Dat ben jij,' zei Buster. 'Goed kijken,' herhaalde Annie. 'Dit is mijn grote scène.' De Fangs keken naar hun dochter op het witte doek: haar gezicht was uitdrukkingsloos en ze was zich kennelijk totaal niet bewust van het gesprek dat naast haar plaatsvond. De Fangs moesten later toegeven dat Annie heel overtuigend geacteerd had. En toen, zo snel dat je het niet zou zien als je er niet speciaal op lette, keek Annie opeens recht in de camera en glimlachte. De Fangs konden bijna niet geloven dat het echt gebeurd was; het moment was zo schokkend en vervreemdend dat het even duurde voor ze werkelijk beseften wat ze zojuist gezien hadden. Annie had in de camera gekeken en geglimlacht, met ontblote tanden. Wolventanden.

'Annie?' zeiden meneer en mevrouw Fang in koor. Naast hen glimlachte Annie van oor tot oor. De scène zat erop en haar personage zou in de rest van de film niet terugkeren. Ze was, beseften de Fangs nu, een ster.

hoofdstuk vijf

Annie moest weg uit L.A. Drie dagen na haar rampzalige interview waren de wijs- en middelvinger van haar rechterhand nog steeds gekneusd en pijnlijk. Annie had de vingers aan elkaar geplakt met behulp van een half rolletje isolatietape en had een spalk gemaakt van een doormidden gebroken ijsstokje. Ze bekeek zichzelf in de spiegel en hield haar gewonde hand omhoog. Door de zwarte tape om haar vingers leek haar hand op een pistool; ze richtte op haar spiegelbeeld en schoot. Als het nog erger werd en haar vingertoppen zwart werden, zou ze gewoon meer tape toevoegen. Ze zou haar hele lichaam intapen, in een soort cocon, en als alles weer een beetje gekalmeerd was zou ze tevoorschijn komen, nieuw en capabel en beter dan eerst.

De telefoon ging. Ze liet hem rinkelen: haar antwoordapparaat puilde al uit van de boodschappen van de journalist van *Esquire* die langs wilde komen om 'het artikel door te nemen', wat volgens Annie een synoniem was voor 'meer seks hebben zodat ik erover kan schrijven'. Dat kon het antwoordapparaat wel afhandelen. Annie hield van het antwoordapparaat alsof het een levend wezen was, door de manier waarop het haar beschermde tegen de verkeerde beslissingen die ze zelf maar al te gemakkelijk maakte. De machinale stem van het apparaat liet de beller weten dat er niemand thuis was en dat hij een boodschap kon achterlaten.

'Met Daniel,' zei de beller. 'Neem nou op, Annie.' Annie schudde haar hoofd. 'Vooruit, neem op,' drong Daniel aan. 'Ik kan je zien, Annie. Ik weet dat je thuis bent. Ik zie je zo staan. Vooruit, neem op.' Annie keek door het raam naar buiten, maar zag niemand. Ze vroeg zich af of Daniel misschien al binnen was. Had hij ooit de sleutel teruggegeven die hij van haar gekregen had toen ze elkaar zagen? Ze verloor een beetje het vertrouwen in het antwoordapparaat, dat het telefoontje nog steeds niet had afgekapt. 'Ik hou van je, Annie, en ik wil je helpen,' vervolgde Daniel. 'Neem nou op.' Annie gooide de handdoek in de ring en nam met haar niet-gewonde hand de telefoon op.

'Waar ben je?' vroeg ze. 'Hoe kun je me zien?'

'Ik kan je niet zien,' zei Daniel. 'Dat zei ik alleen maar zodat je zou opnemen.'

'Ik denk dat ik nu weer ophang,' zei Annie.

'Dit is belangrijk, Annie,' zei Daniel. 'Herinner je je ons laatste gesprek nog?'

'Vaag,' zei Annie.

'Ik zei dat ik dacht dat je gek werd.'

'Ja, oké, dat weet ik nog.'

'Misschien had ik het mis.'

'Dat weet ik wel zeker,' antwoordde Annie.

'Maar nu geloof ik dat je écht gek wordt,' zei hij.

'Sorry, maar ik moet dadelijk naar het vliegveld,' zei Annie. Ze prentte zich in om een vlucht te boeken zodra ze had opgehangen.

'Laat me nou even naar je toekomen en vijf minuten met je praten.'

'Dat gaat echt niet, Daniel.'

'Ik geef om je, Annie. Ik wil gewoon vijf minuten met je praten en daarna hoef je me nooit meer te zien.'

Annie nam een grote, bedachtzame slok whisky en vroeg zich af of ze al op het dieptepunt van haar leven was aangeland.

'Nou, goed,' zei Annie. 'Kom dan maar.'

'Bedankt,' zei Daniel. 'Ik sta trouwens bij je voor de deur.'

'Wat?' zei Annie.

'Ja, je hebt de toegangscode van het hek nooit veranderd. Ik sta hier al bijna een kwartier.'

'Waarom heb je niet gewoon aangebeld?'

'Ik wilde je niet laten schrikken.'

'Dat is aardig van je,' zei Annie, terwijl ze naar de voordeur liep en bedacht dat haar whisky hoognodig bijgevuld moest worden.

In de keuken plempte Annie acht Pop Tarts op een bord en nam de zoetigheid mee naar de woonkamer waar Daniel, die nu een porkpie hoedje droeg in plaats van zijn gebruikelijke Stetson, op haar zat te wachten. Daniel leefde uitsluitend van Pop Tarts en mineraalwater; Annie had hem nog nooit iets anders zien nuttigen. Als ze blind en doof werd, zou ze Daniel herkennen aan de weeïg zoete geur van aardbeiensmaakstof en aangebrand deeg. Daniel zat op de bank en klopte op het kussen naast hem, maar Annie nam glimlachend plaats in de schommelstoel tegenover de bank, zodat het salontafeltje adequate bescherming zou bieden tijdens hun gesprek. Annie schommelde en schommelde, begeleid door een irritant gepiep. Ze had het gevoel dat ze eigenlijk een klein, comateus hondje op schoot zou moeten hebben.

'Je zei dat je me wilde spreken,' zei Annie.

'Klopt,' antwoordde Daniel. Het kleed rond zijn voeten was al bezaaid met Pop Tartkruimels.

'Waarover?'

'Je carrière, wat je die aandoet en wat je jezelf aandoet. Ik weet dat je niet lesbisch bent,' zei Daniel.

'Is dat het enige wat je wilde zeggen?' vroeg Annie.

'Wat is er met je hand gebeurd?'

'Ik heb m'n publiciteitsagente een dreun verkocht,' zei Annie en ze stak haar gekneusde maar niet trillende hand uit. Ze was onder de indruk van haar stalen zenuwen.

'Ja, ik heb gehoord dat ze je gedumpt heeft.'

'We hebben elkaar gedumpt. We besloten op exact hetzelfde

moment om elkaar te dumpen. Wilde je me daarover spreken?'

'Paramount heeft gevraagd of ik het script voor de derde *Powers That Be* wil schrijven.'

'O... gefeliciteerd.'

'Dank je.'

'Ik wist niet dat ze besloten hadden een derde deel te maken,' zei Annie, die haar verwarring probeerde te verbergen.

'Daar wilde ik het met je over hebben.' Daniel deed zijn hoed af en liet die ronddraaien in zijn handen. 'Deze is ooit van Buster Keaton geweest,' zei hij.

'Je had toch zo'n hekel aan stomme films?'

'Klopt,' zei Daniel. 'Maar ik heb tegenwoordig zoveel geld dat ik gewoon niet meer weet wat ik moet kopen.'

'Daniel –'

'Oké, oké. Toen ik zei dat ik graag de derde *PTB* wilde schrijven, had de studio één verzoek.'

'Wat dan?' vroeg Annie.

'Dat ik jouw personage uit de film zou schrijven. Ze willen niet dat jij nog langer deel uitmaakt van de reeks.'

Aangeland op wat volgens haar het dieptepunt van haar leven was geweest, omhoog starend naar de onbereikbare wereld boven zeeniveau, voelde Annie de grond onder haar voeten toch opeens weer verkruimelen.

'Willen ze mij niet meer in de film?' vroeg ze.

'Nee.'

'Gaven ze daar ook een reden voor?'

'Ja.'

'Had dat soms iets te maken met die naaktfoto's op internet en mijn zogenaamde geestelijke instabiliteit?'

'Inderdaad.'

'O shit.'

'Het spijt me vreselijk, Annie. Ik vond dat je het moest weten.'

Ondanks het stemmetje dat schreeuwde dat ze zichzelf in bedwang moest houden, barstte Annie toch in tranen uit. Ze kon gewoon niet geloven dat ze huilde omdat ze nu niet de kans zou krijgen voor de derde keer een bespottelijk superheldenkostuum te dragen en urenlang voor een groen scherm te staan en dan dingen te zeggen zoals: 'Dus de bliksem kan wél twee keer op dezelfde plaats inslaan.' Ze vond het idioot, zelfs terwijl de tranen over haar wangen liepen, maar toch snikte ze onbedwingbaar, in een al even onbedwingbaar schommelende stoel, terwijl haar ex-vriend toekeek.

'Het is klote, dat weet ik,' zei Daniel.

'Is het klote?' zei Annie. 'Weet je dat?'

'Ik heb zo'n gevoel dat het vrij klote is.'

Annie stond op, liep naar de keuken en kwam terug met de fles George Dickel. Ze nam een flinke slok uit de fles en voelde een soort standvastigheid door haar lichaam trekken, een film noir-achtige, spijkerharde vastberadenheid. Ze besefte plotseling dat alcohol dit probleem kon oplossen. Het zou voor andere en nog ergere problemen zorgen, maar voorlopig, terwijl ze langzaam maar zeker beneveld raakte, had ze het gevoel dat deze situatie niet onoverkomelijk was. Ze *kon de boel aan.*

'Het derde deel van een trilogie is nooit goed,' zei ze. '*Return of the Jedi, The Godfather Deel III, The Bad News Bears Go to Japan.*'

'Nou,' zei Daniel, 'ik ga het derde deel schrijven, dus denk ik dat het behoorlijk goed zal worden. En daar wilde ik het eigenlijk met je over hebben.'

Annie probeerde te luisteren, maar zag zichzelf in een flits in een tweedehands Lady Lightning-kostuum. Ze zat alleen aan een tafeltje op een obscure bijeenkomst van stripfans, met een flesje cola light voor zich, en staarde naar haar mobieltje dat maar niet overging.

'Annie?' zei Daniel. 'Ik wilde het met je over de film hebben.'

Annie verbeeldde zich dat ze tapiocaparels met koffiesmaak promootte in Japan, in een flatje ter grootte van een bezemkast woonde en een relatie had met een uitgerangeerde sumoworstelaar.

'Annie?' herhaalde Daniel.

Annie zag zichzelf dinertheater spelen in een verbouwde schuur. Ze was Myra Marlowe in a *Bad Year for Tomatoes* en werd dik van de grote borden rosbief en macaroni met kaas die ze tijdens de pauze opschepte aan het buffet.

'Ik wil je helpen, Annie,' zei Daniel, die zich niet uit het veld liet staan door het strakke gezicht waarmee Annie haar toekomst analyseerde. 'En ik denk dat ik dat ook kan.'

Annie streek een plooi in haar spijkerbroek glad, met een gebaar alsof ze een comateus hondje aaide. 'Hoe wil je me dan helpen, Daniel?'

'Door het gevoel weg te nemen dat alles je boven het hoofd groeit en door je carrière weer op de rails krijgen.'

'Je gaat toch niet zeggen dat ik me moet melden bij een psychiatrische kliniek, hè?'

'Nee, ik heb een veel beter idee,' verzekerde Daniel haar.

'Dat hoop ik ook,' zei Annie.

Daniel stond op, legde een halfopgegeten Pop Tart terug op het bord en liep naar Annie, die instinctief terugdeinsde. Hij knielde naast haar neer. Annie voelde de gênante mogelijkheid van een huwelijksaanzoek opdoemen en schudde verwoed haar hoofd, alsof ze iedere poging in die richting in de kiem wilde smoren. Daniel, die geen ring in zijn hand hand, boog zich voorover, als een honkbalcatcher die aanwijzingen doorseint aan de werper. Zijn gezicht was nog geen dertig centimeter van het hare.

'De studio wil over een maand een eerste versie van het script hebben. Ik heb een blokhut gehuurd in Wyoming, alleen maar rust, ruimte en wolven. Ik wil dat jij met me meegaat.'

'Om wat te doen? Kijken hoe jij m'n personage uit de film schrijft terwijl ik gedroogd rendierenvlees eet?'

'Nee, gewoon om te relaxen. Je kunt lange wandelingen maken, je bent weg uit deze shit en misschien kun je dan weer een beetje tot jezelf komen. En wie weet, als alles goed gaat, kunnen we onze relatie misschien een tweede kans geven.'

'Dus je wilt dat ik met je meega naar Wyoming om seks met je te hebben?' zei Annie.

'Precies,' zei Daniel glimlachend.

'In wat voor zin is dat bevordelijk voor mijn carrière?'

'Dat is het tweede punt waar ik het over wilde hebben. Ik dacht dat, als we samenwerken aan het script, we misschien een manier kunnen bedenken om Lady Lightning er toch in te houden. Je weet wel, iets verzinnen wat zo goed is dat de studio er niet omheen kan.'

'Dan zouden ze gewoon een andere actrice nemen,' zei Annie. Ze boog zich ook voorover, zodat hun voorhoofden elkaar bijna raakten.

'Misschien niet. Ga nou gewoon met me mee, zorg dat je weer tot rust komt, laat die slechte publiciteit overwaaien en dan herinneren ze zich misschien dat je een ster bent met massa's talent, die een hoop geld in het laatje kan brengen.'

'En dat allemaal als ik met je meega naar Wyoming en met je naar bed ga?'

'Precies,' zei Daniel.

'Ik ben naar bed geweest met een journalist van *Esquire*,' zei Annie.

'Oké,' zei Daniel, die totaal niet uit het veld geslagen leek.

'Drie dagen geleden. Je kunt er alles over lezen in het eerstvolgende nummer.'

'Mij een zorg,' zei Daniel. 'Het bevestigt gewoon dat je hier nodig een tijdje weg moet.'

Wyoming was voor Annie een gure leegte in haar verbeelding. Een plek waar ze zich kon verschuilen. Het ergste wat kon gebeuren was dat ze naar bed zou gaan met Daniel en verslonden zou worden door een wolf. Daar kon ze mee leven.

Nadat ze gezegd had dat ze mee zou gaan zette Daniel zijn hoed op haar hoofd, alsof hij haar wilde belonen voor een verstandige beslissing, en gingen ze in de woonkamer op de grond zitten terwijl Annie nog een glas whisky nam en Daniel nog een Pop Tart.

Dit was hoe volwassenen zich gedroegen, dacht Annie, en ze was best een beetje trots op zichzelf. Daniel liet haar zijn nieuwste tatoeage zien: een typemachine omgeven door dollartekens. Annie zei dat hij zijn mouw weer omlaag moest rollen en probeerde te doen alsof het niet gebeurd was. Tegen de tijd dat Daniel vertrok, nadat ze hadden afgesproken elkaar 's ochtends weer te ontmoeten om naar Wyoming te gaan, voelde Annie zich onwaarschijnlijk nuchter en misschien dan niet gelukkig, maar wel opgelucht omdat ze soms ook eens iets kon doen zonder er meteen een pokkenzooitje van te maken.

Later die avond, onder de indruk van haar verstandige besluit om Los Angeles te verlaten, bakte Annie een dikke plak worst in een pan terwijl ze luisterde naar een audioboek waarin George Plimpton verhalen voorlas van John Cheever. Ze had het gekocht maar er nooit naar geluisterd nadat de rol van Cheevers vrouw aan haar neus voorbij was gegaan, in een biografische film die uiteindelijk helemaal niet gemaakt was. Plimptons kosmopolitische, kalmerende, bijna Britse accent vulde de keuken met verhalen over mensen die Annie onder normale omstandigheden liefst een oplawaai zou hebben verkocht, maar die haar nu het gevoel gaven dat ze slim en capabel en helemaal niet gek was.

Ze smeerde een dikke laag mayonaise op twee witte boterhammen en voegde de inmiddels lichtelijk aangebrande worst toe. Ze vulde een glas met ijs en whisky en gooide er ook nog wat suiker in, aangespoord door de constant aan cocktails lurkende personages uit de verhalen van Cheever. Ze roerde met haar vinger, noemde het een Old Fashioned en ging aan de tafel in de eetkamer zitten om van haar sandwich te genieten, nadat ze de stem van Plimpton middenin een zin had stopgezet: '– van bacon en koffie tot hoenders...' Het woord *hoenders* klonk in Annies oren net als *hoeders*.

Nadat ze drie happen van haar sandwich had genomen ging de telefoon. Annie had de bescherming van haar antwoordapparaat niet langer nodig en nam op. 'Hal-lo,' zei ze moeizaam, want het witbrood kleefde aan haar tong en de mayonaise vormde een soort kit in de richels en gleuven van haar verhemelte. 'Annie?' zei een stem.

Ze slikte en kon haar tong weer bewegen. 'Met Annie,' zei ze.

'Je klonk net alsof je een debiel speelde,' zei de stem.

'Daniel?' vroeg ze.

'Buster,' zei haar broer.

Het was altijd vreemd om de stem van Buster te horen, alsof het geen echte stem was maar een geluid in haar hoofd, alsof haar broer opgesloten zat in haar ribbenkast en maar af en toe zijn aanwezigheid kenbaar maakte. Ze had al maanden niets van hem gehoord. De laatste keer had hij uitdrukkelijk gezegd dat ze onder geen beding haar bloesje moest uittrekken en vervolgens had ze meteen haar bloesje uitgetrokken. Het feit dat ze zo lang niets van hem gehoord had, leek een terechte straf.

'Wat is er aan de hand?' vroeg Annie, die echt graag wilde weten hoe het met haar broer was. 'Heb je iemand om zeep geholpen? Heb je geld nodig?'

'Ik heb mezelf bijna om zeep geholpen en ik heb zo'n twaalfduizend dollar nodig, maar daarover bel ik niet.'

'Wat is er dan gebeurd?'

'Dat is een lang verhaal, waar je vast heel verdrietig van wordt, dus dat komt later wel. Het echte nieuws is dat je wel degelijk kunt terugkeren naar vroeger.'

'Buster,' zei Annie ongeduldig, 'ik zit al de hele dag aan de whisky, dus ik snap niet helemaal waar je het in godsnaam over hebt.'

'Ik ben weer thuis,' zei Buster.

'In Florida.'

'Nee, in Tennessee.'

'Wanneer ben je dan verhuisd naar Tennessee?'

'Ik woon weer bij pa en ma.'

'O Buster,' zei Annie. 'O nee.'

'Zo erg is het ook weer niet,' zei Buster.

'Het klinkt anders best erg,' antwoordde Annie. Het was alsof Buster niet kon wachten tot ze haar zin had afgemaakt want hij zei vlug: 'Nou ja, eigenlijk is het best erg.' Langzaam, alsof hij het zelf niet helemaal kon geloven, vertelde hij haar over het aardappelkanon, zijn verkreukelde gezicht en zijn nieuwe leefomstandigheden.

'Ze hebben me een paar keer Kind B genoemd. Ze zeggen het, maar als ik ze er dan op aanspreek, doen ze alsof het niet gebeurd is. Misschien is dat ook wel zo. Ik slik nogal veel pijnstillers, dus het zou kunnen.'

'Maak dat je daar wegkomt, Buster,' schreeuwde Annie bijna.

'Gaat niet,' zei hij. 'Ik zit hier voorlopig vast.'

'Je kunt daar niet blijven,' zei Annie, die geen genoegen nam met dat antwoord. 'Je móét ontsnappen.'

'Eigenlijk dacht ik dat jij misschien ook zou kunnen komen,' zei hij. 'Je zou me gezelschap kunnen houden. Kijken hoe het met pa en ma gaat op hun oude dag.'

Annie zag in verbeelding haar oude kamer, onveranderd sinds ze van huis was gegaan: de muren vol filmposters, een halflege fles gestold collodium op de toilettafel, een nooit opgerookt zakje wiet in de geheime bergplaats onder de vloer van de inloopkast. Ze was niet meer thuis geweest sinds haar drieëntwintigste en had haar ouders sindsdien altijd ontmoet op neutrale locaties, plaatsen waar zich naar het oordeel van alle betrokken partijen geen incidenten zouden kunnen voordoen. Op vakanties en verjaardagen kwamen ze bijeen in saaie hotels in steden waar niemand van het gezin ooit eerder was geweest. Als ze het idee om terug te gaan naar huis ook maar één seconde post liet vatten, zou haar dat ongetwijfeld op tot nu toe onvermoede maar daarom niet minder spectaculaire manieren de vernieling in helpen.

'Dat kan niet, Buster,' zei ze uiteindelijk. 'Ik ga morgen naar Wyoming.'

'Laat me hier niet alleen, Annie,' smeekte Buster.

'Ik heb het op dit moment een beetje moeilijk,' zei ze. 'Ik moet een aantal zaken op een rijtje zetten.'

'Heb jíj het op dit moment een beetje moeilijk?' zei Buster met een stem vol emotie. 'Op dit moment, nu, bedoel ik dus, zit ik op bed in m'n oude kinderkamer. Ik drink een cocktail van ranja en pijnstillers door een rietje dat zich op de plaats bevindt waar eerst m'n hoektand zat, voor die verbrijzeld werd door een aardappel. Pa en ma luisteren beneden in de woonkamer naar La Monte Youngs *The Black Record* met het geluid idioot hard. Ze dragen allebei Lone Ranger-maskers, wat ze kennelijk vaker doen. Ik zit nu al een uur te bladeren in een *Guitar World* uit 1995, omdat ik bang ben op internet weer een foto van jouw tieten tegen te komen.'

'Het gaat niet, Buster,' zei Annie.

'Kom me halen,' zei Buster.

'Ik geloof echt niet dat ik het kan.'

'Ik mis je, Annie.'

'Het spijt me, Buster,' zei ze en ze hing op.

Toen ze bezig was aan de eerste *Powers That Be* hing ze iedere dag uren met Buster aan de telefoon, terwijl ze wachtte tot iemand naar haar trailer zou komen om haar naar de set te brengen. Ze vertelde hem over de bizarre zaken die kennelijk nodig waren om een blockbuster te maken, de technieken en constructies die, zelfs voor een Fang, volslagen overdreven en bespottelijk leken. 'Er is hier een vent die er alleen maar voor moet zorgen dat Adam Bomb op precies de goede manier loopt,' zei ze op een keer tegen Buster.

'Hoe noemen ze hem?' vroeg Buster.

'Voortbewegingsconsulent,' zei Annie.

Zodra een gesprek was afgelopen, verheugde ze zich al op het volgende. 's Avonds laat, na een lange dag filmen, als ze in bed lag met haar dat stijf en pijnlijk was na bewerkt de zijn door een heel team stylisten, luisterde ze vaak hoe Buster voorlas uit zijn tweede roman: een boek over een jongen die als enige ongedeerd blijft door de nucleaire fall-out van de Derde Wereldoorlog. Terwijl Annie soms af en toe even in slaap sukkelde, luisterde ze hoe de stem van Buster, trillerig en serieus, voorlas wat hij nog maar een paar uur eerder geschreven had. 'De jongen schopte tegen een soepblik, dat over het gehavende en verkruimelde asfalt rolde,' las Buster voor. 'Toen het blik tot stilstand kwam, stroomde er een familie kakkerlakken uit. Ze schoten alle kanten op, alsof ze bang waren dat een van hen verantwoordelijk was geweest voor die ruwe verstoring. De jongen onderdrukte de aandrang om de insecten plat te trappen en liep verder.' Annie hield de telefoon wat beter bij haar oor en ging overeind zitten, vastbesloten om ieder woord precies zo te horen als Buster bedoeld had. Het verhaal was intens triest: het kleine beetje hoop was een flakkerend vonkje dat ieder moment uitgedoofd kon worden. Toch verbeeldde Annie zich dat de jongen, die door puur toeval gered was van het vreselijke lot dat de rest van de wereld had getroffen, eigenlijk Buster was en hoopte ze dat hem aan het einde iets van geluk te wachten zou staan. 'We gaan het helemaal maken, Buster,' zei ze tegen hem. 'We worden zo beroemd dat je jezelf dadelijk niet eens meer herkent als je in de spiegel kijkt.'

En toen was Annies film een van de grootste kaskrakers in jaren geworden en was Busters boek met een sneer afgedaan door de kritiek en verramsjt. Als ze daarna met elkaar spraken, leek alles gefilterd te worden door het besef dat een van hen veilig de oceaan was overgestoken en voet in het beloofde land had gezet en dat de ander onderweg schipbreuk had geleden.

Buster belde soms 's avonds laat vanuit een hotelkamer, bezig met een opdracht voor een of ander tijdschrift en duidelijk onder invloed. Annie luisterde dan met een half oor naar hem terwijl ze naar een film keek, met het geluid zo zacht dat Buster het niet kon horen. 'Jij bent nu een filmster,' zei Buster op een keer, 'en ik ben de broer van een filmster.'

'En ik ben de zus van Buster Fang,' antwoordde ze.

'Wie?' zei hij. 'Nog nooit van gehoord.'

'Kom nou toch, Buster,' zei ze.

'Ik ben,' mompelde hij, zo binnensmonds en onduidelijk dat ze pas begreep wat hij nou eigenlijk gezegd had toen hij de hoorn op de haak had gegooid, 'de minste van de Fangs.'

De volgende ochtend onderdrukte Annie de neiging om vlug nog een whisky in te schenken en wachtte ze tot Daniel haar zou komen halen om naar het vliegveld te gaan. Ze had bijna niet geslapen, maar wel gedroomd dat Daniel in de deuropening van hun blokhut stond, in een pioniersoutfit met leren franje. Een van zijn armen was afgebeten door een grizzlybeer. 'Weids, wonderbaarlijk Wyoming,' zei hij tegen haar, terwijl ze zonder succes probeerde het bloeden te stelpen.

Toen Daniel arriveerde, deze keer weer met zijn trouwe cowboyhoed op, een onaangestoken Marlboro in zijn mond en met een paar waterdichte laarzen die eerder bedoeld leken voor astronauten of ijsvissers, nam hij haar tassen vlug van haar over en propte ze in de piepkleine kofferbak van zijn sportwagen. Het kostte Annie moeite om hem te volgen naar de auto: ze bleef staan dralen bij de voordeur en vroeg zich, inmiddels nuchter, af waar ze in godsnaam aan begonnen was. 'Leg nou nog eens een keertje uit wat ik precies ga doen in Wyoming,' zei ze.

'Je wordt mijn muze.'

'Ik weet dat het een beetje aan de late kant is om het nu nog te vragen, maar is daar ook tv?'

'Nee,' zei Daniel. 'Alleen jij en ik.'

'Even een spel kaarten halen,' zei Annie en ze ging vlug weer naar binnen.

Op het vliegveld, nadat ze hadden ingecheckt, de veiligheidscontroles waren gepasseerd en wachtten tot hun vlucht werd omgeroepen, luisterde Annie hoe Daniel uitwijdde over zijn eerste ideeën voor de derde *Powers That Be*. 'Geen nazi's meer,' zei hij, met een wijze hoofdknik. 'Nazi's zijn uit. Nee, we moeten een stap verder gaan, het nog grootser aanpakken.'

'Oké,' zei Annie.

'Dinosauriërs,' zei Daniel.

'Wat?'

'Deze keer nemen ze het op tegen dino's. Het wordt geweldig, geloof me.'

'Wat dacht je van nazidino's?'

Daniel fronste zijn voorhoofd en zei: 'Annie, als je iemands muze bent, is het niet de bedoeling dat je hun ideeën afkraakt.'

Annie besefte plotseling dat, afgezien van Buster, niemand wist waar ze de komende tijd zou zijn. Ze ging naar een afgelegen blokhut in Wyoming, met haar ex-vriend met wie ze een nogal wispelturige relatie had. Ze zou uren moeten luisteren hoe Daniel doorratelde over dinosauriërs en raketwerpers en de steeds terugkerende zin: 'We bombarderen ze terug naar het Stenen Tijdperk.' Plotseling leek het allemaal één grote vergissing.

Annie had geen publiciteitsagente meer, maar nog wel een gewone agent en een manager, mensen die hopelijk zouden willen weten wat haar plannen waren. 'Misschien moet ik even m'n agent bellen,' zei Annie. 'Laten weten dat ik er een tijdje niet ben.'

'Dat weet hij al,' zei Daniel.

'Hoezo?'

'Ik heb wat contacten in de media geïnformeerd over ons uitstapje. Je weet wel, dat we ons tijdelijk terugtrekken in de wildernis, voor ontspanning en voor zaken.'

'Waar heb je het in godsnaam over, Daniel?' vroeg Annie.

'Ik heb informatie gelekt naar een paar belangrijke journalisten in de filmwereld, over het feit dat ik de derde *Powers That Be* mag schrijven en dat jij met me meegaat naar Wyoming om aan het script te werken. En...'

'Ja?'

'En ik heb ook gezegd dat we weer een stel zijn,' zei Daniel.

Heel even leek Daniel, tot in het kleinste detail, sprekend op Minda Laughton.

'Maar we zijn geen stel,' herinnerde Annie hem eraan.

'Jezus, Annie, wat denk je dat er gaat gebeuren? Dadelijk zitten we in een blokhut in de rimboe, jij en ik.'

'We gaan aan het script werken. Over nazidino's en zo.'

'Zonder mij ben je uitgerangeerd, Annie, echt. Samen kunnen we bergen verzetten. We kunnen ervoor zorgen dat deze hele stad straks aan onze voeten ligt.'

'Hè Daniel, je lijkt wel zo'n krankzinnige geleerde.'

'Je hebt mij nodig en – ik weet dat het misschien moeilijk te begrijpen is – ik heb jou nodig.'

'Je hebt heel veel dingen nodig, Daniel, voornamelijk van farmaceutische aard.'

'Ik wil geen ruzie maken, maar als je niet met me meegaat naar Wyoming, zal ik alles doen wat in m'n vermogen ligt om je carrière definitief de grond in te boren.'

Annie voelde die woorden door zich heen gaan en even leek alles wazig en ongecoördineerd. 'Ik heb een minuutje de tijd nodig,' zei ze. Daniel knikte en zei dat hij naar de wc ging. 'Als ik terugkom, doen we net alsof dit niet gebeurd is. We gaan gewoon naar Wyoming en concentreren ons op waar we het beste in zijn.' Annie had geen idee waar ze het beste in waren; ze leken samen op ieder gebied ruim onder het gemiddelde te scoren.

'Neem rustig de tijd,' zei ze terwijl Daniel in de richting van de toiletten liep. Zodra hij uit het zicht was verdwenen, haastte Annie zich naar een balie met twee medewerksters en wachtte tot de vrouwen zouden opkijken. De vrouwen bladerden in papieren, tuurden naar een monitor en zeiden toen in koor: 'Is er iets?' Annie keek over haar schouder of ze Daniel al zag en had het gevoel dat de luidsprekers in de vertrekhal eigenlijk dreigende vioolklanken zouden moeten uitbraken: de filmmuziek van een thriller over een ongelooflijk stomme vrouw en haar krankzinnige ex-vriend.

'Mag ik iets vragen?' zei Annie. De twee vrouwen keken op,

met hun lippen samengeknepen in een uitdrukking van irritatie die je, als je er iets van zou zeggen, heel misschien ook een glimlach zou kunnen noemen. 'Ja?' zeiden ze, opnieuw in koor.

'Ik had een vraag over mijn ticket,' zei Annie.

'Die heeft u in uw hand,' zei de vrouw rechts.

'Weet ik,' zei Annie, die duidelijk probeerde te maken dat haast geboden was, 'maar ik vroeg me af of ik hem niet kan omwisselen.'

'Wilt u een andere stoel?' vroeg de vrouw links.

'Nee, een andere vlucht,' zei Annie.

'Pardon?'

'Ik wil graag een andere vlucht nemen.'

'Waarom?'

'Dat is nogal ingewikkeld.'

'Het is ook nogal ingewikkeld om uw ticket te veranderen,' zei de vrouw rechts.

'Nou, goed dan,' zei Annie. Godzijdank was Daniel nog steeds nergens te bekennen. 'M'n ex-vriend vroeg of ik met hem wilde meegaan naar Wyoming, om te proberen onze relatie weer op de rails te krijgen, en ik heb ja gezegd maar nu denk ik dat ik beter nee had kunnen zeggen.'

'O, sensatie!' zei de vrouw links.

'Hij is naar de wc en nu wil ik graag een andere vlucht, eentje die meteen vertrekt, voor hij erachter komt.'

'Dit is echt sensatie,' zei de vrouw rechts.

Een paar aanslagen op het toetsenbord later lazen de vrouwen omstebeurt bestemmingen voor, terwijl Annie de mogelijkheden afwoog. New York, Chicago of Dallas vielen af. 'Iets anders,' zei ze. 'Ik zou me maar haasten,' zei de vrouw rechts. 'Uw vriend blijft lang weg.'

'Ik denk dat hij zichzelf staat te bewonderen in de spiegel,' zei Annie.

'Ik ken dat type,' antwoordde de vrouw. 'Met zo'n kerel moet je niet naar Wyoming gaan.'

Annie stond op het punt te ontsnappen. De Grote Ontsnapping! Ze pakte haar mobieltje, bang dat het ieder moment zou kunnen overgaan, en gooide het in de dichtstbijzijnde afvalbak. Niemand zou voortaan nog zeggen wat ze wel of niet moest doen. Ze stippelde haar eigen koers uit en voelde de opwinding die samenhangt met het afkappen van iedere vorm van communicatie. 's Avonds zou ze ver weg zijn en zou ze... nou, ze wist niet zeker wat ze zou doen, behalve dan proberen zichzelf onzichtbaar te maken met behulp van bepaalde substanties. Terwijl de twee vrouwen haar van het ene vliegtuig in het andere toverden, een paar minuten voor ze alles zou achterlaten, moest Annie plotseling aan Buster denken: op zijn oude kamer, met een hoop kussens in zijn rug, gevangen in hun ouderlijk huis terwijl hun vader en moeder alle denkbare en tegelijkertijd zinloze moeite deden om hem er weer bovenop te helpen. Ze wist dat ze op instorten stond en dat Buster al tot puin gereduceerd was, maar vroeg zich af of het niet mogelijk was dat de Fangs elkaar goed zouden kunnen doen als ze weer onder één dak bijeen waren. Het leek onwaarschijnlijk, maar terwijl ze daar in de krioelende vertrekhal stond en mensen in alle richtingen liepen, was ze bereid het risico te nemen. Ze ging niet met Daniel naar Wyoming. Waar ze uiteindelijk ook terechtkwam, het kon alleen maar beter zijn dan dat.

'Zijn er ook vluchten naar Nashville?' vroeg ze.

'Over tien minuten gaat er een vlucht naar Detroit en daar kunt u overstappen op een vlucht naar Nashville.'

'U moet nu de knoop doorhakken,' zei de vrouw links. 'Volgens mij zie ik uw vriend aankomen.'

'Ex-vriend,' zei Annie. 'En ik doe het.'

Met een nieuwe instapkaart in haar hand bedankte ze de vrouwen, die haar verzekerden dat ze haar boodschap – dat ze niet meeging naar Wyoming – op hun eigen, unieke manier zouden doorgeven aan Daniel. 'We maken er iets moois van,' zeiden de vrouwen. 'Het zal hard bij hem aankomen.'

Annie wond de isolatietape van haar hand en gooide die ook in de afvalbak. Ze bewoog haar vingers, merkte dat die geen pijn meer deden en begon toen te hollen om haar vlucht te halen, pompend met haar armen, een filmster in een niet-bestaande film. Ze verbeeldde zich dat de cameraman met haar meebewoog en haar in beeld probeerde te houden. Ze zette het op een lopen, hoe onverstandig en tot mislukking gedoemd dat ook mocht zijn, en de motivatie van haar personage was simpel en begrijpelijk. Vluchten! Ze holde door de peperdure, speciaal gebouwde set, langs de talloze figuranten die haar misschien voor de voeten zouden kunnen lopen en algauw was het geschreeuw van de regisseur zo ver weg dat ze het nauwelijks nog kon horen.

[zonder titel, 2007
kunstenaars: caleb en camille fang]

Toen Annie de roltrap afkwam om haar bagage op te halen zag ze Buster, met een bordje met FANG erop. Zijn gezicht was even gehavend als ze al uit zijn verhalen had opgemaakt en ze moest op haar aangeboren acteertalent vertrouwen om gebrek aan verbazing te veinzen. Annie voelde hoe haar maag zich omdraaide terwijl ze haar best deed om uiterlijk kalm en onbewogen te blijven. Ze wisten geen van beiden goed hoe ze moesten reageren toen ze naar hem toe liep en het bordje in haar handen nam. Ze staarden elkaar enkele ogenblikken aan, A en B, zo'n natuurlijke combinatie, maar toen stak Buster zijn armen uit en omhelsde zijn zus.

'Ik kan gewoon niet geloven dat je bent teruggekomen,' zei hij.

'Ik ook niet,' zei Annie. 'Er is iets grondig mis met me.'

'We zijn er slecht aan toe,' zei Buster en dat was ze met hem eens.

'Waar zijn pa en ma?' vroeg Annie.

Buster keek even de andere kant uit, haalde diep adem en zei toen: 'In de auto. Ze zijn iets aan het bekokstoven. Ze hebben een idee.'

'Nee,' zei Annie, die een vertrouwde warmte door haar lichaam voelde trekken. 'Nee, alsjeblieft!'

'Welkom thuis,' zei Buster en hij liep naar de bagageband om haar koffers te pakken.

Camille en Caleb stonden op de parkeerplaats naast het busje en zwaaiden wild terwijl Annie en Buster aan kwamen lopen, alsof hun armen in brand stonden. Voor Annie was het nog schokkender om haar ouders weer te zien, voor het eerst in jaren, dan de eerste aanblik van Busters gezwollen gezicht was geweest. Ze leken net gekrompen, scheefgegroeide versies van zichzelf. Hun haar was volkomen grijs. Ze waren nog steeds mager en straalden nog steeds een aanstekelijk, bijna hypnotiserend enthousiasme uit, maar ze waren – Annie had niet verbaasd moeten zijn maar toch was ze het – zo oud!

Hun vader had een kleerhanger in zijn hand, met daarop een knalblauw T-shirt met het opschrift *Het TOKTOK-team* onder het Chicken Queen-logo: een mollige, koninklijk uitziende vrouw met een kippenpoot in haar hand.

'Annie!' riep Camille.

'Wat is dat?' vroeg Annie en ze wees op het T-shirt terwijl haar moeder haar een kus op haar wang gaf.

'Een cadeautje,' zei Caleb en hij probeerde het shirt aan zijn dochter te geven.

'Nee, dank je,' zei Annie.

'Luister nou eerst even,' zeiden haar ouders in koor.

'Alsjeblieft,' zei Annie. 'Ik ben nog maar net terug.' Ze keek naar haar broer die, besefte ze nu, een lichtelijk gedrogeerde indruk maakte en schaapachtig glimlachte.

Haar vader deed de achterdeur van het busje open en gebaarde dat Annie moest instappen.

'Ik heb een borrel nodig,' zei Annie.

'Dit is beter,' zei Caleb en hij sloeg zijn armen om zijn kinderen heen. 'Dit is beter dan de beste drug die ooit is gemaakt.'

Annie haalde diep adem. Vluchten kon niet meer, dus ze stapte in. Buster volgde haar en hun ouders sloegen glimlachend het portier dicht.

Het plan was heel simpel, legden hun ouders uit. Ze waren op weg naar een winkelcentrum in de buurt van het vliegveld en alles was al geregeld door Caleb en Camille. Annie en haar moeder zouden de Chicken Queen-T-shirts aantrekken en een enorme stapel vervalste bonnen uitdelen. Camille gaf een bon aan Annie en Buster: een redelijk professionele vervalsing die een gratis broodje kip beloofde. De bon was zo goed nagemaakt dat een klant hem zonder aarzeling zou accepteren, maar ook zo slordig dat iemand van het Chicken Queen-personeel hem meteen als een vervalsing zou herkennen. 'Hoeveel hebben jullie er gemaakt?' vroeg Annie aan haar ouders. 'Honderd,' zeiden ze. Ze legden uit hoe het project verder zou verlopen. Annie en Camille zouden de bonnen uitdelen terwijl Buster aan een tafeltje van de zaak naast de Chicken Queen ging zitten. Hij zou de eerste verwarring vastleggen, als de ene klant na de andere zich meldde met een nepbon. Als genoeg klanten geweigerd waren en de dreiging van de situatie duidelijk werd aan het onderbetaalde en overwerkte personeel, zou Caleb zich melden bij de kassa om de boel het laatste zetje te geven, de woedende klanten te organiseren en de Chicken Queen-vestiging te bestormen.

'Het wordt vast prachtig,' zei Caleb tegen zijn kinderen.

'Ik heb hier geen zin in,' zei Annie.

'Natuurlijk wel,' zei Caleb.

'Het gaat niet goed met me,' zei Annie. 'Het gaat niet goed met Buster.'

'Hier word je beter van,' zei Camille. 'We zijn weer een gezin. Dit is wat we doen. Dit is wat de Fangs doen. We creëren vreemde, memorabele situaties.'

'Ik kan dit echt niet,' zei Annie en ze zocht steun bij Buster. Die voelde even aan zijn oogkapje en zei toen: 'Ik heb er ook geen zin in.'

'Begin jij nou ook niet,' zei Caleb tegen zijn zoon.

'Nee,' zei Annie. 'We doen hier niet aan mee.'

'Jongens...' begon Camille, maar Caleb beukte met zijn hand op de claxon, in een vlaag van woede, voor hij weer kalmeerde. 'Nou, goed dan,' zei hij. 'Jullie zijn toch totaal uit vorm. Jullie zouden er een pokkenzooitje van maken. Nee, jullie moeder en ik doen het wel. Wij doen alles. We hebben het tenslotte jarenlang met ons tweeën gedaan. We wilden jullie er gewoon weer bij betrekken. Het gevoel geven dat jullie erbij horen.'

Annie voelde haar vastberadenheid wankelen. 'Pa, het is niet –'

'Nee,' zei Caleb. 'We hadden het niet moeten vragen. Wij doen het wel. Wij zorgen er wel voor dat dit gebeurt. Maar zouden jullie het dan misschien willen filmen? Of is dat ook te veel gevraagd?'

'Nee, natuurlijk niet,' zei Buster, die nu op zijn beurt steun zocht bij Annie. 'Dat willen we best doen.'

'Jullie zijn gewoon uit vorm,' mompelde Caleb, recht voor zich uit starend. 'Jullie moeten gewoon opnieuw leren wat dit allemaal betekent. Wie jullie zijn.'

Nadat ze hun luie kinderen geparkeerd hadden aan een tafeltje naast de Chicken Queen, gingen Caleb en Camille allebei naar een andere kant van het winkelcentrum om de happening voor te bereiden. 'Gratis broodje kip bij de Chicken Queen,' riep Caleb en hij zwaaide met een bon naar een passerende vrouw, op een manier die iets vagelijk obsceens had. 'Geen andere aankoop vereist.'

'Nee, bedankt,' zei de vrouw.

'Wat?' zei Caleb. Het papiertje hing plotseling slap omlaag in zijn hand.

'Bedankt, maar ik hoef niet,' legde de vrouw uit.

'Maar het is gratis!' zei Caleb, geschokt door haar weigering.

'Ik heb geen honger.'

'Bent u soms op dieet?' vroeg Caleb oprecht nieuwsgierig. 'Het is een van de gezondste dingen die je hier kunt krijgen.'

'Nee,' zei de vrouw geïrriteerd. Ze sloeg de aangeboden bon weg en liep vlug door.

'Snap je het dan niet?' riep Caleb haar na. 'Het is gratis!'

Camille gaf een bon aan een man met een koptelefoon op, die hem wel aanpakte maar niet bleef staan. Een paar meter verderop gooide hij de bon in een afvalbak. Camille rende naar de afvalbak, viste de bon eruit, haalde de man in en tikte hem op zijn schouder. Hij draaide zich geërgerd om. 'U heeft iets laten vallen,' zei ze glimlachend.

'Ik hoef het niet,' zei hij te hard, terwijl de muziek uit zijn oordoppen schetterde.

'Als u hem inlevert, krijgt u een gratis broodje kip bij de Chicken Queen. Geen andere aankoop vereist.'

'Nee, bedankt,' zei hij en hij liep door, knikkend met zijn hoofd op een ritme dat Camille niet kon horen.

Er kwam een echtpaar met drie kinderen voorbij en Camille bood hen een stapeltje bonnen aan. 'Gratis broodjes kip voor iedereen,' riep ze. Haar lippen begonnen pijn te doen van al dat geglimlach.

'We eten geen vlees,' zei de moeder, die haar kinderen wegtrok bij de aangeboden bonnen.

'O, allemachtig!' zei Camille. Ze was nu al een halfuur bezig en had nog maar twaalf bonnen uitgedeeld.

'Ik snap het niet,' zei de man tegen Caleb en hij schuifelde weg van de aangeboden bon.

'Wat valt er te snappen?' zei Caleb. 'U pakt die bon aan, haalt een gratis broodje kip, geeft dat aan mij en krijgt dan vijf dollar.'

'Waarom doe je het zelf niet?' vroeg de man.

'Ik ben medewerker,' zei Caleb geïrriteerd. 'Medewerkers zijn van deelneming uitgesloten.'

'Waarom koop je dan zelf geen broodje kip? Dat kost echt geen vijf dollar.'

'Wil je geen gratis geld?' vroeg Caleb.

'Nee, ik denk het niet,' zei de man en hij liep haastig door.

'Broodjes kip, en godverdomme nog gratis ook!' riep Caleb.

Aan hun tafeltje praatten Annie en Buster elkaar bij over wat er allemaal gebeurd was in hun leven en hoe ze het spoor bijster waren geraakt.

'Hoe zit het met de paparazzi?' vroeg Buster. 'Heb je geen vermomming nodig?'

'Zo'n soort filmster ben ik niet,' zei Annie. 'Ik word helemaal niet zo vaak herkend. Of misschien kan het gewoon niemand iets schelen. Bovendien denken de paparazzi dat ik in Wyoming zit met Daniel. Ik kan me niet voorstellen dat hij ze heeft laten weten dat ik hem op het vliegveld in de steek heb gelaten. Nee, ik ben incognito.'

'Nou, als je onder wilt duiken en een oogkapje nodig hebt, kun je dat van mij lenen,' bood Buster aan. 'Ik heb trouwens nog niemand zien langskomen met een bon,' voegde hij eraan toe.

'Die arme medewerkers,' zei Annie. 'Als ze met Caleb en Camille te maken krijgen, mogen ze wel wat meer betaald krijgen.'

Uiteindelijk meldde zich een tiener met een bon bij de kassa. Buster volgde de actie door de zoeker van de digitale camera die hij van zijn vader had gekregen. 'Daar gaan we,' zei Buster.

De jongen bestelde, en toen de medewerkster wilde afrekenen gaf hij haar de bon. De medewerkster keek meteen bedenkelijk en griste de bon uit de handen van de jongen. Die wees op het woord GRATIS. De medewerkster riep haar manager, een man die net zo oud leek als zij, net zo oud als de klant. Ze liet hem de bon zien en de manager keek ook bedenkelijk en hield de bon tegen het licht, alsof hij een watermerk zocht. Hij keek even schattend naar de klant, gaf de bon toen weer aan de medewerkster en knikte. Ze stopte de bon in de kassa en overhandigde de jongen een broodje kip.

'Shit,' zei Annie, die besefte dat de boel wel in het honderd liep, maar dan op een totaal onverwachte manier.

Een paar minuten later liet een ouder echtpaar hun bonnen zien en de medewerkster accepteerde die zonder aarzelen. Drie bonnen, drie broodjes kip en drie tevreden klanten die nog geen vier meter van Buster en Annie vandaan zaten en lekker een broodje aten, met dank aan hun ouders.

'Moeten we het tegen pa en ma zeggen?' vroeg Buster.

'Nee,' zei Annie. 'Laten we ons er niet mee bemoeien.'

Terwijl ze keek hoe de klanten hun broodjes kip verorberden, besefte Annie plotseling dat ze al bijna een dag niets meer gegeten had. De bon die haar vader haar had gegeven zat nog verfrommeld in haar tasje. Ze streek hem glad, ging ermee naar de Chicken Queen en kwam terug met een gratis broodje, dat ze langzaam opat terwijl Buster filmde hoe meer en meer mensen zich meldden met hun bonnetje en precies kregen wat hen beloofd was.

Anderhalf uur later, nadat ze eindelijk een redelijk aantal bonnen hadden uitgedeeld, troffen Caleb en Camille elkaar weer bij de fontein in het midden van het winkelcentrum. 'Godallemachtig,' zei Caleb tegen zijn vrouw. 'De mensen zijn tegenwoordig zo stom dat je ze werkelijk niks meer met ze kunt beginnen.' Camille knikte. 'Ze verzetten zich zó tegen alles wat ook maar een klein beetje anders is dat ze haast in een soort tunnel leven. Tjongejonge, wat deprimerend!'

'Nou,' zei Caleb en hij trok zijn Chicken Queen T-shirt uit, 'laten we kunst gaan maken.'

Toen ze bij de Chicken Queen arriveerden, stond er geen lange rij boze klanten en was er nergens ook maar iets van vijandigheid of frustratie te bespeuren. Het enige wat ze zagen, waren een stuk of vijfentwintig mensen die gratis broodjes kip zaten te eten. Camille zag Buster en Annie aan een tafeltje zitten en maakte een vragend gebaar. Annie en Buster haalden alleen maar hun schouders op. 'Wat heeft dit goddomme te betekenen?' fluisterde Caleb. 'Geen idee,' zei Camille, geschrokken door het gebrek aan chaos. 'Geef mij zo'n klotebon,' zei Caleb en hij griste er een uit Camilles hand. 'Je kunt vandaag de dag ook van niemand meer verwachten dat ze nog 'ns iets aan kunst doen!' mompelde hij terwijl hij doelbewust naar de Chicken Queen marcheerde.

'Wat mag 't zijn?' vroeg de medewerkster, die met één hand zat te sms'en en Caleb niet eens aankeek.

'Een gratis broodje,' zei Caleb. 'En een beetje vlug, graag.'

'Oké,' zei het meisje. Ze liep naar de vitrine met voedsel en pakte een voorverpakt broodje.

'Ho 'ns even!' riep Caleb. 'Heb je geen bonnetje nodig?'

'Oké,' zei het meisje en ze stak haar hand uit.

Caleb overhandigde de bon. 'Ik heb hem gekregen van twee louche figuren die bij de ingang van het winkelcentrum rondhingen,' zei hij. 'Ik weet niet of het wel helemaal zuivere koffie is.'

'Nee hoor, alles is in orde,' zei de medewerkster. 'Alstublieft, uw broodje.'

'Volgens mij is die bon nep,' zei Caleb.

'Nee, echt niet, meneer.'

'Ja, natuurlijk wel! Jezus! Als je er twee tellen naar kijkt, zie je meteen dat ie niet echt is.'

'Wilt u dit broodje nu wel of niet?' vroeg het meisje.

'Ik wil de manager spreken.'

De manager verscheen. 'Is er iets mis met uw bestelling, meneer?'

'Deze bon is nep.'

'U vergist zich, meneer.'

'Heb je er eigenlijk wel naar gekeken?' vroeg Caleb, bijna schreeuwend.

'Jazeker, meneer. Het is een officiële bon.'

'Idioot! Stelletje idioten! Jullie hebben gratis broodjes uitgedeeld terwijl die bonnen vals waren!'

'Neem alstublieft uw broodje en loop dan door, meneer. Er staan nog meer mensen te wachten.'

'Al kreeg ik geld toe, dan zou ik dat broodje nog niet hoeven,' zei Caleb. Hij beukte met zijn vuist op de toonbank en er kwamen steeds meer mensen kijken wat er aan de hand was.

Buster filmde alles. 'O, shit,' zei hij.

'Als u niet weggaat, bel ik de politie,' zei de manager.

'Jullie hebben vrijwel geen verantwoordelijkheid. Jullie hoeven alleen je werk te doen en ik zorg voor de rest. Ik doe al het zware werk. Jullie hoeven het verder alleen maar te laten gebeuren.'

'Gaat u alstublieft weg, meneer.'

Camille liep naar Caleb toe. 'Laten we gaan, schat,' zei ze.

'Ik doe godverdomme al het werk en jullie mogen van de schoonheid genieten. Meer hoeven jullie niet te doen.'

Camille sleurde haar man weg bij de Chicken Queen, terwijl iedereen keek. Caleb griste de rest van de bonnen uit de handen van zijn vrouw en gooide ze in de lucht. Niemand stond op om er eentje te pakken.

Buster zette de camera uit. 'Dat was echt erg,' zei hij tegen zijn zus.

Annie knikte. 'Vreselijk.'

Terwijl ze wachtten bij het busje, praatten Annie en Buster over het onontkoombare feit van hun ouders. Ze waren het kwijt. Niet alleen hun artistieke inzicht, maar kennelijk ook hun verstand. Wat was er van hen geworden zonder Buster en Annie?

'Ik bedoel, ze hebben altijd radicale opvattingen over kunst gehad, maar dit was gewoonweg idioot,' zei Annie. 'Dacht pa nou echt dat hij de Chicken Queen zou gaan bestormen? Verwachtten ze werkelijk dat ze mensen gek zouden kunnen maken met een gratis broodje kip?'

Buster knikte. Hij slikte nog steeds zoveel pijnstillers dat alles een beetje wazig was. 'Ze zijn er slecht aan toe,' zei hij.

Bijna een halfuur later kwamen hun ouders eindelijk opdagen. Hun gezichten waren somber, hun ogen rood en het leek wel alsof ze gehuild hadden.

'Rot voor je, pa,' zei Buster, maar Caleb gaf geen antwoord.

Bijna de hele rit naar huis werd in stilte afgelegd. Annie keek hoe het onbekende landschap geleidelijk weer vertrouwd werd. Buster hield de hand van zijn zus vast en voelde zich veilig, ondanks de gespannen sfeer in het busje. Eindelijk, toen ze nog maar een paar minuten rijden van huis waren, begon Caleb te grinniken. 'Kloterige Chicken Queen!' zei hij. Zijn schouders schudden. Camille begon ook te giechelen. 'Wat een ramp,' zei ze hoofdschuddend.

'Rot voor je, pa,' herhaalde Buster. 'Rot voor je, ma.' Zijn ouders wuifden dat weg.

'Goede kunst maken is nou eenmaal moeilijk,' zei Caleb. Hij zweeg even en voegde er toen aan toe: 'Al snap ik niet waarom het soms zó moeilijk moet zijn.' Hij probeerde te glimlachen, maar Annie en Buster vonden hem er vreselijk vermoeid uitzien. Zijn handen trilden op het stuur en Annie moest de aandrang onderdrukken om te vragen of zij misschien verder moest rijden. Caleb pakte de hand van zijn vrouw en kuste die. Camille glimlachte en kneep in zijn oor. Tegen de tijd dat ze weer thuis waren, waren de ouders van Annie en Buster al weer druk bezig nieuwe ideeën te bedenken om de chaos te creëren die de wereld volgens hen verdiende.

Ze wachtten even voor ze uitstapten, iedere Fang op zijn of haar plaats, en liepen toen gezamenlijk naar het huis, hún huis, met het gevoel dat, nu ze eenmaal weer samen waren, alles wat de toekomst in petto had plotseling onafwendbaar was geworden.

hoofdstuk zes

Hoewel de zwelling was verdwenen en zijn lichaam onverklaarbaar genoeg kennelijk in staat was zichzelf te genezen, bleef Buster zijn beschermende oogkapje dragen. Het feit dat hij daardoor geen diepte kon zien werd naar zijn idee weer opgeheven door de pijnstillers, die hem het gevoel gaven dat hij buitenzintuiglijke waarnemingen kon doen. Terwijl hij met een half oog een stripboek uit zijn jeugd las, over olifanten met superkrachten, testte hij zijn pas ontdekte talent door te gissen hoe laat het was zonder op de klok te kijken. De getallen flikkerden in zijn hoofd, vlak achter zijn bedekte oog, en hij zei hardop: 'Dertien voor vier 's middags.' Vervolgens keek hij op de wekker op zijn nachtkastje en zag dat het vier over negen 's ochtends was. Op sommige momenten functioneerde zijn astrale zintuig beter dan op andere, zo besloot hij.

Hij gooide de dekens van zich af en testte de vloerplanken met zijn voeten. Zijn lange ondergoed was slobberig en ongewassen; een uniform dat hij weigerde uit te trekken zolang hij in zijn ouderlijk huis was. Toen hij door de gang liep, hoorde hij vanuit de woonkamer het monotone geluid van een grammofoonnaald die over het einde van een plaat kraste. Zijn ouders lagen languit op de bank, slapend maar nog steeds gemaskerd. De vloer was bezaaid met boeken over vuurmanipulatie en pyrotechniek en de salontafel was bedekt met een dun laagje zwarte as. In de keuken was zijn zus, die nu twee weken thuis was, in de weer met twee koekenpannen; in de ene bakte ze worst en in de andere een hele doos eieren. Terwijl ze in de pannen roerde met een spatel nam ze lange, serieuze teugen uit een koel, beslagen glas wodka met tomatensap. 'Morgen,' zei ze en Buster antwoordde: 'Ja.'

Buster deed twee boterhammen in de broodrooster en toen die klaar waren, legde hij ze op een bord en ging aan tafel zitten. Hij kauwde voorzichtig en probeerde te voorkomen dat vochtige stukjes deeg ontsnapten door het gat waar eerst zijn hoektand had gezeten. Zijn zus liep naar de tafel, met een plak worst met een gebakken ei erbovenop, en legde die met haar spatel op Busters bord. Buster wist niet zeker wanneer hij voor het laatst iets gegeten had en prakte worst en ei tot het een soort goedkope pâté leek. Zijn zus kwam ook aan tafel zitten met haar eigen bord, zo groot als het crashbekken van een drumstel en tot de rand toe gevuld met worst en ei, aangebrand roze, glibberig wit en knalgeel.

'En, heb je nog plannen voor vandaag?' vroeg Buster aan Annie.

'Misschien een paar films kijken,' zei Annie en ze nam een paar slokken bloody mary. 'Het rustig aan doen.'

'Ik ook,' zei Buster. 'Het rustig aan doen.'

Ze deden het al rustig aan sinds ze weer thuis waren komen wonen. Annie had haar intrek genomen in haar oude kamer, met voldoende drank onder haar bed om een volledige bar in te richten. Buster kwam haar vaak tegen als ze door het huis dwaalden en hun ouders bezig waren met kunstprojecten waarvoor hun kinderen zo min mogelijk belangstelling probeerden te tonen. Buster deelde zijn medicijnen met Annie en ze keken samen naar stomme films, lazen strips en praatten nooit over dat deel van hun leven buiten hun ouderlijk huis. Misschien veranderden Buster en zijn zus langzaam in kluizenaars, maar door Annies aanwezigheid deden ze dat nu in elk geval samen.

Hun ouders kwamen ook de keuken binnen en klaagden over de vettige baklucht. 'Alleen van de geur van gebakken worst krijg ik al pijn in m'n buik,' zei meneer Fang. Werkend als een team, volgens een routine die was ingeprent in hun spieren, verzamelden meneer en mevrouw Fang de ingrediënten voor hun eigen ontbijt: spinazieblaadjes, sinaasappelsap, yoghurt, bananen, bosbessen en gemalen lijnzaad. Ze gooiden alles in de blender en nadat die dertig seconden gesnord had, gingen ze met hun glazen paarsgroene vloeistof aan de keukentafel zitten. Ze namen allebei een grote slok van hun brouwsel en haalden toen diep adem. Mevrouw Fang reikte over tafel heen en klopte zacht op de handen van haar kinderen. 'Gezellig zo, hè?' zei ze.

De telefoon ging, maar niemand nam op. Iedereen met wie de Fangs eventueel wilden spreken zat al aan de keukentafel. Het antwoordapparaat schakelde in en de stem van mevrouw Fang zei toonloos: 'De Fangs zijn dood. Laat een boodschap achter na de piep en dan bellen onze geesten u terug.' De mevrouw Fang aan tafel, met haar smoothie in haar hand, begon te giechelen. 'Wanneer heb ik dat in hemelsnaam opgenomen?' zei ze.

Nadat de piep geklonken had zei een man, kennelijk enigszins uit het veld geslagen door het zonderlinge welkomstbericht: 'Eh... ja, ik bel eigenlijk voor de heer Buster Fang.' Buster was meteen bang dat het het ziekenhuis in Nebraska was, op hun geld uit. Hoe hadden ze hem weten op te sporen in Tennessee? Hadden ze een microchip in zijn hoofd geïmplanteerd toen hij buiten westen was? Hij raakte zijn oogkapje aan, concentreerde zich en probeerde een vreemd voorwerp in zijn lichaam te detecteren.

'Mijn naam is Lucas Kizza en ik doceer Engels aan Hazzard State Community College. Ik hoorde onlangs dat u weer in de stad woont en ik vroeg me af of u misschien een aantal van mijn studenten zou willen ontmoeten, om over het creatieve proces te praten en misschien zelfs voor te lezen uit uw eigen werk. Ik ben altijd erg onder de indruk geweest van uw twee romans en ik denk dat mijn studenten veel zouden kunnen opsteken van een ontmoeting met u. Helaas kan ik u geen financiële vergoeding bieden, maar toch hoop ik dat u mijn aanbod in overweging zult nemen. Dank u.'

Buster keek meteen naar zijn ouders. 'Hebben jullie dit geregeld?' vroeg hij. Meneer en mevrouw Fang staken hun handen op, alsof ze zich wilden verdedigen tegen fysiek geweld. 'Geen sprake van,' zei meneer Fang. 'Ik ken die Kizza helemaal niet.'

'Hoe weet hij dan dat ik terug ben?' vroeg Buster.

'Het is maar een klein stadje, Buster,' zei mevrouw Fang. 'Toen je hier aankwam, was je gezicht wanstaltig gezwollen. Dat trok de aandacht.'

Toen ze de allereerste keer op weg waren geweest naar huis en Buster nog moest wennen aan de hoge dosis medicijnen die hij zichzelf had voorgeschreven, was hij in het busje wakker geworden en had hij gezegd dat hij trek had in gebakken kip en dat ze ergens moesten stoppen. 'Ik weet niet of vast voedsel nu al een goed idee is, Buster,' had zijn moeder gezegd, maar Buster had zich over de voorstoelen heen gebogen en geprobeerd het stuur te grijpen, terwijl hij met een vreemde, toonloze stem: 'Kip-kip-kip-petje!' zei. Tien minuten later stopten de Fangs bij een Kentucky Fried Chicken. Buster was nogal wankel op zijn benen terwijl zijn ouders hem naar een tafeltje loodsten. 'Wat wil je hebben?' vroegen ze. 'Kip-kip-kip-pe-tje,' zei hij. 'Zoveel-je-maar-wilt.' Zijn ouders gingen eten halen en kwamen een paar minuten later terug met een borstfilet, een vleugel, een dij en een poot, plus een berg met jus overgoten aardappelpuree en een koekje. Tegen die tijd zat iedereen binnen vijf tafeltjes in de omtrek naar de Fangs te staren. Buster, die zich daar totaal niet van bewust was, trok wat bloedbevlekte gaasjes uit zijn mond, pakte de extra knapperige kippenpoot en nam een forse hap. Hij voelde iets losschieten in zijn mond en spieren die lang niet hadden hoeven werken werden nu opeens veel te ver opgerekt. Buster begon te kreunen, in een treurig ritme, en liet de kippenpoot weer op zijn bord vallen. Het nauwelijks gekauwde stuk kip glipte uit zijn mond, overdekt met rode bloedbelletjes. 'Oké,' zei meneer Fang, die het dienblad van tafel griste en in de afvalbak gooide. 'Dit experiment zit erop. We gaan naar huis.' Buster probeerde de gaasjes weer in zijn mond te proppen, maar zijn vader en moeder sleurden hem al mee naar het parkeerterrein. 'Ik ben een monster!' brulde Buster en zijn ouders deden geen enkele poging hem uit die waan te verlossen.

'Nou, ik doe het niet,' zei Buster.

'Ik vind dat je het wel moet doen,' zei Annie en meneer en mevrouw Fang waren het met haar eens.

Buster wilde niet over schrijven praten. Het was jaren geleden dat zijn laatste roman was gepubliceerd, en die was een spectaculaire flop geworden. Zijn literaire carrière was volledig tot stilstand gekomen, in de diepvries beland, verloren gegaan voor toekomstige generaties. En de gedachte om aan iets nieuws te beginnen, hier in dit huis, omringd door zijn familie, leek het slechtst denkbare idee. Zijn schrijverschap was verworden tot iets wat verborgen moest blijven, alsof het een geheime voorraad zeldzame, bizarre pornografie was; een obsessie die anderen alleen maar onbegrijpelijk zouden vinden.

Meneer en mevrouw Fang dronken hun glazen leeg en gingen naar de woonkamer, om verder te werken aan hun nieuwste project. Buster, die nooit trek had gekregen, probeerde niet langer te doen alsof hij at en schraapte de rest van zijn ontbijt in de vuilnisbak. 'Tot later,' zei hij tegen Annie. Ze keek op van haar eigen berg eten, die in rap tempo slonk, en knikte.

Nadat hij twee uur had liggen dutten, alleen omdat hij zich verveelde, werd Buster, wiens spieren pijn deden van de inspanning die het gekost had om zo lang in slaap te blijven, wakker geschud door Annie. 'Ik heb iets raars gevonden,' zei ze. 'Hoe raar?' vroeg Buster, die er nog niet van overtuigd was of het wel raar genoeg was om ervoor uit bed te komen. Annie liet hem een klein olieverfschilderijtje zien, zo groot als de cofferdam van een tandarts. Er stond een kind op afgebeeld dat zijn arm tot aan de elleboog in de bek van een wolf had gestoken. De jongen en het dier werden omringd door glanzende chirurgische instrumenten vol bloedvlekken, maar het was niet duidelijk of het kind die in de wolf plaatste of ze er juist uit haalde. 'Er liggen misschien wel honderd van dit soort schilderijtjes achterin mijn klerenkast,' zei Annie. Busters belangstelling werd gewekt bij het vooruitzicht van extreme raarheid, en niet zomaar een geïsoleerd geval. 'Oké, ik sta op,' zei hij en hij volgde zijn zus naar haar slaapkamer. Op handen en knieën haalden Buster en Annie de bijna honderd schilderijen uit de schemerige klerenkast. Ze legden ze als tegels op de grond, in het midden van de slaapkamer, en toen ze ze allemaal hadden uitgestald staarden ze in verbijsterde stilte naar de disharmonie die de kamer vulde.

Een man, overdekt met modder en dunne, bloederige striemen, zwierf door een veld vol palomino-paarden.

Een klein meisje, levend begraven, speelde met bikkels bij het licht van een lucifer terwijl haar ouders jammerden aan haar graf.

Een zee van dode, rottende ganzen werd keurig netjes opgestapeld door mannen in beschermende pakken.

Een vrouw met brandend haar hield een borstel van been in haar hand en glimlachte op exact dezelfde manier als de Mona Lisa.

Een jongen met prikkeldraad om zijn handen worstelde met een tijger terwijl zijn klasgenoten om hen heen cirkelden.

Twee vrouwen die met handboeien aan elkaar vastzaten stonden boven de stalen tanden van een berenklem.

Een gezin zat in kleermakerszit op de grond van een blokhut, omringd door konijnen, en schrokte de ingewanden van de nog levende dieren naar binnen.

'Wat *zijn* dit?' vroeg Buster terwijl zijn blik van het ene schilderij naar het andere flitste, alsof ze een samenhangend verhaal vertelden.

'Misschien stuurt iemand ze wel aan pa en ma. Weet je nog, die vrouw die steeds plastic zakjes vol tanden stuurde?'

'Ze zijn niet slecht,' zei Buster met enige bewondering. Technisch gezien waren de schilderijtjes bijna perfect, zeker als je hun geringe afmetingen in aanmerking nam. Ze waren het werk van een getalenteerd kunstenaar, al waren de onderwerpen dan ook nog zo macaber. Buster bedacht dat je tekenfilms zou kunnen maken op basis van die schilderijen, die dan vol eerbied bekeken zouden worden door mensen die doordrenkt waren van de geestverruimende middelen. Vervolgens bedacht hij dat hij, als hij een betere schrijver was, een hele carrière zou kunnen baseren op het verklaren van de omstandigheden waaruit al die afzonderlijke afbeeldingen waren ontstaan. In plaats daarvan kon hij alleen maar naar de schilderijen staren, met het gevoel dat hij en zijn zus op iets waren gestuit dat verwant was aan pornografie en dat ze er eigenlijk niet zo open en bloot naar mochten kijken.

Terwijl ze daar stonden, bang om zich te verroeren, omgeven door schilderijen op een manier die nu bedreigend leek en bijna iets levends had, ging de deur open en kwam hun moeder binnen. De woorden die ze had willen zeggen werden abrupt ingeslikt en ze snakte zo doordringend naar adem dat het was alsof ze alle zuurstof in de kamer wegzoog. Haar gezicht betrok en ze kneep haar ogen samen tot spleetjes. 'Waag het niet om naar die dingen te kijken,' zei ze op fluistertoon. Ze duwde haar kinderen opzij, aarzelde even en begon de schilderijen toen een voor een om te draaien, zodat de afbeeldingen niet meer zichtbaar waren. Annie en Buster staarden naar het plafond terwijl hun moeder de aanstootgevende voorwerpen aan het zicht onttrok, een procedure die even riskant leek als het onschadelijk maken van een bom of het verplaatsen van gevaarlijke chemicaliën. Toen ze klaar was ging hun moeder op bed zitten, onregelmatig ademend, alsof ze urenlang gehuil had en zei: 'Shit, shit, shit, shit, shit!'

Buster en Annie waren niet gewend aan emotie en hielden zich op afstand. 'Wat is er, ma?' vroeg Annie. 'Dat weet ik niet,' zei hun moeder. 'Wat zijn dit?' vroeg Buster. 'Dat weet ik niet,' herhaalde hun moeder. 'Waar komen ze vandaan?' vroeg Annie. 'Van mij,' zei hun moeder en eindelijk keek ze Buster en Annie aan. 'Ik heb ze geschilderd.'

Gedrieën raapten ze de schilderijen op en borgen ze weer op in de kast, terwijl mevrouw Fang uitlegde waar ze vandaan kwamen.

'Vroeger schilderde ik,' zei ze. 'Zo kwam ik ook aan een beurs voor de kunstacademie. Maar toen ontmoette ik jullie vader en werd ik verliefd op hem en, nou ja, jullie weten hoe hij over beeldende kunst denkt.'

Toen ze klein waren had hun vader schilderen, tekenen en fotografie vaak dode kunstvormen genoemd, die niet in staat waren de weerbarstige en ongrijpbare aard van het leven accuraat weer te geven. 'Kunst ontstaat als dingen in beweging zijn,' zei hij. 'Niet als je ze bevriest in een of ander kloterig blok ijs.' Hij pakte dan het eerste het beste voorwerp dat voorhanden was, een glas of een bandrecorder, en gooide dat kapot tegen de muur. 'Dat was kunst,' zei hij. Vervolgens pakte hij de brokstukken van het voorwerp en toonde die aan zijn kinderen. 'En dit is geen kunst.'

'Kijk,' zei hun moeder toen ze alle schilderijen weer veilig verborgen hadden, 'je vader en ik worden een dagje ouder. We zijn nu in de herfst van onze artistieke carrière, ben ik bang. Maar ik ben wel ruim tien jaar jonger dan hij en als hij eerder zou komen te overlijden, wat ik niet hoop, wat moet ik dan? We zijn altijd Caleb en Camille Fang geweest, een duo, en daarom werkte het ook. Nee, dan moet ik iets anders gaan doen. Daarom ben ik nu al een paar jaar bezig met die kleine... hoe zal ik het noemen... tableautjes. Als jullie vader erachter kwam, zou hij zich vreselijk verraden voelen.'

'Hoe kom je aan die onderwerpen?' vroeg Buster.

Zijn moeder tikte op haar voorhoofd en haalde opgelaten haar schouders op. 'Ergens hieruit,' zei ze met een glimlach.

Op dat moment kwam meneer Fang binnen met de telefoon in zijn hand. Hij werd direct wantrouwig bij het zien van een bijeenkomst waarvoor hij niet was uitgenodigd. 'Wat doen jullie hier?' vroeg hij.

'Gewoon praten, schat,' zei mevrouw Fang.

Meneer Fang keek haar achterdochtig aan. 'Waarover?' vroeg hij.

'Onze gevoelens,' zei Annie en meneer Fang had meteen geen belangstelling meer. Hij gooide de telefoon naar Buster, zei: 'Die Kizza wil je spreken,' en verliet de kamer weer.

Buster hield de telefoon vast alsof het een tikkende tijdbom was, terwijl Annie en mevrouw Fang langzaam bij hem wegschuifelden. 'Hallo?' zei de stem van Lucas Kizza vaag en Buster, nog versuft door alle beelden die aan het brein van zijn moeder ontsproten waren, bracht het toestel naar zijn oor en zei: 'Ja?'

Lucas Kizza bleek een overrompelende, onafwendbare kracht, die vakkundig precies de juiste hoeveelheid vleierij hanteerde om Busters onwillige aandacht vast te houden. 'Naar mijn mening is *The Underground* een van de meest miskende maar ook geniale boeken die ik ooit gelezen heb,' zei Kizza en Buster was te geschokt om daar tegenin te gaan. 'Als ik soms door de stad rij, vraag ik me weleens af hoe deze omgeving kan hebben bijgedragen aan het vormen van zo'n belangrijke stem, meneer Fang.'

'Deze omgeving had er maar weinig mee te maken,' gaf Buster toe.

'Dat kan ik begrijpen,' zei Kizza. Busters aarzelende opmerkingen waren net zwakke volleys, die zo striemend hard werden teruggemept dat Buster alleen maar kon hopen het onvermijdelijke nog even uit te stellen. 'Ik kan me voorstellen dat, voor iemand uit zo'n artistiek gezin, de buitenwereld uw ontwikkeling alleen maar hinderde. Desondanks zitten er in mijn groep Creatief Schrijven een aantal veelbelovende mensen, en ik hoop eigenlijk dat mijn studenten een ontmoeting met u als een stimulans zullen zien om hun creatieve pogingen voort te zetten.'

'Ik zit op het moment in een nogal rare situatie,' zei Buster.

'Om heel eerlijk te zijn, denk ik dat je het grootste deel van je leven in rare situaties hebt gezeten,' merkte Kizza niet onvriendelijk op.

'Wat zou ik dan moeten doen?' vroeg Buster, die de handdoek in de ring gooide.

'Een praatje houden voor mijn studenten.'

'En wanneer zou dat moeten zijn?' vroeg Buster, die voelde hoe iets totaal onwaarschijnlijks langzaam in een keihard feit veranderde.

'Aanstaande dinsdag, misschien? Om één uur 's middags hebben we onze maandelijkse bijeenkomst in de schoolbibliotheek.'

'Ja, misschien,' zei Buster. 'Misschien is dat wel goed.'

'Fantastisch,' zei Kizza enthousiast.

'Fantastisch,' herhaalde Buster, gewoon om te horen hoe het klonk als hij dat woord zelf zei.

Hij legde de telefoon op de grond en voelde plotseling een golf van misselijkheid als een trein door zijn lichaam razen.

'Doe je het?' vroeg Annie.

Buster knikte.

'Wilde je je oogkapje dragen?' vroeg Annie.

'Daar heb ik nog niet over nagedacht,' antwoordde Buster.

'Ik zou zeggen nee,' zei Annie.

'Ik zou zeggen ja,' zei zijn moeder.

Mevrouw Fang stond op en liep naar de klerenkast. Ze kwam terug met twee schilderijtjes en gaf haar kinderen er elk een. 'Voor jullie,' zei ze. 'In ruil daarvoor wil ik dat, als ik eerder mocht overlijden dan jullie vader, jullie de andere allemaal vernietigen.' Buster en Annie knikten en keken toen naar hun cadeaus. Buster had het schilderij van de jongen die met een tijger vocht gekregen, en Annie de afbeelding van het meisje in haar graf. Mevrouw Fang legde haar handen op de schouders van Buster en Annie, alsof ze hen zegende, en zei toen: 'Ik ben blij dat we dit gesprek hebben gehad.' Buster en Annie knikten en wachtten tot hun moeder weg was voor ze de schilderijen, die ongemakkelijk aanvoelden in hun handen, vlug weer omdraaiden.

Buster zat op het kantoor van het Hoofd Administratie, slecht op zijn gemak, in een oud, kriebelig tweedpak van zijn vader en met een exemplaar van zijn tweede boek in zijn hand. De secretaresses, kauwgom kauwend en vol kleine grieven, negeerden hem gelukkig, want als ze hem gevraagd hadden wat hij eigenlijk kwam doen, zou Buster nog voor geen honderdduizend dollar hebben toegegeven dat hij de auteur was van het boek.

Zijn zus, die een film was gaan bekijken in de goedkope bioscoop in het bijna uitgestorven winkelcentrum aan de rand van de stad, had hem voor het gebouw afgezet in de tweede auto van hun ouders, een oude rammelbak van een stationcar die pas na tien minuten wilde starten. 'Veel plezier op school,' zei Annie en ze liet rubbersporen achter terwijl ze wegscheurde van de parkeerplaats. Buster bleef achter op de stoep en voelde onmiddellijk dringende behoefte aan een briefje, een of ander officieel document dat zijn aanwezigheid zou verklaren, een mystiek voorwerp om pestkoppen en onderwijsinspecteurs af te weren.

Terwijl hij wachtte tot Lucas Kizza hem zou komen halen, voelde Buster in de zakken van het tweedpak, op zoek naar afleiding. In de binnenzak van het jasje vond hij een digitale recorder die niet groter was dan een stukje kauwgom: een uitvinding die zo uit een spionagefilm had kunnen komen en die óf heel erg duur óf heel erg goedkoop was. Hij drukte op play en hoorde hoe de stem van zijn vader langzaam en ernstig zei: 'We leven op de grens... een sloppenwijk vol goudzoekers. We zijn vluchtelingen en de wet is watertandend op zoek naar ons.' Verbluft door die bizarre opname drukte Buster op repeat, zette het volume harder en hield het minuscule apparaatje bij zijn oor, alsof hij tussen een hoop ruis de stem van een al lang overleden geliefde probeerde te ontwaren. '... de wet is watertandend op zoek naar ons,' herhaalde de recorder. Buster pakte een pen, sloeg de titelpagina van zijn roman op en noteerde de zinnen haastig, zodat hij kon zien hoe de woorden eruitzagen op papier.

Hij had een beeld van een lang verlaten plantage, half afgebrand na een slavenopstand. Hij zag een groep mensen, nog nauwelijks volwassen, mager en gehuld in lompen, die de planken voor de ramen loswrikten en als een plaag het huis binnenstroomden. Hij zag ze wapens maken van botten en hout, een en al scherpe punten, en over het terrein patrouilleren, over velden die ze beplant hadden met marihuana, terwijl wilde honden op en neer renden door de diepe voren in de grond. Hij drukte opnieuw op play. 'We leven op de grens,' zei de stem en toen stond Lucas Kizza opeens voor hem. 'Het onverwachte bezoek van de muze,' zei Kizza glimlachend en hij gebaarde naar het open boek in Busters hand. 'Je moet altijd voorbereid zijn.' Buster, die nooit ook maar ergens op voorbereid was, knikte slaafs.

Lucas Kizza was lang en slungelig en met zijn bleke gezicht, zo glad als dat van een baby, had hij gemakkelijk voor een student kunnen doorgaan. In zijn keurige witte overhemd, waarvan de mouwen tot aan de ellebogen waren opgerold, zijn khakibroek, geruite pullover en zwarte leren sneakers zag hij eruit als een idealistische jonge leraar die tot dusver, dankzij geluk of talent, nog niet aan stukken was gescheurd door de lastpakken van de school. Buster, omgeven door de walm van mottenballen en met een oog dat nog steeds moest wennen aan het licht, hield de bron van zijn creatieve schaamte als een soort zoenoffer in zijn hand en zou al dolblij zijn geweest als hij de dag wist door te komen zonder in tranen uit te barsten.

De nors kijkende leden van de schrijfclub zaten in een kring in een van de zalen van de bibliotheek. De gespannen, opgejaagde energie in de ruimte was voelbaar en Buster had het gevoel alsof hij een bijeenkomst van de AA was binnengestapt. Er waren zes mannen en vijf vrouwen, de meesten rond de negentien of twintig hoewel er ook een man van in de veertig bij was. Ze hadden allemaal notitieboekjes bij zich en weigerden elkaar aan te kijken.

'Nou, mensen, dit is Buster Fang,' stak Kizza van wal. 'Hij is de schrijver van *A House of Swans*, dat unaniem geprezen werd door de kritiek en de begeerde Golden Quill gewonnen heeft. Zijn volgende roman, *The Underground*, was complexer en zorgde voor verdeeldere meningen, wat passend is voor een tweede boek. Hij komt met ons praten over het creatieve proces, dus ik hoop dat jullie hem jullie onverdeelde aandacht zullen schenken.' Vervolgens keek Lucas met een glimlach naar Buster, die zich totaal niet had voorbereid. Hij was ervan uitgegaan dat Lucas en zijn studenten hem vragen zouden stellen die hij geduldig zou trachten te beantwoorden. Hij had absoluut geen praatje klaar dat iemands onverdeelde aandacht verdiende.

'Nou, bedankt. Het is leuk om hier te zijn. Ik dacht eerlijk gezegd dat, eh, dat een oersaai praatje misschien niet zo'n goed idee zou zijn, maar dat jullie vragen zouden kunnen stellen die ik dan zo goed mogelijk zou proberen te beantwoorden.' Buster wachtte op vragen, maar besefte toen met een wee gevoel in zijn maag dat die niet zouden komen. 'Misschien kun je beginnen met je praatje en maakt dat dan vanzelf vragen los,' zei Lucas. Buster knikte. Hij knikte nogmaals en om die tweede knik weer ongedaan te maken, schudde hij zijn hoofd. De studenten staarden nog aandachtiger naar hun schoenen dan eerst. We zijn vluchtelingen, dacht Buster. We zijn vluchtelingen en de wet is watertandend op zoek naar ons. Hij onderdrukte de aandrang om het hardop te zeggen.

'Het liefst...' begon Buster, die niet zeker wist wat er zou volgen. 'Nou, het liefst schrijf ik op een computer.' Een van de studenten noteerde die opmerking, keek toen naar wat hij had opgeschreven en fronste zijn voorhoofd.

'Je had vroeger een bepaald soort kauwgom, met zo'n zachte pepermuntvulling.' Hij keek of de studenten wisten welk merk hij bedoelde, maar van hun gezichten viel niets af te lezen. 'Nou, daar kauwde ik graag op terwijl ik schreef. Alleen kun je het tegenwoordig bijna nergens meer kopen.' Hij deed zijn ogen even dicht en concentreerde zich. 'Al zou m'n leven ervan afhangen, dan zou ik me de naam van die kauwgom nog niet kunnen herinneren.'

Lucas Kizza kwam tussenbeide. 'Eh, Buster, misschien wil je eerst even in het algemeen over het creatieve proces spreken. Deze studenten zijn nog druk bezig hun eigen stem te vinden, dus wat drijft jou er bijvoorbeeld toe om pen op papier te zetten?'

'Nou, ik schrijf op een computer, zoals ik al zei.'

Voor het eerst begon de geduldige glimlach van Lucas Kizza te vervagen. Buster voelde dat hij op het punt stond zijn enige bondgenoot, de enige persoon die dacht dat hij niet compleet gestoord was, ook nog eens kwijt te raken. Buster groef diep. Hij raakte de plek aan waar zijn oogkapje had gezeten en wachtte tot zijn astrale zintuig zijn wondere werk zou verrichten.

'Oké, dat kan ik,' zei Buster. Hij keek naar de studenten, die hem nu bijna opzettelijk negeerden, en probeerde iets te bedenken waardoor hij ze weer voor zich zou kunnen winnen.

'Schiet jullie ook weleens een verschrikkelijke gedachte te binnen die je niet meer uit je hoofd kunt zetten, ook al zou je dat nog zo graag willen?' vroeg hij. Een paar studenten keken op.

'Toen je jong was, bijvoorbeeld, en je opeens bedacht wat er met je zou gebeuren als je ouders plotseling doodgingen?'

Alle studenten uit de groep luisterden nu naar Buster. Een paar knikten en bogen zich aandachtig voorover. Lucas Kizza keek nogal bezorgd, maar Buster voelde iets op zijn plaats vallen.

'Eigenlijk wil je er helemaal niet aan denken, maar je kunt er gewoon niets aan doen. Je denkt, nou, dan erf ik al hun geld, maar daar kan ik natuurlijk pas aankomen als ik achttien ben. En in de tussentijd moet ik waarschijnlijk naar mijn oom en tante, die zelf nooit kinderen konden krijgen en me alleen al haten omdat ik besta. En dan realiseer je je dat ze helemaal aan de andere kant van het land wonen en dat je naar een nieuwe school moet. En als je al vrienden hebt kunnen maken waar je nu woont, moet je die achterlaten en weer helemaal opnieuw beginnen. En je nieuwe kamer is niet veel groter dan een bezemkast en je oom en tante zijn vegetariër en als ze je een keer betrappen terwijl je stiekem een hamburger eet, word je een uur lang uitgefoeterd. Enzovoorts, enzovoorts, tot je eindelijk achttien wordt en kunt doen wat je wilt en dus ga je terug naar de stad waar je eerst woonde en zoek je werk, maar niemand weet goed wat ze met je aanmoeten en je meeste oude vrienden zitten inmiddels op de universiteit en dus hang je maar wat in je flatje rond en kijk je tv en op een keer zie je een film die je ook gezien hebt toen je klein was, samen met je ouders, en dan mis je ze plotseling vreselijk en dat is eigenlijk de eerste keer dat je echt beseft dat ze nooit meer zullen terugkomen.'

Een van de studenten zei: 'Ik denk vaak over dat soort dingen na.'

Buster glimlachte. Als hij geld op zak had gehad, zou hij het aan die jongen hebben gegeven. 'Nou, daarom schrijf ik, denk ik. Er komen van die rare gedachtes bij me op, die ik eigenlijk helemaal niet hebben wil maar die ik toch pas kan loslaten als ik ze tot het einde toe gevolgd heb, tot ik het op de een of andere manier heb afgesloten en weer verder kan. Dat is wat schrijven voor mij is.'

'Nou,' zei Lucas Kizza, zichtbaar opgelucht dat Buster geen volslagen malloot was, 'dat is precies wat we hier proberen te doen, met deze groep: leren hoe je een idee moet nemen en daar dan een verhaal van maken. Bedankt omdat je dat zo beeldend hebt uitgelegd, Buster.'

'Graag gedaan,' zei Buster.

Een andere student, een meisje met een topje met het opschrift RAAK ME NIET AAN, vroeg of hij op het moment ook aan iets bezig was. Buster voelde zich eventjes opgelaten omdat hij al een paar jaar niets meer geschreven had, maar knikte toen en zei dat hij inderdaad aan iets groots bezig was, maar dat het heel traag ging. Hij wist niet of het eigenlijk wel goed was. Hij wist niet eens of hij het ooit zou voltooien. ... de grens... een sloppenwijk vol goudzoekers, dacht hij, maar duwde die woorden toen voorlopig weer weg.

Een jongeman met een grote, zwarte bril en een volle baard had een exemplaar van *The Underground* in zijn hand en zei: 'Ik heb hier een deel van gelezen, en ook een aantal recensies op internet. Veel mensen schijnen er een probleem mee te hebben.' Buster knikte. Hij merkte dat hij niet veel sympathie kon opbrengen voor deze student en door die dikke baard kon hij moeilijk zien of hij sarcastisch grijnsde. 'Nou,' vervolgde de jongen, 'ik vroeg me af hoe u omgaat met slechte recensies, als je ergens zo lang aan gewerkt hebt en het zelf goed vond.' Lucas Kizza kwam tussenbeide en herinnerde zijn studenten eraan dat *The Underground* ook heel goede recensies had gehad en dat veel klassiekers uit de literatuur in het begin niet bepaald juichend ontvangen waren door de kritiek, maar Buster wuifde hem weg. 'Nee, dat geeft niet. De recensies waren over het algemeen inderdaad vreselijk. Op dat moment was ik er echt helemaal ziek van. Ik wilde dat ik dood was. Maar dat ging na een tijdje weer over, en toen was ik eigenlijk gewoon opgelucht dat ik het gemaakt had, ook al vonden anderen het dan misschien niks. Ik weet niet of ik mezelf goed uitdruk, maar misschien lijkt het een beetje op een kind krijgen, ook al heb ik zelf geen kinderen. Het is van jou, jij hebt het gemaakt en daarom ben je er trots op, wat er ook gebeurt. Je houdt ervan, ook al stelt het dan misschien niet veel voor.'

Er volgden nog een paar vragen en Buster deed zijn best die zo goed mogelijk te beantwoorden. Vervolgens las hij een stuk voor uit *The Underground*, waarin de hoofdpersoon, de jongen, voor het eerst weer uit de schuilkelder komt en de verwoesting om zich heen ziet. Het was allemaal vreselijk deprimerend en Buster had er spijt van dat hij dat stuk had gekozen, maar de studenten schenen die naargeestigheid juist te kunnen waarderen. Lucas bedankte hem voor zijn komst, de studenten schuifelden de zaal uit en toen bleven alleen Lucas en Buster achter.

'Viel het een beetje mee?' vroeg Buster.

'Het was geweldig,' zei Kizza.

'Je studenten leken me aardig.'

'Ja, geweldige studenten.'

Buster zag dat Lucas een dikke stapel papier in zijn armen had. 'Ik heb hier wat verhalen die ze geschreven hebben, Buster,' zei hij. 'Ik weet dat ze het fantastisch zouden vinden als jij er eens naar zou willen kijken.'

'O,' zei Buster. 'O.'

'Het hoeft natuurlijk niet,' vervolgde Lucas. 'Ik dacht alleen dat je misschien geïnteresseerd zou zijn.'

Buster kon niet zo gauw iets bedenken waarin hij nog minder geïnteresseerd zou zijn, maar toen bedacht hij hoe geduldig ze hadden geluisterd terwijl hij zat te wauwelen over een of ander achterlijk soort kauwgom, als een soort Andy Rooney, en voelde hij zijn verzet verdwijnen.

'Ja, prima,' zei hij. 'Kom maar op.'

Lucas gaf hem glimlachend de verhalen, stak toen zijn hand in zijn tas en haalde er nog een manuscript uit. 'Dit heb ik zelf geschreven,' zei hij, met een rood hoofd.

'O,' zei Buster. 'O.'

'Ik zou graag willen weten wat jij ervan vindt.'

'Natuurlijk,' zei Buster. Het verhaal was getiteld: 'De Eindeloze Woordenstroom van Dr. Hausers Levende Manuscript.' Lucas zei dat het postmoderne fantasy was, een soort punkrocksprookje. Buster dwong zichzelf om zo breed te glimlachen dat je zijn ontbrekende tand zag. 'Natuurlijk,' herhaalde hij.

Lucas sloeg zijn armen om Buster heen en omhelsde hem, en Buster deed hetzelfde. We leven op de grens, dacht hij en toen liet Lucas hem los en verliet hij ook de zaal.

Buster zat op de stoeprand bij de universiteit en wachtte tot zijn zus hem zou komen ophalen. Om de tijd te doden, keek hij vast wat verhalen van de studenten door. Eentje ging over een wild zuipfeest en bestond bijna uitsluitend uit een gedetailleerde beschrijving van een drinkspelletje dat *Flip 'n Chug* heette en dat veel te ingewikkeld was om zoiets eenvoudigs als dronken worden te vergemakkelijken, dacht Buster. Een ander verhaal ging over een meisje dat erachter komt dat ze bedrogen wordt door haar vriend en daarom een huurmoordenaar ingeschakelt om hem te liquideren tijdens het schoolbal. Er was ook een moeilijk te doorgronden verhaal dat naar Busters idee ging over een jongen die probeert zijn zwangere vriendin over te halen abortus te plegen, maar er was iets vreemds aan het merkwaardige gezichtspunt, het ouderwetse taalgebruik en de korte, bondige zinnen, tot Buster opeens besefte dat het een exacte kopie was van Hemingways *Heuvels als Witte Olifanten*, alleen nu met de titel *Een Afgeluisterd Gesprek*. Buster vroeg zich af of hij het plagiaat aan Lucas moest melden, maar bedacht toen dat er misschien wel een verklaring voor was, een experiment in tekstuele toeëigening of zo. Hij kreeg hoofdpijn van zijn pogingen een verklaring te verzinnen voor de stomme beslissing van een of andere student om een beroemd verhaal over te schrijven. Hij hoopte dat het de jongen was die hem die vraag had gesteld over slechte recensies en voelde zich een beetje superieur. Hij las een verhaal over nog een wild zuipfestijn, nog een ingewikkeld drinkspelletje, en voelde zich weer kalm worden.

Na een halfuur begon hij zich af te vragen of Annie hem misschien vergeten was en meteen na de film naar huis was gegaan, waar ze zich nu zat te bezatten aan de wodka-tonics. 'Kom me halen,' fluisterde Buster, in de hoop dat hij een telepathische boodschap aan zijn zus zou kunnen overbrengen.

Om de pijn van het vergeten worden te verzachten, bladerde Buster de verhalen door tot hij er eentje vond met de titel *De Beschadigde Jongen*. Dat klonk goed. In het verhaal, dat uit korte, genummerde alinea's bestond, liet een gynaecoloog de hoofdpersoon een paar tellen na zijn geboorte op zijn hoofd vallen, wat resulteerde in een deuk in zijn nog zachte schedel. Er volgde een gebroken arm toen het ventje uit zijn wiegje klom. Een van zijn vingers werd afgebeten toen hij een hond een stukje beschuit probeerde te voeren. Het ijzer van een slee sneed zijn been open en het warme bloed stroomde van de heuvel af en liet de sneeuw smelten. Hij werd aangereden door een auto toen hij de straat overstak en brak zijn sleutelbeen. Zo ging het maar door: één lange opsomming van alle kwetsuren die de jongen had opgelopen op weg naar de volwassenheid. Buster moest er bijna van huilen. Aan het eind van het verhaal, toen de jongen een oude man was, gebogen en kreupel, legde hij zijn hand op het deksel van een potkachel en voelde hij niets. Toen hij zijn hand wegtrok van het roodgloeiende deksel, was er ook geen enkele verwonding te bespeuren. Zijn lichaam was van binnen en van buiten zo hard als diamant geworden, en volkomen ongevoelig voor pijn. Het was een bizar verhaal, zo deprimerend als wat, en Buster werd op slag verliefd op de schrijfster. Hij keek hoe ze heette: Suzanne Crosby. Buster ging het schoolgebouw weer binnen om haar te zoeken.

De secretaresses op de administratie schenen hem vreemd genoeg niet te willen zeggen waar hij Suzanne Crosby kon vinden. 'Wie was u ook alweer?' vroeg een van hen. 'Buster Fang,' zei hij. Ze staarde hem aan. 'Ik ben hier te gast,' voegde hij er zwakjes aan toe. 'Sorry,' zei ze. 'Kunt u dan misschien een boodschap doorgeven?' vroeg hij. 'Ik wil hier niks mee te maken hebben,' zei de vrouw en dat kon Buster haar niet kwalijk nemen. Hij was tenslotte een wildvreemde, die een jonge studente te pakken probeerde te krijgen. Eigenlijk verbaasde het hem dat ze de politie nog niet hadden gebeld. Hij bedankte de vrouw en ging weer naar buiten om op zijn zus te wachten. Een paar minuten later stond er opeens een meisje naast hem, dat hem op zijn schouder tikte. Ze had lang blond haar en een perfecte huid. Haar ogen waren intens blauw en ze staarde hem emotieloos aan. 'Suzanne?' vroeg Buster en het meisje trok zichtbaar wit weg. 'Jezus, nee,' zei ze. 'Ik werk parttime op de administratie en ik hoorde u met mevrouw Palmer praten. Ik wil best een boodschap doorgeven aan Suzanne.' Buster bedankte haar en het meisje stak haar hand uit. 'Vijfentwintig dollar,' zei ze. Buster zei dat hij geen geld had.

'Schrijf dan een cheque uit,' antwoordde ze. Buster lachte. 'Ik heb gewoon geen geld,' zei hij. 'Kut,' zei het meisje. Ze draaide zich om en wilde weer naar binnen gaan, maar op dat moment kwam Busters zus aanrijden. 'Wacht,' riep Buster tegen het meisje en hij holde naar Annie toe.

'Waar bleef je nou?' vroeg hij. 'De auto wilde niet starten,' zei ze. 'Ik moest iemand zien te vinden die startkabels had.' Buster vroeg haar om vijfentwintig dollar. 'Wat?' zei ze. 'Ik heb vijfentwintig dollar nodig, voor dat meisje daar,' zei Buster, die ongeduldig begon te worden. Annie keek naar het meisje, dat met een verbaasd gezicht naar Annie staarde. 'Buster,' zei Annie, 'je was toch niet van plan iets heel doms te doen, hè?' Buster zei dat het een lang verhaal was en probeerde het uit te leggen, maar toen stond het meisje opeens weer naast hem en wees naar Annie. 'Ik ken jou,' zei het meisje glimlachend. 'Je bent beroemd.' Annie had geen zin om zich als iemand anders voor te doen en knikte. 'Waarom wil je vijfentwintig dollar hebben van mijn broer?' vroeg ze. 'Hij hoeft helemaal niks te betalen als ik samen met jou op de foto mag,' antwoordde het meisje en Buster zei: 'Dat lijkt me een goede deal, Annie.' Annie was nog steeds confuus omdat ze zo laat was en knikte. Het meisje gaf haar mobieltje aan Buster en die maakte een foto. Het meisje pakte haar mobieltje weer aan en keek tevreden naar de foto, die waarschijnlijk op internet zou belanden. 'Geef je nu een boodschap door aan Suzanne?' vroeg Buster. 'Ik weet iets beters,' zei het meisje. 'Ik breng Suzanne hier.'

Buster vertelde Annie ietsje uitgebreider wat er aan de hand was. Annie liet de motor nog steeds lopen, uit angst dat ze hem niet meer aan de praat zou kunnen krijgen als ze hem uitzette. Ze kneep Buster zo hard mogelijk in zijn arm en zei: 'Buster, word nou alsjeblieft niet gek. Daarom zijn we samen, weet je nog wel? Om ervoor te zorgen dat we niet gek worden.' Buster dacht eens wat beter na over wat hij nou eigenlijk aan het doen was: hij stond voor een universiteitsgebouw en wilde tegen een wildvreemde studente zeggen dat hij verliefd op haar was. Hoe meer hij nadacht over het verhaal, dat ontegenzeggelijk heel goed was voor iemand van negentien, hoe meer hij zichzelf ervan probeerde te overtuigen dat het ook weer niet zó goed was dat hij meteen verliefd moest worden op de schrijfster. Misschien hoefde hij niet altijd direct zijn liefde te verklaren als hij iemand ontmoette die hem iets minder ongelukkig maakte dan eerst. Misschien was het verstandig om dit te laten voor wat het was en zichzelf nog meer complicaties in zijn leven te besparen. 'Daar heb je haar,' zei Annie en Buster draaide zich om. Suzanne kwam aanlopen en was zo te zien totaal in de war.

Suzanne was kort en dik, met kleine, wazige oogjes achter een ziekenfondsbrilletje. Ze had lang, rossig blond haar in een paardenstaart, haar bleke huid was besprenkeld met sproeten, in bizarre patronen, en ze droeg tientallen goedkope ringen aan haar mollige vingers. Haar grote teen stak uit een van haar afgetrapte sneakers. Tot zijn verbazing besefte Buster dat hij haar niet herkende uit het klasje van Lucas Kizza, dat ze zelfs in die kleine ruimte onopgemerkt was gebleven. 'Wat wil je?' vroeg ze, bijna boos omdat ze gestoord was. Buster zocht haastig naar haar verhaal en hield dat omhoog alsof het een paspoort was, een officieel document dat hem een zekere mate van aandacht garandeerde. 'Ik heb je verhaal gelezen,' zei hij. Suzanne leek verbluft en Buster zag dat ze onmiddellijk begon te blozen. 'Heb je dat van professor Kizza gekregen?' vroeg ze en Buster knikte. 'Ik heb niet gezegd dat dat mocht,' zei ze. 'Het is een geweldig verhaal,' zei Buster en Suzanne, die de hele tijd naar de stoep had gestaard, keek eindelijk op. 'Dank je,' zei ze. 'Dat is aardig van je.' Buster zei dat, als ze nog meer geschreven had, hij dat ook graag zou willen lezen en ze zei dat ze erover zou nadenken. 'Wacht, dan geef ik je m'n e-mailadres,' zei hij. Hij scheurde de eerste bladzijde van Lucas Kizza's verhaal af en schreef het adres op de achterkant. Suzanne nam het papier aan, knikte en wilde weer naar binnen gaan, maar dat ging niet omdat er een stuk of tien andere studenten in de deuropening stonden, aangevoerd door het meisje van de administratie. 'Daar heb je haar,' zei het meisje. 'Ze is beroemd!' De studenten liepen langzaam naar de auto, alsof ze een in het nauw gedreven dier omsingelden. 'Stap in, Buster,' zei Annie en Buster holde naar de passagierskant van de auto en sloeg het portier dicht. Annie reed weg terwijl de studenten, die nu aan de stoeprand stonden, een kring vormden rond Suzanne Crosby. Buster keek achterom en zwaaide naar Suzanne. Vlak voordat de auto afsloeg naar de hoofdweg, zwaaide Suzanne terug.

Net toen ze thuis waren sloeg de motor weer af en kwam de auto tot stilstand op het grind van de oprit. Toen Annie en Buster naar binnen gingen, was het huis leeg en lag er een briefje op het aanrecht.

A&B,

We hebben kunst te maken in North Carolina. Over een paar dagen zijn we terug. Kom niet in onze slaapkamer.

Liefs,

Caleb en Camille

De nekharen van Annie en Buster gingen overeind staan bij het idee om in de slaapkamer van hun ouders te gaan kijken. De voorwerpen die soms uit die kamer ontsnapten en dan door de woonvertrekken slingerden, de nepmessen, de plastic zakken met kippenlevertjes en namaakbloed, de haastig neergekrabbelde plannen voor nieuwe kunstprojecten waaraan bijna altijd wel explosieven te pas kwamen, maakten dat ze heel erg op hun hoede waren als hun ouders iets kennelijk zo vreemd vonden dat het verborgen moest blijven.

Nu ze het huis voor zichzelf alleen hadden en niemand hen op de vingers keek, maakten ze popcorn en mixten ze drankjes en pas toen ze al bijna een halfuur naar een niet al te sterke thriller met Edward G. Robinson hadden zitten kijken, wierp Annie een fronsende blik op Buster en zei: 'Je hebt je oogkapje nooit meer opgedaan.' Buster voelde even aan zijn oog. Dat was nu volmaakt gewend aan het licht en hij kon weer prima diepte zien. Hij onderdrukte de aandrang om het oogkapje te halen van zijn kamer en zei: 'Nou, misschien heb ik het niet echt meer nodig.' Annie kuste hem glimlachend op zijn wang. 'We zorgen voor elkaar,' zei ze. 'Ja, we worden beter,' antwoordde Buster en broer en zus keken vol leedvermaak hoe op tv een of andere arme sukkel totaal onwetend zijn ondergang tegemoet liep.

[meer leed, 1995
kunstenaars: caleb en camille fang]

Op Hazzard County High School zou Shakespeares *Romeo en Julia* in première gaan. Buster speelde Romeo en zijn zus Annie speelde Julia en afgezien van Buster snapte kennelijk niemand dat dat een probleem was. 'Laat ik je iets vragen, Buster,' zei meneer Delano, hun docent drama. 'Heb je weleens gehoord van de uitdrukking *the show must go on*?' Buster knikte. 'Nou,' vervolgde meneer Delano, 'dat is speciaal voor dit soort gelegenheden verzonnen.'

De oorspronkelijke Romeo, Coby Reid, was een paar uur eerder met zijn auto tegen een boom gereden. Niemand wist of hij dat opzettelijk had gedaan of niet, en blijkbaar kon het ook niemand veel schelen. Coby was niet dood, maar lag wel in het ziekenhuis met een gebroken sleutelbeen, een ingeklapte long en spectaculaire schade aan zijn hartveroverende glimlach. Daarom hadden de acteurs en de staf besloten dat de voorstelling niet hoefde worden afgelast, maar dat ze gewoon een vervanger voor Coby moesten zien te vinden. Buster, de toneelmeester, kende het hele stuk inmiddels uit zijn hoofd en dat maakte de beslissing vrij eenvoudig. Dat zijn zus, twee jaar ouder dan hij en bezig aan haar laatste voorstelling als leerling, de rol van Julia speelde werd hoogstens als een klein minpuntje beschouwd.

'Ik ben actrice, Buster,' zei Annie toen haar broer haar opzocht in haar kleedkamer. Ze staarde naar haar spiegelbeeld en borstelde zorgvuldig haar haar, dat speciaal voor de gelegenheid niet goudblond was, zoals normaal, maar donkerbruin. Het was alsof ze gehypnotiseerd was of onder de drugs zat, dacht Buster. 'Ik kus jou niet,' vervolgde ze, 'ik kus Romeo, mijn enige ware lief.' Langzaam, alsof hij het tegen een klein kind had, zei Buster: 'Ja, maar waar ik heen wil is dat, als je Romeo kust, je tegelijkertijd ook míj kust.' Annie knikte. Het was duidelijk dat het gesprek haar begon te vervelen. 'Kijk,' zei Buster, verbijsterd dat hij het allemaal zo omstandig moest uitleggen, 'ik ben namelijk je broer, snap je?' Annie knikte nogmaals. 'Ik begrijp wat je bedoelt,' zei ze, 'maar dit is nou eenmaal wat acteurs doen.'

'Voor een volle zaal vrijen met hun eigen broer of zus?' vroeg Buster.

'Dingen doen die soms moeilijk zijn omdat hun kunst dat vereist,' zei Annie.

Busters ouders vonden het juist een geweldig idee. Toen over de speakers werd aangekondigd dat de rol van Romeo gespeeld zou worden door Buster Fang, baanden zijn vader en moeder zich een weg achter de coulissen, met hun videocamera in de hand, en zagen Buster daar in kleine kringetjes rondlopen, ongemakkelijk in zijn wambuis en maillot, druk bezig met het repeteren van zinnen die hij helemaal niet wilde zeggen.

'Denk eens aan de onderstroom die dit toevoegt,' fluisterde zijn vader terwijl hij Buster stevig omhelsde. 'Een toneelstuk over verboden liefde krijgt zo ook een pikant laagje incest.'

Busters moeder knikte. 'Het is echt fantastisch,' zei ze.

Buster zei dat niemand geïnteresseerd was in onderstromen. 'Meneer Delano zocht alleen iemand die de tekst van Romeo kent,' zei hij.

Zijn vader dacht daar even over na en zei toen: 'Nou, ik ken ook de tekst van Romeo.'

'Jezus, pa,' zei Buster. 'Ik denk echt niet dat iemand zit te wachten op jou als Romeo.'

Meneer Fang stak zijn handen op. 'Dat wilde ik ook niet suggereren,' zei hij. Tegen zijn vrouw voegde hij eraan toe: 'Maar zie je het voor je? Dat zou pas echt ongelooflijk zijn.'

Mevrouw Fang knikte weer. 'Ongelooflijk.'

'Ik moet me nu echt voorbereiden,' zei Buster. Hij sloot zijn ogen en hoopte dat zijn ouders vertrokken zouden zijn als hij ze weer opendeed.

'Nou, we zien jullie wel na afloop,' zei meneer Fang. 'Geef je zus een kus van ons. O nee, dat doe je al.'

'O Caleb,' zei mevrouw Fang giechelend. 'Je bent echt erg.'

Buster kneep zijn ogen nog steviger dicht en begon in kleine cirkels rond te draaien, alsof hij uit de aula wilde opstijgen. Toen hij zijn ogen weer opendeed, waren zijn ouders verdwenen en zag hij meneer Delano, zijn zus en meneer Guess, de rector. 'We hebben een probleem,' zei meneer Guess. 'Wat dan?' vroeg Buster. 'Dit,' zei meneer Guess. Hij wees met zijn ene hand op Buster en de andere op Annie en sloeg zijn handen toen in elkaar.

'Buster kent de tekst van Romeo,' zei meneer Delano.

'Is de dag zo jong?' zei Buster met een poging tot een glimlach, alsof hij een inferieur product probeerde te verpatsen aan een plotseling teruggeschrokken klant.

'Bent u op de hoogte van de plot van dit toneelstuk, meneer Delano?' vroeg meneer Guess, die Buster negeerde.

'Zeker, Joe. Heel goed op de hoogte.'

'Dan weet u dat Romeo verliefd wordt op Julia, dat ze elkaar kussen, trouwen, seks met elkaar hebben en dan zelfmoord plegen.'

'Dat is misschien een iets te beknopte –'

'Romeo en Julia kussen elkaar, of niet soms?'

'Ze kussen elkaar inderdaad,' gaf meneer Delano toe.

'Meneer Delano,' vervolgde meneer Guess, 'bent u zich bewust van het feit dat Buster en Annie broer en zus zijn?'

'Buster kent de tekst, Joe. Zonder hem is het stuk van de baan.'

'O, 't noodlot speelt met mij,' zei Buster, die eigenlijk dolgraag zijn mond wilde houden maar dat niet kon.

'We doen het als volgt,' zei meneer Guess. 'Het stuk gaat door, maar op momenten dat Romeo en Julia een romantisch intermezzo hebben, om het zo te noemen, doen deze twee hier een stapje terug. In plaats van een kus geven ze elkaar een hand of een klopje op de rug of zoiets.'

'Dat is belachelijk,' zei Annie.

'Zo is het en niet anders, juffrouw Fang.'

'Het is gewoon idioot,' zei Annie.

'Voortaan wil ik nimmer Romeo meer zijn,' zei Buster en Annie stompte hem vol frustratie tegen zijn schouder.

'We maken er wel wat van, Joe,' zei meneer Delano.

'Ik heb nooit van tragedies gehouden,' zei meneer Guess. 'Geef mij maar een leuk blijspel, of een historisch stuk.'

Terwijl meneer Guess wegliep, maakte Annie een obsceen gebaar naar hem.

Buster bewaarde tussen de coulissen zorgvuldig een veilige afstand tot zijn zus en keek hoe het conflict losbarstte tussen de twee families, beide gelijk in waardigheid. Het zwaardvechten ging klunzig, door de zenuwen van de première en de onzekerheid van de rest van de cast over de interactie tussen Annie en Buster. Buster zag zijn ouders in het publiek. Zijn vader stond in het gangpad met zijn camera op het spel gericht: pas als iets werd vastgelegd, was het de moeite waard. Het toneelstuk voelde nu ook aan als een soort Fang-happening, vol dreigende onrust en met Buster en Annie als voorbodes van het noodlot. En net als bij die performances voelde Buster langzaam het vertrouwde gevoel opkomen dat alles zodadelijk wel anders zou zijn, maar zeker niet beter.

Hij had speciaal voor de functie van toneelmeester gekozen om niet in de schijnwerpers te hoeven staan. Hij kon toezicht houden en coördineren, ieder aspect van de voorstelling beïnvloeden zonder dat ook maar iemand uit het publiek wist dat hij er was. En nu, dankzij Coby Reids mislukte zelfmoordpoging, was hij opeens Romeo, de jonge idioot uit Verona, die zo naar seks hunkerde dat hij bereid was er een spoor van lijken voor achter te laten.

Met een kriebelig, zuurstofreducerend masker op, een woeste tijger, hield Buster de hand van zijn zus vast en vroeg, op een manier waarvan hij zich niet kon voorstellen dat die ooit succes zou hebben, of hij die mocht kussen. Godzijdank wees Annie dat af. Toen vroeg Buster, o god nee, of hij haar mond mocht kussen. Hij keek naar zijn zus en was zich bewust van haar glimlach, de speelsheid van het gesprek. Ze flirtte met hem en omdat William Eikel Shakespeare dat nou eenmaal zo verordonneerd had, zou hij voor haar bezwijken. 'O sta dan stil, nu 'k dus mijn bede doe,' zei Buster. Hij boog zich naar Annie toe en deed alsof hij haar kuste, maar zo'n vijf centimeter van haar mond smakte hij luid met zijn lippen en trok zich toen gauw terug. De dreiging was afgewend en het publiek giechelde wel, maar reageerde niet al te afwijzend. Annie keek hem nijdig aan, glimlachte toen en zei, met steun van Shakespeare: 'Zo heeft mijn mond dus zonde voor zijn gunst?' Buster had geen keus en zei noodgedwongen: 'Geef mij mijn zonde weer.' Annie boog zich vlug naar hem toe, maar Buster maakte een schijnbeweging naar links en plantte opnieuw een natte klapzoen in de lucht. Deze keer werd er wel hardop gelachen in de zaal. Annie staarde Buster zonder emotie aan, hoewel haar handen tot keiharde, naar letsel hunkerende vuisten waren gebald, en zei op vlakke toon: 'Gij kent de kunst.'

Zodra de scène voorbij was en het eerste bedrijf erop zat, keek Buster naar meneer Guess, op de voorste rij. De rector was duidelijk in zijn sas en stak zijn duim op naar Buster, door wiens toedoen een tragedie opeens in een komedie was veranderd.

Toen het doek viel en het toneel tijdelijk aan het oog onttrok, haalde Annie uit en velde Buster met een hoge, zwiepende rechtse. 'Je verpest alles voor me!' zei ze. 'Dit is m'n laatste schooltoneelstuk en door jou lacht iedereen ons uit.'

'Meneer Guess zei dat we elkaar niet mochten kussen,' herinnerde Buster haar eraan. Hij begon al een bult te krijgen op zijn rechterslaap.

'Wat kan ons dat verdommen?' schreeuwde Annie. 'We spelen *Romeo en Julia*! Wij zíjn Romeo en Julia en we gaan elkaar kussen!'

'Nietes,' zei Buster.

'Buster,' smeekte Annie, met een snik in haar stem. 'Alsjeblieft. Doe het voor mij.'

'Ik kan het niet,' zei Buster.

'De pest hale je huis!' zei Annie en ze beende woedend weg.

'Uw huis is mijn huis,' zei Buster, maar ze kon hem al niet meer horen.

'O Romeo, Romeo, waarom zijt gij Romeo?' vroeg Annie.

Onder het balkon, in de schaduw, had Buster geen antwoord op die vraag.

Net voor het einde van het tweede bedrijf stond Buster naast Jimmy Patrick, dik en op zijn zestiende al kalend, dus geknipt voor de rol van broeder Lorenzo. 'Een vreugd zo heftig, neemt een heftig eind,' fluisterde de broeder hem in, en 'De zoetste honing gaat door die overdaad juist tegenstaan' en als laatste – en heel begrijpelijk – dat Buster 'met maat' moest beminnen. Nadat hij die goede raad had gegeven kwam Annie het toneel op, met haar tred zo licht. Ze pakte Busters handen en kneep erin met al haar kracht, zo hard dat ze al het gevoel eruit perste en het nog maar schimmen van handen leken. Annie begroette Jimmy en die zei: 'Romeo zal u bedanken voor ons beiden.' Het publiek begon te lachen en daverend te applaudisseren. Buster staarde naar het rood aangelopen gezicht van Annie, opgelaten en woedend tegelijk, met vochtige ogen die toch niet knipperden. Hij had alles verpest, begreep hij nu. En met het rudimentaire gereedschap dat hij bezat, zonder enig speciaal talent voor rechtzetten en goedmaken, boog hij zich voorover, trok zijn zus naar zich toe en kuste haar zo krachtig dat het een halve seconde duurde voor ze reageerde, een minnend paar, ten ondergang gewijd. Het was teder en zacht en, afgezien van het feit dat het zijn zus was, alles wat Buster ooit van zijn eerste kus gehoopt had.

'Nee, nee, nee, nee, nee!' schreeuwde meneer Guess, die uit zijn stoel overeind sprong en moeizaam het toneel op klauterde. Het publiek, kennelijk in twee kampen verdeeld, begon zowel te juichen als te joelen, al wist Buster niet zeker of dat voor hun kus bedoeld was of voor hun rector, die de Fangs nu uit elkaar trok en hen, obsceniteiten grommend, elk naar een andere kant van het toneel sleurde. Annie keek naar Buster en glimlachte. Buster haalde alleen maar zijn schouders op en toen viel het doek, dat die avond niet meer op zou gaan. En zo eindigde het verhaal, zij het enigszins vroegtijdig, van Julia en haar Romeo. Uiteraard zou er nog meer leed volgen.

Een halfjaar later zaten Buster en Annie in het Museum of Contemporary Art in Chicago aan een verder leeg tafeltje en dronken de glazen wijn op van mensen die oud en blasé genoeg waren om gratis alcohol te laten staan. Hun ouders praatten met de curator van het MCA en met een groep weldoeners van het museum. 'Waren we maar thuisgebleven,' zei Buster. Zijn zus, nog broodnuchter na zeven glazen wijn, zei: 'Het is alsof je die deelpachters uit *Let Us Now Praise Famous Men* meeneemt naar het Museum of Modern Art voor een opening van Walker Evans. Zoiets van, hé jongens, hier heb je de bron van jullie schaamte, maar nu mooi ingelijst en nog veel groter dan jullie je herinnerden.' In de grote zaal, waar Buster en Annie weigerden te gaan kijken, flikkerde het hele toneelstuk op een reusachtig scherm. Ondanks hun verwoede pogingen, konden ze het versterkte geluid van hun eigen stemmen niet buitensluiten en galmden de regels van Shakespeare door hun hoofd. 'Overgewaardeerd melodrama,' mompelde Annie. 'Wie wil er zo nodig een verliefde tiener zijn? Alsjeblieft zeg,' voegde Buster eraan toe. Tieners pleegden om de haverklap zelfmoord, daar waren ze het allebei over eens. Ze staarden naar hun ouders en besloten dat het pas echt een wonder was dat zij, A en B, er nog geen eind aan hadden gemaakt.

Plotseling stond er een dronken, opgetogen meneer Delano aan hun tafeltje, die in een van de stoelen plofte. 'Kinderen!' riep hij uit en begon toen te grinniken. Annie en Buster hadden meneer Delano niet meer gezien sinds de avond van de voorstelling; hij was meteen nadat het doek was gevallen op staande voet ontslagen en had nog de volgende dag zijn flatje leeggeruimd en de stad verlaten. 'Kinderen,' herhaalde meneer Delano maar nu een stuk kalmer, al was zijn gezicht nog steeds angstaanjagend rood. 'Wat heb ik jullie gemist.'

'Wat doet u hier, meneer Delano?' vroeg Buster.

'Ik had deze opening voor geen goud willen missen,' antwoordde meneer Delano. 'Tenslotte zou dit zonder mij allemaal nooit gebeurd zijn.'

Annie plukte het glas wijn uit de hand van meneer Delano en verving het door een leeg glas. Ze schoof een bord met toastjes garnaal naar hem toe, maar dat leek hij niet te merken.

'Wat doet u hier, meneer Delano?' herhaalde Buster.

'Jullie ouders hebben me uitgenodigd,' zei meneer Delano. 'Ze zeiden dat dat wel het minste was wat ze konden doen nadat ik was ontslagen naar aanleiding van mijn vooruitstrevende productie.'

'Het spijt me van uw baan,' zei Annie. 'Dat hadden ze niet moeten doen.'

'Ach, ik wist wat me te wachten stond,' zei meneer Delano. 'Toen we dit allemaal voorbereidden, heb ik zo vaak tegen jullie ouders gezegd dat alleen lastige kunst de moeite waard is, kunst die verschroeide aarde achterlaat.'

Annie en Buster voelden zich plotseling heel licht van binnen en kregen een wee gevoel in hun maag.

'Wat?' zei Annie.

'Wat?' zei meneer Delano, maar de dronken kleur trok weg uit zijn gezicht.

'Hoe bedoelt u,' zei Annie met op elkaar geklemde tanden, '*toen we dit allemaal voorbereidden?*'

Meneer Delano bracht zijn lege glas naar zijn plotseling asgrauwe lippen.

Buster en Annie schoven hun stoelen abrupt naar voren, zodat hun knieën tegen die van meneer Delano kwamen en hun scherpe botten zich in zijn huid boorden. Als de jonge Fangs boos waren, was de opgehoopte dreiging van hun lichamen maar al te duidelijk.

'Hebben jullie ouders het niet verteld?' vroeg meneer Delano.

Buster en Annie schudden hun hoofd.

'Dit,' zei meneer Delano, met een gebaar naar de zaal waarin het nieuwste kunstwerk van de Fangs kolkte, 'is allemaal lang vantevoren gepland. Jullie ouders benaderden me toen Annie werd gekozen om Julia te spelen en ik vond het meteen een geweldig idee. Het is misschien moeilijk te geloven, maar toen ik jong was, in New York, behoorde ik tot de voorhoede van de Amerikaanse theateravantgarde. Ik ben ooit gearresteerd omdat ik gebroken glas at en bloed over het publiek heen spuwde tijdens een opvoering van *A Streetcar Named Desire*. Jullie ouders zijn genieën en ik was meteen bereid ze te helpen.'

'En Colby Reid dan?' vroeg Buster. 'Hoe wist u dat hij de voorstelling zou missen?'

'Dat hebben jullie ouders geregeld,' zei meneer Delano.

Annie en Buster keken hem geschokt aan en meneer Delano verbeterde zichzelf. 'O, lieve hemel, nee. Nee, ze betaalden Coby vijfhonderd dollar om de rol niet te spelen. Op de avond van de première zou hij gewoon niet komen opdagen. Dat auto-ongeluk was Coby's domme pech.'

'Dus dat hebben ze ons allemaal aangedaan uit naam van de kunst,' zei Annie.

'De kunst!' riep meneer Delano en hij hief zijn lege glas hoog op.

'Ze hebben ons misbruikt,' zei Buster.

'Nee, Buster, dat is niet eerlijk. Je ouders hebben bepaalde informatie achtergehouden om jullie optimaal te laten presteren. Je moet je ouders zien als regisseurs: zij scheppen de juiste omstandigheden en brengen alle afzonderlijke delen samen om zo een schoonheid te creëren die anders niet zou hebben bestaan. Ze hebben jullie zo behendig geregisseerd dat jullie je er niet eens van bewust waren.'

'Val dood, meneer Delano,' zei Annie.

'Kinderen!' riep meneer Delano.

'Val dood, meneer Delano,' zei Buster.

Annie en Buster, met de wijnglazen die ze plotseling niet konden neerzetten nog in hun hand, lieten hun voormalige docent drama zitten en liepen naar de menigte rond hun ouders. Ze duwden en wrongen zich tussen de mensen door.

'A en B,' zei meneer Fang toen hij zijn kinderen zag staan. 'De sterren van de avond,' zei mevrouw Fang. Buster en Annie wisten zonder een woord te wisselen precies wat ze allebei wilden. Ze hieven hun wijnglazen op en sloegen die kapot op het hoofd van hun ouders. Glasscherven regenden neer en de mond van hun ouders vormde een volmaakte *O* van verwarring.

'We hebben altijd alles gedaan wat jullie wilden,' zei Annie. Haar hele lichaam trilde. 'We deden wat jullie zeiden en vroegen nooit naar de reden. We deden het gewoon. Voor jullie.'

'Als jullie verteld hadden hoe het zat, zouden we het evengoed gedaan hebben,' voegde Buster eraan toe.

'We hebben het gehad met jullie,' zei Annie. Zij en Buster liepen kalm naar de grote zaal terwijl de geschokte omstanders, die niet wisten of dit nou weer een of andere kunstuiting was of gewoon fysiek geweld, haastig opzij gingen.

Met hun eigen bloed en dat van hun ouders op hun handen en met korreltjes glas onder hun huid bekeken Annie en Buster zichzelf op het scherm, twee kinderen die zich zo heftig verzetten tegen de decreten van hun ouders dat ze er nog liever een eind aan zouden maken, zo spectaculair als hun beperkte middelen maar toelieten.

hoofdstuk zeven

Toen Annie de volgende ochtend wakker werd, terwijl Buster nog sliep in zijn eigen kamer, was ze zich bewust van een enorm geluksgevoel. Uiteraard had ze zelf weinig gedaan om dat geluk te verdienen. Ze had twee uur verspild in de bioscoop en tijdens de voorstelling stiekem het ene miniflesje bourbon na het andere naar binnen gegoten, maar Buster had voldoende gepresteerd voor hen beiden. Hij had zich in het openbaar vertoond, ondanks zijn gehavende gezicht, en had een groep studenten verteld over wat hem speciaal maakte. Als gevolg daarvan hadden ze zich bij het naar bed gaan allebei gelukkiger gevoeld dan bij het opstaan en Annie kon zich niet herinneren wanneer dat voor het laatst was gebeurd. Het was misschien maar iets kleins, maar het was wel een feit.

Annie liet zich tussen de lakens vandaan glijden, met haar kleren van de vorige dag nog aan, en pakte de stapel verhalen die Buster van Lucas Kizza had gekregen. Ze bladerde ze door tot ze het verhaal van Suzanne had gevonden en liep toen naar de keuken, aan de andere kant van het huis, zo ver mogelijk van Buster vandaan, zodat ze kon beginnen aan het weinig benijdenswaardige karwei om te voorkomen dat haar broer verliefd zou worden op dat vreemde meisje. Vroeger was het haar taak geweest om alles wat A & B bedreigde zo goed mogelijk af te weren, maar ze was uit vorm. Ze besloot vanochtend de alcohol over te slaan en schonk een groot glas tomatensap in, met het gevoel dat, nu haar ouders zich helemaal in een andere staat bevonden, ze best haar eigen boontjes kon doppen.

Het verhaal was niet echt geweldig, het lag er allemaal net iets te dik bovenop, maar ze snapte dat het Buster zou aanspreken, aangezien haar broer geobsedeerd werd door onverdiende pijn. Als het echt noodzakelijk werd, als Buster steeds meer in de ban zou raken van die Suzanne, zou ze eens met haar moeten praten. Ze zou haar vertellen hoe het zat met de familie Fang en ervoor zorgen dat ze zich niet meer liet zien. Annie maakte zich nu al zorgen om die mysterieuze Joseph uit Nebraska. Buster gaf toe dat hij die nog steeds graag mocht, ondanks het feit dat hij Buster goddomme voor het leven had verminkt. Over onverdiende pijn gesproken! Als de gelegenheid zich voordeed, zou Annie ook nog graag eens een hartig woordje willen wisselen met Mr. Aardappelkanon.

Annie gooide het verhaal van Suzanne in de vuilnisbak en drukte het zo diep mogelijk weg. Ze richtte haar aandacht weer op haar indrukwekkende glas tomatensap – toch wel jammer dat er geen wodka in zat, bedacht ze nu – en probeerde het stiekeme vermoeden van zich af te zetten dat ze in feite jaloers was op die indringers, die zorgden dat Busters aandacht niet meer uitsluitend geconcentreerd was op dit huis en hun eigen ongelukkige omstandigheden. Nee, besloot ze, ze zorgde juist voor Buster: iemand in dit gezin moest verstandige beslissingen nemen, ook al waren die dan misschien minder spannend, zonder explosies of gegil en gehuil en psychologische trauma's. Maar toen dacht ze plotseling aan Daniel, die in Wyoming een indrukwekkende baard liet staan en de belachelijkste lulkoek schreef die een mens maar bedenken kon, en besefte ze dat je niet echt bij haar moest aankloppen voor een afgewogen oordeel over mogelijke liefdesverwikkelingen. Ze haalde het verhaal weer uit de vuilnisbak, streek de pagina's glad en legde het op tafel. Toen Buster een kwartier later de keuken binnenkwam, likkend aan het genezende litteken op zijn bovenlip, zag hij het verhaal liggen en keek hij naar Annie. 'Heb je het gelezen?' vroeg hij. Annie knikte. Buster fronste opgelaten zijn voorhoofd en zei: 'Wat vond je ervan?' Annie nam een grote slok tomatensap en zei: 'Heel goed.' Buster glimlachte. 'Heel goed,' herhaalde hij en knikte toen.

Na het ontbijt besloot Annie dat, nu ze eindelijk eens een beetje vooruitgang hadden geboekt in hun leven, het verstandig zou zijn om hun situatie te bespreken en te besluiten hoe ze voort konden bouwen op het succes van gisteren. Terwijl ze dat tegen Buster zei, voelde ze zich net iemand uit een infomercial, maar toen zei Buster dat dat een goed idee was en voelde Annie zich net Oprah. Ze schoven hun borden weg en begonnen te brainstormen. Als er een schoolbord in de keuken had gestaan, zouden ze dat hebben gebruikt.

Wat Buster betrof: Naar zijn oude appartement in Florida kon hij inmiddels ongetwijfeld fluiten wegens huurschuld, en hij stond bij het ziekenhuis in Nebraska ook nog eens voor twaalf mille in het krijt. Fysiek was hij nog steeds niet helemaal de oude: Annie staarde naar de vervagende blauwe plekken en genezende korsten waarmee de hele rechterkant van zijn gezicht bedekt was, naar het litteken op zijn lip en naar de gesprongen bloedvaatjes die zijn rechteroog nog altijd vertroebelden.

Met een capabel en zelfverzekerd gevoel begon Annie een actieplan op te stellen. Ze verbeeldde zich dat ze het niet alleen tegen Buster had, maar ook tegen het publiek in de studio. 'Ik betaal het ziekenhuis wel,' zei ze en Buster probeerde daar niet tegenin te gaan. Ze had geld, besefte ze. Een hele hoop geld, besefte ze. Een belachelijke hoeveelheid geld, besefte ze. Het was ook weleens leuk om te merken dat geld, ondanks alle slechte publiciteit die het kreeg, soms ook problemen kon oplossen. 'Als we de zaken hier weer op een rijtje hebben, ga je met mij mee terug naar Los Angeles. Denk je dat je een filmscript zou kunnen schrijven?'

Buster schudde zijn hoofd. Dat dacht hij niet. 'Een script voor een televisiedrama dan? Dat is korter.' Buster dacht even na en schudde toen opnieuw zijn hoofd. Annie gebaarde dat het er niet toe deed. 'Maakt niet uit. Je kunt gewoon werk zoeken, iets waardoor je tijd hebt om je op je eigen schrijven te concentreren. Trouwens, ik zou je ook geld kunnen lenen en dan zou je je heel lang niet druk hoeven te maken over werk.' Buster kon niets bezwaarlijks ontdekken in dat plan en haalde zijn schouders op. Dit was een fluitje van een cent, bedacht Annie. Eigenlijk zou ze haar eigen tv-show moeten hebben, dan kon ze dit voor hele hordes gestoorde types doen. 'En je gezicht is bijna genezen,' herinnerde ze hem eraan. 'Nog een paar maanden en je bent weer de oude.' Buster glimlachte omdat ze zo vriendelijk was dat te zeggen en Annie zag het gat waar zijn hoektand had gezeten. Ze prentte zich in dat ze een afspraak voor hem moest maken met de tandarts. En dat was dat. Het geval Buster was afgehandeld en zijn leven stond voorlopig weer stevig op de rails. Kon het echt zo gemakkelijk zijn? Nu was het haar beurt.

Ze zat voor de afzienbare toekomst zonder werk. Ze was haar rol kwijtgeraakt in een van de succesvolste series uit de filmgeschiedenis. Haar tieten stonden op internet. Ze was met een journalist naar bed geweest. Haar ex-vriend, die hard op weg was een van de machtigste mensen in Hollywood te worden, was op het moment waarschijnlijk niet echt dol op haar. Buster floot toen ze klaar was met het opsommen van haar problemen. 'Niet slecht,' zei hij. 'Dank je,' antwoordde ze.

Ze dacht even na en staarde naar de tafel. Oké, dan zou ze eerst hengelen naar bijrollen in kleinere films en zich concentreren op de kwaliteit van het script. Of nog beter, ja, zelfs nog beter, ze zou weer op de planken gaan staan. Bijvoorbeeld een stuk van Tennessee Williams, niet in de allergrootste theaters, gewoon voor een paar maanden, om weer in vorm te komen en te zien wat zich verder zou aandienen. Haar tieten? Nou ja, niks aan te doen. Voortaan zou ze wat voorzichtiger zijn. Een goede les, in feite. 'En maak je maar geen zorgen om die kerel van dat tijdschrift,' zei Buster. 'Niemand trekt zich ook maar ene moer aan van freelancejournalisten, geloof me.' Annie knikte. Wat dubieuze bedpartners aanging, viel het allemaal nog wel mee. Niks onoverkomelijks. Hetzelfde gold voor Daniel: gewoon een foute beslissing waar ze wel weer overheen zou komen. Het punt was, besefte ze, dat ze weliswaar behoorlijk grote vergissingen had begaan – dat bleek wel uit het feit dat ze nu weer bij haar ouders woonde – maar dat ze het aankon. Ze kon de scherven bijeenvegen en ze misschien niet meer aan elkaar plakken, maar zich er in elk geval met een minimum aan onaangenaamheden van ontdoen.

Dan had je nog het probleempje van hun medicijn- en alcoholverslaving. 'Wat dacht je hiervan?' zei Buster. 'Ik geen pijnstillers meer tenzij ik die absoluut nodig heb en jij pas alcohol na vijf uur 's middags.' Annie dacht even na. Ja, besloot ze, dat klonk verstandig. Wat nu? dacht Annie. Het was allemaal alleen nog maar gepraat en ze hadden nog niet echt iets bereikt, maar toch voelde ze zich beter, sneller, sterker. En ze was niet eens dronken. Dit zou weleens kunnen werken, dacht ze.

Als ze een agenda hadden opgesteld voor hun bijeenkomst deze ochtend, zouden ze nu genummerde punten afstrepen onder de kop *Busters problemen* en *Annies problemen*. Annie wilde opstaan en haar woorden omzetten in daden, maar Buster gebaarde dat ze weer moest gaan zitten.

'Ik dacht aan pa en ma,' zei Buster. Annie had helemaal niet aan haar ouders gedacht, zelfs geen seconde, maar ze liet Buster uitspreken. 'Ik weet dat ze ons, hoe zal ik 't zeggen, totaal naar de klote hebben geholpen, maar ze hebben ons wel weer in huis genomen. Ze proberen zo goed mogelijk voor ons te zorgen.' Daar moest Annie het mee eens zijn. Haar ouders hadden hen inderdaad naar de klote geholpen en hadden hen inderdaad weer in huis genomen. 'Dus ik dacht, met een volgend project moeten wij daar misschien aan meedoen,' vervolgde Buster. Annie schudde haar hoofd. 'We proberen beter te worden, Buster,' zei ze. Buster, altijd zo lief, altijd proberend om braaf te zijn, fronste zijn voorhoofd. 'Meedoen aan iets van Caleb en Camille is slecht voor ons,' vervolgde Annie. Haar handen balden zich onwillekeurig tot vuisten en ze voelde dat ze kwaad werd, maar ze deed een bewuste poging om haar woede te onderdrukken voor ze verderging. 'Het vergiftigt ons. De manier waarop ze ons misbruiken voor hun eigen doeleinden verandert ons weer in kinderen, en we proberen nou net al de hele ochtend manieren te bedenken om daar onderuit te komen.'

'Je hebt zelf dat fiasco bij de Chicken Queen gezien,' zei Buster. 'We hadden ook kunnen helpen. We zouden er nu in elk geval voor kunnen zorgen dat hun volgende project een succes wordt. Gewoon voor één keer, om ze weer op weg te helpen en dan doen we het nooit meer.' Annie was nog niet bereid om zich daarop vast te leggen en weer verstrikt te raken in de krankzinnige verlangens van haar ouders, maar ze kon ook niet vergeten wat een zwakke indruk Caleb en Camille hadden gemaakt in dat winkelcentrum en hoe bespottelijk hun inspanningen hadden geleken. Daarom stond ze zichzelf toe de mogelijkheid te overwegen. 'Misschien,' zei ze. 'Daar kan ik mee leven,' antwoordde Buster.

Na hun eigen leven in elk geval op papier weer op orde te hebben gekregen, stortten Annie en Buster zich op hun omgeving. Ze besloten het huis een grote beurt te geven, wat geen geringe onderneming was. Annie bracht de ene vuilniszak vol rinkelende drankflessen na de andere naar de garage en Buster ruimde de tientallen gaasjes en verbanden op die nog op zijn nachtkastje lagen, vol geronnen bloed en nat van de zalf. Hij had ze nooit weggegooid maar ze gewoon opgestapeld, zodat ze geleidelijk waren uitgegroeid tot een soort vreemde, levende sculptuur van zijn genezingsproces. Ze hielpen elkaar om hun bedden op te maken, zogen de vloeren en borgen hun schamele bezittingen netjes op. Ze pakten eendrachtig hun gezamenlijke badkamer aan en lieten die blinken. Het was nog niet eens middag en ze hadden al meer bereikt dan in het hele jaar daarvoor.

De woonkamer, verreweg het grootste vertrek van het huis, puilde uit van de oude Fang-projecten, aantekeningen en ruwe schetsen en was van onder tot boven volgepakt met efemera. Annie had geen idee waar alles thuishoorde of hoe ze ook maar een begin moest maken met een opbergsysteem en dus concentreerde ze zich op de lp's die her en der op de grond verspreid lagen, een verzameling geluid die ze tot op de dag van vandaag nog altijd even verbijsterend vond.

Caleb en Camille hielden van twee soorten muziek – esoterisch en ontoegankelijk, zoals John Cage en de apocalyptische folk van Current 93 of de domste, luidruchtigste muziek die maar bestond: punkrock. Toen Buster en Annie klein waren, hadden hun ouders vaak 'Six Pack' van Black Flag gezongen voor ze naar bed gingen, als een soort slaapliedje. 'Ik ben geboren met een fles in m'n mond,' zong hun moeder en dan sloot hun vader aan met: 'Six Pack!' Voor ze Annie en Buster op hun voorhoofd kusten fluisterden Caleb en Camille: 'Six Pack! Six Pack! Six Pack!' en deden dan het licht uit.

Terwijl Annie de platen opborg in de kast onder de stereo-installatie zette ze *Buy* van James Chance and the Contortions op en koos het vijfde nummer uit. Ze herinnerde zich dat haar ouders dat vaak gedraaid hadden voor ze met zijn allen de wijde wereld ingingen om een nieuwe vorm van chaos te creëren. Tot Annies verrassing was dat geen onaangename herinnering: de spanning van het niet weten wat er zou gaan gebeuren, kijken hoe haar ouders steeds meer opgewonden raakten over het project en de wetenschap dat het niet zou lukken zonder haar en Buster. De merkwaardige, schrille muziek golfde uit de speakers en algauw kwam Buster kijken, tikkend met zijn voet. Annie gebaarde dat hij erbij moest komen en ze gingen voor de speaker staan, knikkend en meezingend. 'Contort yourself, contort yourself.' Als Annie niet mocht drinken en Buster zich niet te buiten mocht gaan aan pijnstillers, moesten ze het maar doen met dansen op schetterende, atonale jazzpunk. De muziek krijste en schoot over de rand van het normale ritme heen, maar Buster en Annie sloegen geen pas over en dansten op de enige manier die ze ooit gekend hadden: pover maar met groot enthousiasme. Als hun dans een naam had gehad, zou het de Fang zijn geweest.

De telefoon was al drie keer overgegaan voor ze het hoorden, voor ze het gerinkel konden losweken uit de chaos van geluid om hen heen. Annie holde naar de keuken en nam op toen het antwoordapparaat net zei: 'De Fangs zijn dood.' Annie zei buiten adem: 'We zijn niet dood! Sorry hoor, we zijn er gewoon. Sorry.' Het was even stil aan de andere kant van de lijn en Annie dacht dat de beller misschien had opgehangen, maar toen zei een kalme, geduldige mannenstem: 'Mevrouw Fang?'

'Spreekt u mee,' zei Annie.

De stem klonk plotseling belangstellender. 'Camille Fang?'

'O! Nee, sorry,' zei Annie. 'U spreekt met Annie. De dochter van mevrouw Fang. De dochter van Camille.' Was ze dronken? Annie dacht even na. Nee, ze was beslist niet dronken. Ze probeerde zichzelf te kalmeren.

'Mijn moeder is er niet,' zei ze.

'U bent haar dochter?' vroeg de man.

'Ja.'

'Nou, u spreekt met agent Durham,' zei de man en Annie wist meteen wat er zou volgen. Er waren arrestaties verricht. Haar ouders zaten in de problemen, problemen die net ernstig genoeg waren om lastig te zijn. Er moest borgtocht worden geregeld. Heel even voelde ze een zekere bewondering voor Caleb en Camille, die na het fiasco bij de Chicken Queen, waar ze vrijwel geen enkele emotionele reactie aan het publiek hadden weten te ontlokken, er nu kennelijk weer in geslaagd waren zoiets ontwrichtends te creëren dat de politie eraan te pas had moeten komen.

'Wat hebben ze nu weer gedaan?'

'Pardon?' zei de politieman.

'Zitten ze in de problemen?'

'Eh, ja, misschien wel,' stamelde de agent, voor hij weer een poging deed de controle over het gesprek terug te krijgen. 'Ik ben bang dat uw ouders vermist worden, mevrouw Fang,' zei hij.

'Wat?'

'Vanochtend troffen we hun busje aan bij parkeerplaats Jefferson aan de I40 East, net voor de grens met North Carolina. Voor zover we kunnen nagaan, stond het busje daar al sinds de avond tevoren. We... maken ons zorgen.'

Annie voelde zich een beetje een verraadster omdat ze gedwongen was de ongetwijfeld zorgvuldig voorbereide plannen van haar ouders in de war te schoppen, maar het ging net weer enigszins de goede kant op met haar en ze had absoluut geen zin om verwikkeld te raken bij een politieonderzoek. Daarom biechtte ze alles op.

'Het is allemaal in scène gezet, agent,' zei Annie. 'Mijn ouders zijn kunstenaars, zou je kunnen zeggen, en best wel bekend. Zij zien dit als een soort voorstelling. Ze worden niet echt vermist, ze willen alleen dat u dat denkt. Het spijt me dat ze u zoveel last hebben bezorgd.'

'We weten alles over uw ouders, mevrouw Fang. Ik heb wat zaken nagetrokken en ook met de politie in uw district gesproken en ik ben me bewust van de, eh, artistieke aard van hun ondernemingen, maar desondanks gaan we ervan uit dat het hier wel degelijk een geval van vermissing betreft.'

'Het is nep,' zei Annie. Ze wilde beslist niet dat deze geduldige man een hoop tijd en moeite zou steken in een zoektocht naar haar ouders en dus precies zou doen wat ze wilden. Ze herinerde zich het vervreemdende gevoel dat altijd toesloeg na een Fang-happening, het besef dat je geen controle meer had over je eigen gedachten en daden als Caleb en Camille erbij betrokken waren.

'Het lijkt me verstandig hierover een persoonlijk gesprek te hebben, mevrouw Fang, maar ik hoop dat u begrijpt dat dit serieus is. We hebben een aanzienlijke hoeveelheid bloed aangetroffen rond de auto, er zijn sporen die op een worsteling wijzen en er vinden al negen maanden lang soortgelijke incidenten plaats op parkeerplaatsen in dat gebied. Ik wil u niet onnodig ongerust maken, maar in East Tennessee zijn vier mensen ontvoerd van parkeerplaatsen langs de snelweg en al die mensen bleken te zijn vermoord. Ik weet dat dit volgens u allemaal door uw ouders verzonnen is, maar dat is niet het geval. U moet zich voorbereiden op de mogelijkheid dat deze situatie ernstig is en misschien geen goede afloop zal hebben.'

Buster kwam de keuken binnen. 'Wie is dat?' vroeg hij, maar Annie schudde haar hoofd en legde haar vinger tegen haar lippen.

'Wanneer heeft u uw ouders voor het laatst gezien?' vroeg agent Durham.

'Gisterochtend, tijdens het ontbijt.'

'Zeiden ze toen wat ze van plan waren?'

'Nee, ze zeiden niets over een reis, maar toen mijn broer en ik gistermiddag thuiskwamen, lag er een briefje waarin ze schreven dat ze naar North Carolina gingen.'

'Kennen ze iemand in North Carolina?'

'Ik heb geen idee,' zei Annie.

'Kennen ze iemand in Jefferson? Iemand met wie ze afgesproken zouden kunnen hebben op die parkeerplaats?'

'Ik zou het niet weten.'

'Ik geef u mijn telefoonnummer, mevrouw Fang, en ik wil dat u me belt als u iets van uw ouders hoort. Ik wil dat u belt als u iets te binnen schiet wat van belang zou kunnen zijn. Ik wil dat u belt als u denkt dat we iets over het hoofd zien. In de tussentijd zullen wij van onze kant alles doen wat in ons vermogen ligt.'

'U denkt dat ze dood zijn, hè?' vroeg Annie.

'Dat weet ik niet,' zei agent Durham.

'Maar u sluit het niet uit?'

'Het is een van de mogelijke scenario's, ja.'

'Kon ik het u maar laten begrijpen,' zei Annie, die gefrustreerd begon te raken. 'Het is niet echt. Wat jullie onderzoeken is niet echt. Het is allemaal verzonnen. Dit is wat mijn ouders doen. Ze laten iets bizars gebeuren en kijken dan hoe anderen daarop reageren.'

'Ik hoop dat u gelijk heeft, mevrouw Fang. Dat hoop ik echt,' zei agent Durham en hij hing op.

Annie legde de telefoon ook neer en pakte toen de halflege fles wodka van het aanrecht. 'Nog niet,' waarschuwde Buster en hij wees op de klok van de magnetron. 'Ga zitten, Buster,' zei Annie. 'Wat hebben pa en ma nou weer gedaan?' vroeg Buster. 'Iets vreselijks,' zei Annie. Ze nam een voorzichtig slokje uit de fles, merkte dat het hielp en hield de fles schuiner.

Nadat ze alles aan haar broer had uitgelegd, de kale feiten, de openstaande vragen, ging Annie op het bed zitten terwijl Buster op internet naar meer informatie over de parkeerplaatsmoorden zocht. Er hadden inderdaad in het desbetreffende gebied verscheidene incidenten plaatsgevonden, mannen en vrouwen die waren doodgeschoten of -gestoken waarna hun lijken waren gedumpt in afvalcontainers bij pompstations of fastfoodrestaurants. De politie verdacht een vrachtwagenchauffeur, iemand die regelmatig gebruik maakte van de snelweg tussen North Carolina en Tennessee. Het was allemaal heel logisch, waardoor Annie alleen maar zekerder wist dat het deel uitmaakte van een zorgvuldig uitgewerkt plan van haar ouders.

'Kom nou. Het is toch glashelder dat Caleb en Camille wisten van die moorden en beseften dat ze de situatie konden uitbuiten?' zei Annie. Voor haar lag het bedrog van haar ouders er zo dik bovenop dat ze maar moeilijk kon begrijpen dat de politie het nog niet doorhad.

Buster, die stil en teruggetrokken was geworden, schudde zijn hoofd.

'Laat je dit niet aandoen, Buster,' schreeuwde Annie bijna. Haar woede jegens haar ouders werd nog versterkt door het feit dat

Buster er kennelijk intrapte. 'Dit is precies wat ze willen, godverdomme! Ze wíllen dat we denken dat ze dood zijn.'

'Misschien zijn ze dat ook wel, Annie,' zei Buster. Het leek alsof hij ieder moment in tranen kon uitbarsten, wat Annie nog woedender maakte. Ze dacht aan de slaapkamer van haar ouders, deur dicht, afgesloten van de rest van het huis. Plotseling zag ze haar giechelende ouders voor zich, verscholen in hun slaapkamer, wachtend tot iemand hen zou vinden. Ze verbeeldde zich dat ze zich onder hun bed verstopt hadden, omringd door conservenblikjes en flessen water, een schuilkelder die hen beschermde tegen de rest van de wereld.

Annie trok Buster mee naar de gang en ze bleven voor de slaapkamerdeur van hun ouders staan. Annie drukte haar oor tegen de deur en luisterde aandachtig. 'Annie?' zei Buster, maar Annie gebaarde ongeduldig dat hij stil moest zijn. 'Ze zijn op hun kamer,' zei ze. 'Ze verstoppen zich voor ons.' Ze draaide langzaam aan de knop en de deur bleek niet op slot te zijn. Voor het eerst in vele jaren stapten Annie en Buster een kamer in die ze verder uitsluitend in hun verbeelding zagen, en dan nog alleen met de grootst mogelijke tegenzin. 'Oké,' schreeuwde Annie vanuit de deuropening, 'we weten dat jullie er zijn. Caleb? Camille?' Annie liet haar blik door de kamer gaan maar die was vrijwel leeg, afgezien van een onopgemaakt bed en twee nachtkastjes met diverse glazen water en potjes multivitaminen. Er was verder geen meubilair, en ook niets van de chaos en ongelooflijke rommel in de woonkamer. Er slingerde niet één velletje papier rond. 'Ze zijn er niet,' zei Buster, maar Annie holde naar de klerenkast en gooide die met een triomfantelijk gebaar open. Alleen maar kleren, een doodnormale kast vol schoenen, broeken en overhemden, maar zonder Fangs. 'Dit is heel raar, Annie,' zei Buster. Annie keek hem aan. Ze wist niet of hij hun speurtocht naar Caleb en Camille bedoelde, of het feit dat de slaapkamer juist helemaal niets raars had. 'Ik dacht dat ze zich hier misschien schuilhielden,' zei ze. 'Maar blijkbaar verbergen ze zich ergens anders.' Buster haalde zijn schouders op en zei met een angstige uitdrukking op zijn gezicht: 'Of misschien zitten ze wel echt in de problemen. Misschien zijn ze wel dood, Annie.'

Annie pakte de handen van haar broer en bleef hem aanstaren tot hij haar ook aankeek. 'Ze zijn niet dood, Buster. Ze doen wat ze altijd hebben gedaan: een situatie creëren die een heftige emotionele reactie oproept bij de mensen die er het nauwst bij betrokken zijn. Ze hebben gewacht tot wij weer thuis waren, tot het gezin weer bij elkaar was, en toen deze gruwelijke situatie verzonnen om ons het gevoel te geven dat – weet ik veel – dat ze ons rustig kunnen gebruiken voor hun eigen plannetjes.'

'Misschien,' gaf Buster toe.

'Ik weet het wel zeker,' zei Annie. 'Dit is een klassieke Caleb en Camille Fang-situatie. Ze hebben ons in deze positie gemanoeuvreerd en nu laten ze ons zwemmen, terwijl zij afwachten wat we gaan doen.

'Wat gaan we dan doen?' vroeg Buster, die zijn kalmte weer een beetje herwon.

'Dat zal ik je vertellen,' zei Annie en ze voelde haar gedachten met absolute zekerheid op hun plaats vallen. 'Ik zal je precies vertellen wat we gaan doen.' Ze drukte haar voorhoofd ruw tegen dat van haar broer, de warmte van zijn huid tegen de hare, A en B, de jonge Fangs.

'We gaan ze vinden.'

[een kerstverhaal, 1977
kunstenaars: caleb en camille fang]

De Fangs gingen trouwen, twee mensen voor altijd samen, tot de dood ons scheidt, ik wil, ik wil, de hele schertsvertoning.

Caleb schoof de ring om de vinger van Camille en herhaalde het onenthousiaste gemummel van de dominee die de trouwbeloften opdreunde. Links van het altaar filmde de domineesvrouw, die helaas te veel geld had gevraagd om de Huwelijksmars van Mendelssohn te spelen op het kerkorgel, de procedure met Calebs snorrende, klikkende Super 8 camera. Caleb was bang dat ze de subtiliteit van de gebeurtenis over het hoofd zag en de opnames ruïneerde door statische, oninteressante cameraposities. Hij nam zichzelf voor om volgende keer een manier te verzinnen waarop hij het huwelijk kon filmen en er tegelijkertijd aan deelnemen, zodat hij te allen tijde de artistieke controle zou behouden.

Camille, haar buik samengetrokken tot een strakke, verwachtingsvolle knoop, kon zich niet herinneren of ze nou blij of juist verdrietig moest zijn. Ze besloot nerveus te doen, wat bij beide emoties paste. De hele ceremonie lang wreef ze over haar wanstaltig zwangere buik, haalde diep en zuchtend adem en trok af en toe een gezicht, alsof de weeën ieder moment konden beginnen, misschien wel hier in deze kapel. Doen jullie toevallig ook doopplechtigheden? Iedere keer als ze met haar vingers over haar bolle buik streek zag ze dat de domineesvrouw, de bovenkant van haar gezicht een snorrend glazen oog, vol walging haar lippen tuitte. Camille begon steeds vaker over haar buik te wrijven en glimlachte als de domineesvrouw, in een soort pavlovreactie, steeds weer haar zure afkeer liet blijken. Camille verbaasde zich opnieuw over het gemak waarmme ze verontwaardiging kon oproepen, maar besefte toen plotseling dat Caleb en de dominee haar aanstaarden. 'Ja,' zei ze vlug, ook al hadden ze de trouwbeloften al afgelegd.

'Hij wil u kussen,' zei de dominee, met een soort wegwerpgebaar naar Caleb. 'Wilt u dat ook?'

'Ja, goed,' zei ze. 'Waarom niet?' Ze boog zich naar haar man en haar buik drukte tegen zijn goedkope smoking.

De domineesvrouw gooide een handvol confetti in hun richting, met zo'n kracht dat het was alsof ze hen wilde verblinden. Caleb en Camille draaiden zich om en liepen zwijgend naar de uitgang van de kapel. Toen ze bij de deuren waren, keerden ze zich opnieuw om en liepen terug naar het altaar. Caleb nam de camera over van de domineesvrouw, gaf de dominee een fooi en poseerde toen met Camille voor de trouwfoto: één polaroid, voor tien dollar.

'Moet ik dit officieel maken?' vroeg de dominee terwijl hij de tien biljetten van één dollar telde en ze dubbelvouwde voor hij het geld aan zijn vrouw gaf.

Camille boog zich over de kerkbank heen en viste de officiële, afgestempelde trouwakte uit haar tasje. Ze tekende het document en gaf de pen aan haar echtgenoot. Die tekende ook en wilde de pen aan de domineesvrouw geven, maar die wuifde hem weg en haalde haar eigen pen tevoorschijn. Ze zette ook een krabbel, als getuige, en overhandigde de pen toen aan haar man, die zijn naam zette, met de trouwakte wapperde alsof hij nat was en gedroogd moest worden en hem vervolgens aan Caleb gaf.

'Jullie zijn nu officieel getrouwd,' zei de dominee.

'Dat klopt,' zei Camille.

'Zorg goed voor elkaar,' zei de dominee.

'En voor die baby,' voegde zijn vrouw eraan toe.

'Maar vooral voor elkaar,' zei de dominee met een strenge blik op zijn vrouw, die al was begonnen de kapel op te ruimen voor de volgende trouwerij die op het programma stond.

In hun auto staarden Caleb en Camille naar de trouwakte. *De heer George de Vries en mevrouw Josephine Boss*. Camille hees moeizaam de rok van haar tweedehands trouwjurk op en maakte haar nepbuik los, die op de vloer van de auto plofte als een zak vol buskruit, klaar om te ontploffen. Ze deden hun trouwringen af, plus de goedkope verlovingsring met de nepdiamant en legden die in het asbakje in het dashboard, rinkelend als kleingeld.

'Ik kan dit echt niet meer aan,' zei Camille. Ze rekte zich uit, want ze had rugpijn van de zware namaakbuik.

'Kunst maken is moeilijk,' zei Caleb.

'Ik meen het, Caleb. Geen huwelijken meer.'

'Wil je niet meer met me trouwen?' vroeg hij glimlachend, terwijl hij de auto met de nodige moeite in de eerste versnelling zette.

'Zesendertig trouwerijen,' zei ze. 'Dat is genoeg.'

'Vijftig,' zei Caleb. 'We hadden afgesproken dat het er vijftig zouden worden. *Vijftig Keer Getrouwd: Een Studie in Liefde en de Wet. Zesendertig Keer Getrouwd*? Dat klinkt gewoon niet lekker.'

Camille herinnerde zich de *Zesendertig Gezichten op de Berg Fuji* die ze bestudeerd had tijdens haar eerste les kunstgeschiedenis. In haar verbeelding zag ze de donderende golven voor de kust van Kanagawa, de minuscule mensen in hun bootjes, volslagen machteloos, onophoudelijk bedreigd door rampspoed.

'Ik ben zwanger,' zei ze.

'Ja, oké,' zei Caleb zonder dat het tot hem doordrong, niet vertrouwd met de straten van deze onbekende stad en druk in de weer met de weerbarstige versnellingspook, zodat de auto niet zou blijven stilstaan.

'Ik ben zwanger,' herhaalde Camille.

De auto stopte abrupt, met het metaalachtige geknars van verkeerd schakelende tandwielen. Achter hen toeterde iemand en reed toen snel om hun auto heen, die nu midden op straat stilstond.

'Ik ben zwanger,' zei Camille opnieuw, in de hoop dat Caleb het na drie keer misschien zou begrijpen.

'Wat moeten we nu?' vroeg Caleb.

'Geen idee,' zei Camille.

'We moeten íéts doen,' zei Caleb.

Ze bleven een tijdje zwijgend zitten, met draaiende motor, zonder zich raad te weten met de mogelijkheden die zich aandienden.

'We hebben geen geld,' zei Caleb.

'Weet ik,' zei Camille.

'Hobart zegt altijd: "Kinderen zijn de dood van de kunst." Dat heeft hij me wel duizend keer verteld,' vervolgde Caleb. Hij wilde het raampje opendoen, een beetje frisse lucht krijgen, maar het hendeltje was kapot.

'Weet ik,' zei Camille. 'Ik heb het hem horen zeggen.'

'Dit is nou precies de verkeerde situatie op precies het verkeerde moment,' zei Caleb.

'Weet ik,' antwoordde Camille, 'maar ik wil die baby.'

Caleb legde zijn handen op het stuur en staarde naar de uitgestorven straat. Dertig meter verderop sprong het verkeerslicht op geel, op rood en toen weer op groen. Hij was zich bewust van een misselijkmakend, onvervuld gevoel en nu had hij Camille, tien jaar jonger dan hij en zijn voormalige leerlinge, ook nog eens meegesleurd naar de mogelijke ondergang. Hij was ervan overtuigd dat hij een mislukking was. Ieder kunstproject eindigde met verbazing om het feit hoe weinig het had opgeleverd. Misschien stak het leven zo wel in elkaar en was de hoop op uiteindelijk succes na iedere mislukking de motor die de wereld draaiende hield. Misschien was een neerwaartse spiraal ook al een soort kunst op zich. Misschien zou hij zo ver zinken dat hij ten slotte, op een wonderbaarlijke manier, juist weer boven zou komen drijven.

'Goed,' zei Caleb uiteindelijk.

'Wat?' vroeg Camille.

'Laten we het doen.'

Camille boog zich naar hem toe en kuste hem zacht, een volmaaktere kus dan ze ooit tijdens die zesendertig huwelijken had gegeven.

'Eigenlijk zouden we moeten trouwen,' zei Caleb.

Camille rommelde in het asbakje, vond de verlovingsring en deed die weer aan haar vinger. 'Ja,' zei ze.

'Ja?' vroeg Caleb.

'Ja, ik wil met je trouwen,' zei Camille.

Drie maanden later trouwden ze voor de zevenendertigste keer. Vier maanden daarna werd hun kind geboren, een meisje, Annie. Een kleine maand later opende hun voorstelling *Zevenendertig Keer Getrouwd* in de Anchor Gallery in San Francisco. De muren waren behangen met hun trouwaktes, stuk voor stuk vakkundig vervalst door Camille, en met amateuristische trouwfoto's van het gelukkige paar in verschillende stadia van geluk. Op één wand van de galerie flikkerden de eindeloos herhaalde beelden van al hun verschillende huwelijken en werden onophoudelijk ringen uitgewisseld en bruiden gekust. De authentieke trouwakte was apart tentoongesteld, samen met een foto van het laatste huwelijk, waarop Caleb en Camille omringd werden door vrienden en collega's. De ouders van Caleb waren allang dood en die van Camille hadden altijd beweerd dat Caleb hun dochter gehersenspoeld had en hadden voor de eer bedankt. Hobart Waxman, Calebs mentor, had het huwelijk voltrokken. Hij was bevoegd predikant, nog zo'n titel die ergens op zijn cv verborgen stond. 'Een vreselijk idee, maar elegant uitgevoerd,' had Hobart na de plechtigheid gezegd en de Fangs omhelsd.

Een banaal idee, en zo onbeholpen uitgevoerd dat ook het laatste restje betekenis verloren gaat. Dat was de slotzin uit de recensie van *Zevenendertig Keer Getrouwd* in de *San Francisco Chronicle*. Negen maanden na de expositie speelde die zin nog steeds door Calebs hoofd, in de zeldzame momenten dat Annie hun piepkleine appartementje niet liet weergalmen van haar gehuil, woedend om een of andere onuitgesproken klacht. 'Wat wil ze toch?' vroeg hij aan zijn vrouw. 'Iets,' zei Camille en ze wiegde de baby in haar armen. Camilles gezicht straalde, een gloed die Caleb altijd in verwarring bracht. Was ze gelukkig of juist verdrietig? Hij had geen idee. Caleb, daarentegen, was niet gelukkig, zoals hij sinds het verschijnen van die recensie talloze keren tegen Camille had gezegd.

Na de recensie had Caleb geen nieuwe projecten meer gestart. Hij gaf les in postmoderne kunst, verbaasde zich om de moeiteloze manier waarop Camille voor de baby zorgde en las de rubrieksadvertenties in de krant, op zoek naar een of andere bizarre annonce of zonderling aanbod dat misschien een idee voor een project zou kunnen losmaken.

Caleb, wanhopig op zoek naar expressie, kwam op het idee om een gat te graven naar het midden van de aarde. Op een zaterdag, terwijl de ochtendkoffie zijn magische werk verrichte in zijn ingewanden, besteedde hij negen dollar die ze eigenlijk niet konden missen aan een spade. Toen hij terugkwam in het appartement, was Camille bezig de baby gepureerde erwtjes te voeren. Ze keek over haar schouder naar Caleb, die met zijn schep in zijn hand uitlegde wat hij van plan was. 'Ik ga gewoon graven,' zei hij.

Camille reageerde positief. Een gat? Ja, een gat. Zou interessant kunnen zijn. Wat voor gat? Naar het midden van de aarde, dwars door het midden, naar de andere kant van de wereld. Alsof de aardkorst niet bestond. Hoe? Met zijn schep. Een primitief maar desondanks volmaakt stuk gereedschap. De baby kraaide bij het zien van de glimmende schep en probeerde hem te pakken. Caleb hield de steel stevig vast en deed een stap achteruit.

'Ik blijf gewoon graven tot ik zie wat de bedoeling is,' zei hij. Camille gebaarde dat hij haar moest kussen. Dat deed hij en vervolgens streelde hij de zachte ronding van Annies achterhoofd. Het gezicht van de baby zat onder de mosgroene strepen. Caleb liep met grote passen naar de deur, in het bezit van een stuk gereedschap, en probeerde de gedachte te onderdrukken dat hij gek werd.

In het park stak hij de spade in de aarde en zette kracht. Een snelle beweging, en plotseling was er een gat dat er een tel eerder nog niet was geweest. Hij herhaalde de procedure en keek hoe de aarde zich voor hem opende. Als dit kunst was, bevond die zich wel aan het verste uiteinde van het spectrum, het uiteinde waar kunst overging in tuinieren. 'De handeling op zich is geen kunst,' hield hij zichzelf voor. 'De reactie op de handeling is kunst.'

Dat probeerde Caleb, tot aan zijn knieën weggezonken in een gat in een openbaar park, even later ook uit te leggen aan een politieman. Caleb keek naar het uniform dat boven hem uittorende, naar de hand die terloops op het holster rustte, en zei: 'Het is een gat in de grond. Een opening. Volgens mij betekent het iets.'

'Gooi dicht en maak dat je wegkomt,' zei de politieman.

'Ja, agent,' zei Caleb. Hij klom uit het gat alsof hij zichzelf uit een mijnschacht hees, verblind door de wereld die hij weer was binnengestapt.

Met iedere schep aarde, aangestampt door zijn voet, zag Caleb een creatie weer een niet-creatie worden.

'En laat ik je hier niet meer zien, anders arresteer ik je,' zei de agent.

Caleb was al meerdere malen gearresteerd, maar nam dat de politie nooit kwalijk. Hij begreep hun reactie. Het was een voorspelbaar element van zijn werk: hij creëerde wanorde maar zodra het gewenste effect bereikt was, moest de orde weer hersteld worden. 'Een prettige dag nog,' zei Caleb en de agent knikte zwijgend.

Terug in het appartement, met de schep opgeborgen in een kast, biechtte Caleb tegenover Camille op dat hij het gevoel had dat hij gek aan het worden was.

'Ik vermoedde al zoiets,' zei Camille.

'Hadden we nou maar vijftig huwelijken gedaan!' zei Caleb.

'O Caleb,' zei Camille en op haar gezicht zag hij iets wat medelijden had kunnen zijn. 'Het is gewoon niet gelukt, dat is alles. We hebben een bom gemaakt, maar die is niet afgegaan. De draadjes waren verkeerd aangesloten. Nou en? Dan maken we gewoon een andere.'

'Wanneer?'

'Binnenkort.'

De baby hoestte en spuwde. Kwijl droop over haar slabbetje en kleurde de stof donker. Terwijl Camille haar losjes vasthield, graaide ze naar Caleb en die liet haar zachte, bijna onstoffelijke handjes aan zijn gezicht plukken. Ze tikte heel zachtjes op zijn ogen en mond, alsof ze wilde zeggen 'Hier, hier, hier, of: 'Van mij, van mij, van mij.' Hij glimlachte.

'Wij hebben haar gemaakt,' zei Camille.

Een misslag, dacht Caleb, maar hij zei: 'Met de hand vervaardigd door de beste ambachtslui.'

Caleb beschouwde Annie als Camilles project. Hij verschoonde luiers, deed haar in bad, zorgde dat er brood op de plank kwam, maar Camille doorgrondde de innerlijke behoeften van de baby en speelde daar moeiteloos op in. De baby huilde en opeens huilde ze niet meer. De baby staarde wazig en met glazige oogjes voor zich uit en plotseling wist Camille een lach tevoorschijn te toveren. 'Hoe doe je dat nou?' vroeg Caleb vaak en dan trok Camille aan haar oorlel en knipoogde. 'Toverkracht,' zei ze dan. De baby was een kolibri in het kommetje van zijn handen en Caleb kon gewoon niet geloven dat ze echt was, hoe stevig hij haar ook vasthield. Het was een vorm van kunst waar hij geen aangeboren talent voor had.

'Laten we ergens naartoe gaan,' zei Camille.

'Waarheen dan?' vroeg Caleb, die zich nog steeds zorgen maakte om die agent.

'Naar het winkelcentrum.'

'Waarom?'

'Dat is gratis,' zei Camille.

In het winkelcentrum stond alles in het teken van de kerst. De Fangs, omringd door hordes winkelende mensen, werden eindeloos gefascineerd door hun omgeving. De zon die door het glazen dak scheen en de gonzende neonverlichting zorgden ervoor dat alles schoon en duur leek. Overal hingen slingers en dennentakken en wollige namaaksneeuw, op plaatsen waar je het wel kon zien maar niet kon aanraken. Zelfs door de toiletruimtes schalden kersthits. Het winkelcentrum was een gigantische, prachtig ontworpen doolhof waaruit je je gewoon niet kon losscheuren.

De Fangs gingen keer op keer met de roltrap omhoog en omlaag. Annie vond omhoog gaan fantastisch en omlaag gaan een beetje eng. Bovenin een afvalbak lag een kassabon van meer dan een halve meter lang, en Caleb en Camille lazen de lijst van artikelen alsof het het richtingaanwijzingen waren naar een mysterieus en wonderbaarlijk oord. Ze keken hoe een vrouw, zo afgeladen met pakjes dat ze zelf bijna een wandelende winkel leek, een sinaasappelmilkshake kocht, maar die meteen op een bankje zette om haar aankopen beter vast te kunnen houden. Toen ze alles weer in balans had, liep ze weg zonder haar drankje mee te nemen. Caleb pakte het, nam een paar voorzichtige slokjes en gaf het toen aan Camille. 'Hmm,' zei die glimlachend. 'Sinaasappel!' Het feit dat ze iets in hun handen hadden, gaf hen het gevoel dat ze deel uitmaakten van de gemeenschap. Ze waren niet langer gewoon toeschouwers, maar participeerden nu in alles wat zich afspeelde. Ze slenterden verder, zonder hun aanvankelijke naïviteit, en ook toen de milkshake allang op was bleven ze de beker vasthouden en gaven die aan elkaar door alsof het een fakkel was.

Ze zagen een lange rij mensen, die zich uitstrekte naar een besneeuwd namaakdorpje in het midden van het winkelcentrum. Het had zijn eigen soort kerstmuziek, scheller en digitaler dan in de rest van het centrum. 'Wat gebeurt hier?' vroeg Camille aan de laatste persoon in de rij, een zwaargebouwde, norse man met twee kinderen. 'De kerstman,' zei hij kortaf en keerde hen zijn rug toe. Caleb keek naar de slingerende rij, waar geen enkele beweging in zat, en floot. 'En dat allemaal om de kerstman te zien?' vroeg hij. Een van de kinderen van de man keek hem aan en zei: 'Als je zegt wat je wilt, dan krijg je het van hem.' Caleb en Camille knikten, want ze snapten hoe het werkte. 'En je mag met hem op de foto,' zei het andere kind.

'Gratis?' vroeg Camille.

'Wat dacht je?' snoof de man.

'Dus niet gratis,' zei Caleb.

'Het is altijd leuk om de kerstman te zien,' zei Camille. Bij haar thuis had een reproductie gehangen van een tekening van Thomas Nast, waarop de kerstman een dikke man met een rood gezicht was. Hij hield onhandig een pop vast, die Camille voor een echt kind had gehouden, en zij had de kerstman altijd gezien als een dronkenlap die kinderen ontvoerde, wat haar ouders ook mochten beweren. Later was ze de kerstman gaan beschouwen als een ware artiest, die elegante stukken speelgoed vervaardigde in zijn afgelegen werkplaats, af en toe een elfje neukte als hij zich verveelde en eigenlijk niet geïnteresseerd was in het maken van winst. 'Annie kan haar eerste folklorefiguur ontmoeten en hem meteen om een paar leuke cadeautjes vragen.'

'Ze kan nog niet praten,' zei Caleb, altijd terughoudend als het om traditie ging.

'Ik weet wat ze wil,' zei Camille. 'Ik vertaal wel voor de kerstman.'

De Fangs vormden nu een onderdeel van de rij en wachtten geduldig op hun beurt. Annie speelde vrolijk met het rietje uit de milkshake terwijl ze langzaam richting Santa Land schuifelden: namaakrendieren met gebogen koppen die blijkbaar sneeuw aten, overvolle zakken speelgoed en het galmende 'Ho, ho, ho,' van de kerstman, die ze vanaf hun positie nog niet konden zien. De Fangs schrokken steeds als ze dat hoorden en Caleb betrapte zichzelf erop dat hij ook geluiden begon te maken in reeksen van drie, 'Ha, ha, ha' en 'Hi, hi, hi,' en 'Hé, hé, hé' en 'Hoe, hoe, hoe,' tot Camille siste dat hij stil moest zijn.

Uiteindelijk werden de Fangs beloond voor hun geduld en stapten ze langs het fluwelen koord dat de uitverkorenen scheidde van de massa. Ze volgden een verveeld elfje naar het podium waarop de stoel van de kerstman stond. 'Ho, ho, ho,' riep de kerstman, kennelijk oprecht tevreden met zijn lot. Caleb bleef een beetje op de achtergrond, samen met het elfje, terwijl Camille naast de kerstman knielde en Annie op zijn schoot zette. 'En wat wil dit lieve kleine –' zei de kerstman, maar voor hij zijn zin kon afmaken stootte Annie zo'n oorverdovend, glasversplinterend gekrijs uit dat het bijna occult leek. Het contrast tussen de kleine baby en het geluid dat ze maakte was zo groot dat Caleb eerst niet besefte dat zijn eigen kind verantwoordelijk was voor de chaos die plotseling losbarstte in Santa Land.

'Goeie God!' riep de kerstman en hij schudde heftig met zijn been, alsof hij de baby zo vlug mogelijk van zich af wilde gooien. Camille was geschokt door de aardverschuiving in emotie op Annies gezicht; haar mond was zo ver opengesperd dat het niet ondenkbaar leek dat er een horde demonen uit zou komen vliegen. Ze wist dat ze Annie in haar armen moest nemen en troosten, maar stond als aan de grond genageld. Aan de ene kant durfde ze de baby ook niet aan te raken tot ze zeker wist dat Annie niet in vlammen zou uitbarsten.

De elf achter de camera, die over vijf minuten rookpauze had, staarde kalm door de zoeker, klaar om een foto te maken van deze historische ontmoeting. Caleb nam het tafereel in zich op: de kerstman met zijn van angst verwrongen gezicht, de baby die bijna paars was van woede, een ander elfje dat zijn handen tegen zijn oren drukte en Camille die verbouwereerd toekeek, alsof ze naar een stortvloed aan vreemde woorden luisterde waarin af en toe iets van haar moedertaal doorklonk. Overal in de rij begonnen andere kinderen te gillen en te springen, terwijl Annies woedeaanval als een acute besmetting om zich heen greep. Een paar ouders waren gedwongen hun bezeten kroost mee te sleuren, waardoor ze hun plaatsje in de rij kwijtraakten en hun kinderen nog harder gingen krijsen. De mensen die nog wel in de rij stonden, keken Caleb, Camille en Annie aan alsof die hoogstpersoonlijk hun hele kerst geruïneerd hadden. Het was verbluffend, besefte Caleb. 'Vooruit, neem een foto,' zei Caleb tegen het verveelde elfje. De flitser flitste, de sluiter klikte, het beeld was vastgelegd en Caleb holde naar de kerstman en verloste de doodsbenauwde oude man van zijn dochter. Hij omhelsde Annie en voelde de hete uitstraling van haar ongelukkigheid, die nu gelukkig in zijn bezit was. Annie had nog rode ogen en trillende lippen, naschokken van de ramp, maar kalmeerde vrijwel meteen weer. Camille voegde zich eindelijk ook bij hen, maar Santa Land was tijdelijk tot stilstand gekomen, knarsend vastgelopen. Niemand uit de rij maakte aanstalten om als volgende naar voren te stappen. 'Stil maar,' fluisterde Caleb tegen Annie. 'Je was geweldig.'

'Ik wil die foto,' zei Caleb tegen het elfje.

'Vijf dollar,' antwoordde die.

'We hebben geen geld,' zei Caleb, geschokt toen dat tot hem doordrong.

'Er wordt hier niet gesjacherd.'

'Laten we nou maar gaan, Caleb,' zei Camille.

'Ik móét die foto hebben,' zei Caleb. 'Ik breng morgen het geld wel.'

'Morgen ben ik hier godzijdank niet meer,' zei het elfje.

'Alsjeblieft,' zei Camille. Iedereen staarde hen aan. De kerstman zat onbedwingbaar te trillen, met zijn hoofd in zijn handen.

Caleb voelde een vonk van inspiratie en overhandigde Annie vlug aan Camille. 'Geef me vijf minuten en dan heb je je geld,' zei hij.

Hij liet vrouw en kind achter en sprintte naar de Glass Hut, terwijl de kassabon die ze eerder die dag hadden gevonden wapperde in zijn handen. Bij de ingang van de zaak bleef hij even staan, nam een bedaarde uitdrukking aan en glipte onopgemerkt de winkel binnen. Hij liep door het gangpad en zocht de rekken vol glazen prullaria af. Uiteindelijk zag hij tussen een rij beeldjes ook twee vissen, groen en oranje, die opsprongen uit een kilblauwe zee. Op de gespecificeerde kassabon stond: *Groen en Oranje Visbeeld, $14,99.*

Met het beeldje in zijn hand liep hij naar de kassa. 'O, geweldige keuze,' zei de vrouw achter de toonbank. 'Eerlijk gezegd wilde ik het ruilen,' zei Caleb. 'Mijn vrouw heeft dit eerder op de dag gekocht, samen met diverse andere dingen, maar we beseften dat het eigenlijk niet past in het interieur van degene voor wie het bedoeld was. Mag ik misschien mijn geld terug?' Hij haalde de kassabon tevoorschijn en wees op de prijs. 'Maar het is inderdaad een mooi beeldje,' zei hij, wachtend met uitgestoken hand.

Nadat hij de elf betaald had, maakte Caleb voorzichtig de speciale kerstfotolijst open en staarde naar de bodemloze put die de mond van zijn dochtertje was. Haar ogen waren stijf dichtgeknepen en de ruimte rond haar lichaam leek te trillen door de kracht van haar gekrijs. Het was prachtig. Het was schokkend en chaotisch en bleef nog lang nadat de Fangs Santa Land verlaten hadden nagalmen. Het was, besefte Caleb, die zo vlug praatte dat Camille hem bijna niet kon volgen, pure kunst.

'Het is perfect,' legde Caleb uit en Camille werd steeds geïnteresseerder toen ze het voorstel overwoog. Ze zaten in het gedeelte met de restaurantjes en krabbelden aantekeningen op papieren servetjes. Annie wipte vrolijk op en neer op Camilles knie en was het voorval met de kerstman kennelijk vergeten.

'Het trouwproject mislukte omdat we te maken hadden met mensen die niks anders deden dan huwelijken voltrekken. En wat deden wij? We trouwden met elkaar.'

'Misschien hadden we op het laatste moment moeten besluiten om níét te trouwen,' suggereerde Camille.

'Ja, precies. Iets wat voor een verrassing zou zorgen, een schokeffect dat wij dan konden benutten. We hebben zoveel potentieel verloren laten gaan.'

'En in zo'n trouwkapelletje is het ook nooit druk genoeg om de effecten te creëren waar we het nu over hebben.'

'Wat dat betreft zijn dit soort winkelcentra perfect. Alleen op een universiteitscampus of in een sportstadion zijn er meer mensen. Bovendien vind je hier de meest verschillende types. Hordes mensen, allemaal bezeten door materie, in een reusachtige doolhof van een gebouw dat hen uit hun evenwicht brengt.'

'Het zou kunnen werken,' zei Camille.

'Maar dan hebben we wel de Super 8 camera nodig,' zei Caleb en hij wees naar de foto die op tafel lag. 'We moeten niet alleen het beginmoment vastleggen maar ook de resulterende chaos, de allesomvattende impact.'

'Maar hoe weten we of Annie het wel opnieuw zal doen?' stelde Camille. Ze zweeg even, dacht over de bredere implicaties van hun plan na en zei toen: 'En moeten we haar dat wel aandoen?'

'Wat?'

'Caleb, we hebben ons kind in een situatie gebracht waarin ze in een soort levende aardbeving veranderde.'

Caleb staarde Camille aan, alsof hij wachtte tot ze verder zou gaan. Verbijsterd dat hij het nog niet begreep vervolgde ze zo geduldig mogelijk: 'Annie was doodsbang voor de kerstman. En wij hebben haar bij die dikzak op schoot gezet. Denk je niet dat dat tot langdurige psychologische problemen zou kunnen leiden?'

'Kinderen kunnen heel wat hebben, hoor. Toen mijn neef Jeffrey drie was, werd hij opgejaagd door een meute wilde honden en viel hij in een put. Hij werd pas drie dagen later gevonden, maar nu verkoopt hij kunststof gevelbekleding en heeft hij een gezin. Ik denk dat hij zich er niets meer van herinnert.'

'Annie is nog maar een baby,' zei Camille.

'Ze is een kunstenaar, net als wij, alleen weet ze dat nog niet.'

'Ze is een baby, Caleb.'

'Ze is een Fang,' antwoordde hij. 'Dat is belangrijker dan wat dan ook.'

Ze keken allebei naar Annie die hen lachend aanstaarde, een beeldschone, stralende filmster van een baby. De Fangs wisten het niet zeker, maar ze hadden de indruk dat Annie zei: 'Ik doe mee.'

'Vijfentwintig kilometer verderop heb je nog een winkelcentrum,' zei Caleb. Hij haalde de negen dollar en negenennegentig cent uit zijn zak en legde die op tafel. 'En een uurtje daarvandaan nog een.'

Camille dacht na. Ze hield van kunst, ook al wist ze niet altijd zeker wat kunst was. Ze hield van haar man. Ze hield van haar kind. Was het zo vreemd om die dingen te combineren en dan te zien wat er gebeurde? Hobart had gezegd dat kinderen de dood van de kunst waren, maar wat wist hij ervan? Zij zouden zijn ongelijk bewijzen. Kinderen konden kunst voortbrengen. Hun kind was in staat om de meest verbluffende kunst voort te brengen.

'Goed,' zei ze.

'Het wordt fantastisch,' zei Caleb. Hij kneep zo hard in haar hand dat die tintelde toen hij hem weer losliet.

Ze stonden op, een gezin, verlieten het winkelcentrum en stapten het zonlicht in, vastbesloten de vorm van hun omgeving te veranderen, om iets op te blazen en te kijken hoe alle stukjes rondom hen neerdaalden, als dwarrelende sneeuw.

hoofdstuk acht

Buster zat in de kappersstoel en staarde naar een lijst met kapsels waar hij nog nooit van gehoord had terwijl de kapper ongeduldig wachtte, met zijn schaar in de aanslag. 'Ik heb geen idee hoe die eruitzien,' zei Buster met een blik op de lijst, vol termen zoals *brush cut, burr, high and tight, D.A., dipped mushroom, teddy boy* en *flattop boogie*. 'Zeg gewoon wat je wilt en dan laat ik dat gebeuren op je hoofd,' zei de kapper.

'Kort, denk ik,' zei Buster. 'Maar ook weer niet té kort.'

'Alles is kort, jongen,' zei de kapper, een man van bijna zeventig. 'Iets anders doe ik niet. Maar hóé kort?'

'Niet té kort,' zei Buster, die duizelig werd van de geur van haarwater.

'Nou, zeg dan hoe je eruit wilt zien,' zei de kapper.

'Als een welgestelde, intelligente man,' suggereerde Annie, die op haar broer zat te wachten.

De kapper liet de stoel dertig graden draaien en begon te knippen. 'Dan wordt het de *Ivy League*,' zei hij.

'Dat klinkt goed,' zei Buster.

'Hou je van American football?' vroeg de kapper.

'Ik heb er geen hekel aan, maar ik volg het ook niet,' zei Buster.

'Nou, dan knip ik gewoon je haar en laten we 't praatje achterwege, als je het niet erg vindt,' zei de man met de schaar.

Nog geen kwartier later zag Buster eruit als een oud-student aan een Ivy League-universiteit. Hij streek over zijn hoofd, van zijn kruin tot in zijn nek, waar het haar geleidelijk uitdunde tot bijna niets.

'Je ziet er goed uit,' zei Annie.

'Knap,' voegde de kapper eraan toe.

Nadat ze vijftien dollar hadden betaald wilden Buster en Annie vertrekken, maar de kapper gebaarde naar Annie en vroeg: 'Zal ik jou ook knippen?'

Annie voelde even aan haar halflange haar, keek naar Buster, die er inderdaad kalm en zelfverzekerd uitzag met zijn nieuwe kapsel en haalde haar schouders op. 'Wat stelt u voor?' vroeg ze.

'Je hebt een aardig gezicht, zachte gelaatstrekken,' zei de kapper. 'Ik zou het kort kunnen knippen, zoiets als Jean Seberg in *À Bout de Souffle*.'

'Dat klinkt goed,' zei Annie en ze ging in de stoel zitten.

Buster keek hoe de handen van de kapper snel over het hoofd van zijn zus bewogen. Zijn vingers streken door haar haar en zijn schaar knipte in een heel gelijkmatig ritme, zonder ooit te stoppen of de situatie tussentijds in te schatten. Buster bewonderde dergelijke vaardigheden, handelingen die volkomen automatisch leken te gaan, zonder tussenkomst van het brein, omdat hij dat zelf nauwelijks kon bevatten. Zijn brein ontregelde steevast de handelingen van zijn lichaam, door met hinderlijke vragen en zorgen op de proppen te komen. Nu bijvoorbeeld, terwijl zijn nek nog jeukte en hij keek hoe Annies haar zich rond de kappersstoel opstapelde, vroeg hij zich onwillekeurig af: 'Hoe moeten we pa en ma ooit zien te vinden en waarom verspillen we in godsnaam onze tijd bij de kapper?'

Het bezoek aan de kapper was Annies idee geweest: een nieuw bewijs dat ze zich best konden redden. Als ze er capabel uitzagen zouden ze zich ook capabel gedragen, zo redeneerde ze. 'Het is gewoon acteren, Buster,' zei ze. 'Je kleedt en gedraagt je als de persoon die je wilt zijn en algauw bén je die persoon.'

'Wat voor persoon?' vroeg Buster.

'Iemand die mysteries oplost en niet alles naar de klote helpt,' zei ze.

De laatste paar dagen had Buster zich afgevraagd of het niet beter zou zijn als zijn ouders werkelijk dood waren. De zekerheid van verdriet tegenover het knagende vermoeden, aangewakkerd door zijn zus, dat zijn ouders bezig waren met iets wat Buster onmogelijk nog langer *kunst* kon noemen.

Aan de politie hadden ze ook niet veel gehad. De dag na de verdwijning van hun ouders waren Annie en Buster naar de sheriff in Jefferson County gegaan. De sheriff, een knappe, verweerde man van in de vijftig die net een agent uit een tv-serie leek, was hen voorgegaan naar zijn kantoor en had met hen gesproken op een kalme, geoefende toon die hij naar Busters idee geperfectioneerd had door jarenlang slecht nieuws te moeten brengen aan mensen die geneigd waren tot ondoordachte daden van verdriet. 'Ik weet dat het hier allemaal nogal klein lijkt, maar we doen goed werk. We verstaan ons vak en zullen de onderste steen boven krijgen,' zei hij tegen Annie en Buster. Buster knikte en was blij dat hij te maken had met iemand die de zaak kennelijk in de hand had, maar Annie was niet tevreden. 'Onze ouders zitten hier zelf achter, sheriff,' hield ze vol, terwijl ze zich zo ver voorover boog dat ze het gevaar liep uit haar stoel te vallen. 'Dat heb ik ook geprobeerd uit te leggen aan een van uw agenten. Het is allemaal in scène gezet.' Buster keek hoe de halsspieren van de sheriff zich eerst spanden en toen weer ontspanden terwijl hij geduld verzamelde. Met zijn blik op Annie gericht zei hij: 'Ik weet van jullie ouders. We trekken dingen na, snap je, dus weten we van de kunstuitinkjes van jullie ouders.'

'Dan snapt u dus ook dat zo'n verdwijning naadloos aansluit bij wat ze al hun hele leven doen,' zei Annie.

'Ik geloof dat u niet helemaal doorhebt wat er aan de hand is. Niet alles draait om kunst. U heeft de plaats delict niet gezien, of de hoeveelheid bloed rond het busje.'

'Nepbloed,' viel Annie hem in de rede. 'Een hele oude truc.'

'Echt bloed,' zei de sheriff, duidelijk blij dat hij met behulp van authentiek forensisch bewijsmateriaal kon bewijzen dat Annie ernaast zat. 'Menselijk bloed, B-positief, net als dat van uw vader.' Hij legde zijn ellebogen op zijn bureau en zette zijn gedachten op een rijtje. 'Ik snap dat zoiets niet iedere dag gebeurt, maar volgens mij weigert u de mogelijkheid open te laten dat dit níét in scène is gezet door uw ouders. U bent bang om toe te geven dat dit weleens ernstiger zou kunnen zijn dan een of ander kunstproject.'

Buster voelde dat de sheriff zijn geduld begon te verliezen en probeerde te laten zien dat hij het begreep, dat hij geen lastig persoon was om mee om te gaan. 'Ik heb weleens gelezen dat ontkenning het eerste stadium van het rouwproces is,' zei hij.

'Goddomme, Buster,' siste Annie en ze keek hem woedend aan, maar de sheriff zei: 'Nou, ik geloof niet dat jullie al aan een rouwproces hoeven te beginnen. Ik wil alleen maar zeggen dat het verstandig is om ons deze zaak te laten onderzoeken alsof er een misdaad in het spel is en jullie ouders werkelijk in gevaar zijn.'

'Ze houden zich ergens verborgen en lachen zich een bult als ze in de krant lezen dat ze misschien vermoord zijn en dat de politie een onderzoek is gestart. Ze wachten gewoon tot jullie zeggen dat ze dood zijn en dan duiken ze opeens weer op, alsof ze uit het graf zijn herrezen.'

'Nou, goed. Laten we uw theorie eens even verder uitwerken. In de staat Tennessee wordt iemand, als er geen lijk wordt gevonden, pas na zeven jaar officieel doodverklaard. Dat is wel erg lang wachten, vindt u ook niet?'

'Dan kent u Caleb en Camille niet,' zei Annie, maar Buster bespeurde het eerste teken van twijfel bij haar.

'En bovendien, waar houden uw ouders zich dan schuil? We houden hun creditcards in de gaten. Als ze een kamer in een hotel nemen of eten of benzine kopen, komen wij dat te weten. Hoe willen ze het zeven jaar lang volhouden zonder geld?'

'Dat weet ik niet,' zei Annie verward. Ze leek even met stomheid geslagen en het was alsof ze nu uit alle macht probeerde te bedenken wat er achter de raadselachtige verdwijning van haar ouders kon zitten. Buster had het gevoel dat hij zijn zus had verraden door de kant van de sheriff te kiezen. 'Ze kunnen ook contant betalen,' merkte hij op.

Dat wuifde de sheriff weg. 'En nog iets. Als uw ouders inderdaad besloten zouden hebben spoorloos te verdwijnen maar er geen misdaad is gepleegd, heb ik in feite geen reden om ze op te sporen. Wilt u zeggen dat ik maar geen geld en mankracht meer moet spenderen aan deze speurtocht?'

'Het is allemaal zo stom!' zei Annie.

De sheriff zweeg even, keek Buster en Annie aan met wat oprechte empathie leek en zei toen: 'Laat ik jullie dit vragen. Ik heb begrepen dat jullie bij je ouders wonen?'

'Ja,' zei Buster. 'We zijn tijdelijk weer bij pa en ma ingetrokken.'

'Sinds wanneer wonen jullie daar?' vroeg de sheriff.

'Zo'n drie, vier weken,' zei Annie.

'Dus jullie trekken weer bij je ouders in, en een paar weken later verdwijnen die opeens zonder iets te zeggen?'

'Ja,' zei Buster.

'Nou, misschien,' zei de sheriff, 'en dit is maar een theorie, een van de vele, maar misschien wilden ze jullie helemaal niet terug hebben. Misschien hadden ze het gevoel dat ze hun privacy kwijt waren en zijn ze daarom ondergedoken. Misschien wachten ze helemaal niet zeven jaar tot ze wettelijk doodverklaard worden, maar gewoon tot jullie opkrassen en komen ze dan weer thuis. Misschien zit de vork zo in de steel.'

Buster keek naar Annie, bang dat ze misschien zou gaan huilen, maar ze liet geen enkele emotie blijken. Niet huilen, Annie, dacht Buster. Ze moesten sterk zijn. De sheriff zat ernaast. Hun ouders waren niet dood. Ze waren helemaal niet op de vlucht voor Buster en Annie. Ze hadden een razendknap artistiek statement over verdwijning bedacht. Ze deden wat ze altijd gedaan hadden, kunst creëren uit verwarring en vervreemding. Opeens besefte

Buster dat hij zelf zat te huilen. Hij raakte zijn gezicht aan en voelde de tranen over zijn wangen biggelen. Goddomme, hij zat gewoon te janken en zowel Annie als de sheriff staarde hem aan.

'Buster?' zei Annie. Ze legde haar hand op zijn schouder en trok hem dichter naar zich toe.

'Allemachtig, jongen, dat meende ik allemaal niet. Het spijt me. Ik geloof het zelf ook niet, hoor. Je ouders zijn helemaal niet voor jullie gevlucht. Ze zijn waarschijnlijk overvallen en toen... nou ja, ik meende in elk geval niet wat ik zei. Ik zat gewoon hardop te denken.'

'Kom op, Buster,' zei Annie en ze hielp hem overeind. 'Bedankt, sheriff,' voegde ze eraan toe en duwde Buster het kantoor uit. Terwijl Buster, die niet kon ophouden met huilen, langs agenten en secretaresses liep, had hij het gevoel dat zijn emotionele uitbarsting in feite helemaal niet vreemd was, maar waarschijnlijk precies wat de sheriff verwacht had toen Annie en Buster zijn kantoor binnenstapten om de verdwijning van hun ouders te bespreken. Zo zag verdriet eruit, besefte Buster, en daarom bleef hij huilen, zacht hikkend en zacht kreunend, terwijl ze naar de parkeerplaats liepen, in de auto stapten en terugreden naar huis.

'Oké,' zei Annie toen ze terugkwamen van de kapper en weer een volgende stap hadden gezet in het proces om een eigen leven op te eisen. 'Tijd om eens even te brainstormen.' Ze had een pen in haar hand en op de keukentafel lag een schrijfblok. Af en toe streek ze afwezig door haar pasgeknipte haar, maar trok haar hand dan abrupt en met een kleine grimas terug.

Buster wilde eigenlijk dolgraag een dutje doen. Een capabel persoon zijn was misschien wel te veel van hem gevraagd, ook al hield het niet veel meer in dan dat hij zijn haar liet knippen en op internet artikelen over de vermissing van zijn ouders las. Annie, daarentegen, leek juist superenergiek, alsof haar woede jegens haar ouders haar een bovenmenselijke helderheid had gegeven.

'We moeten een lijst van verdachten opstellen,' zei Annie. Buster begreep niet wat ze bedoelde. 'Iemand heeft onze ouders geholpen,' zei Annie. 'Als ze zeven jaar weg willen blijven en geen geld kunnen opnemen, moeten ze hulp van iemand hebben en als we weten wie dat is, kunnen we Caleb en Camille vinden.' Buster knikte en probeerde te bedenken wie hun ouders geholpen zou kunnen hebben, wie de rollen die Buster en Annie ooit hadden vervuld zouden kunnen hebben overgenomen. Maar zelfs toen de artistieke carrière van hun ouders op zijn hoogtepunt was, hadden ze zich door het soort kunst dat ze maakten en door hun besluit om vanuit Tennessee te opereren toch altijd aan het randje van de kunstwereld bevonden. Caleb was op zijn achttiende wees geworden, toen zijn ouders waren omgekomen bij een frontale botsing met een vuilniswagen. Hij was de enig overgebleven Fang, en de familie van Camille had na haar huwelijk met Caleb niets meer met haar te maken willen hebben. Buster kon zich niet herinneren dat er tijdens zijn hele jeugd ooit iemand bij hen op bezoek was gekomen, om te eten, een avondje te kaarten of de Fangs te helpen met hun kunst. Zijn ouders lieten niemand in huis toe, want ze hadden een welhaast abnormale drang om de wereld buiten te sluiten. Caleb en Camille hadden Buster en Annie en verder hadden ze niemand nodig. Daarom verliep het brainstormen niet al te vlot. Buster bedacht net dat het goed zou zijn als hij ook een pen had, zodat hij zich wat meer bij het proces betrokken zou voelen, toen de bel ging.

Buster deed de voordeur open en Suzanne Crosby stond op de stoep, met een groene salade en een ovenschaal vol lasagne. 'Kom ik op een verkeerd moment?' vroeg ze. 'Nee,' zei Buster. Hij pakte het eten aan, fronste toen zijn voorhoofd en deed een poging om zijn uitspraak te verduidelijken. 'Het is niet echt een goed moment, maar toch moet je even binnenkomen.' 'Ik kan niet lang blijven,' zei Suzanne en ze stapte naar binnen.

Buster vroeg zich af hoe lang het geleden was dat een niet-Fang voet over de drempel had gezet. Maanden? Jaren? Hij wilde

Suzanne eigenlijk vertellen wat een mijlpaal haar komst was, maar besefte toen hoe eng dat zou klinken en hield zich in. Hij ging haar voor naar de keuken, waar Annie nog steeds naar haar blocnote staarde en haar pen vasthield alsof ze van plan was iemand ermee neer te steken.

Buster ging voor Suzanne staan, zodat Annie haar niet kon zien, en zette het eten op tafel. 'Heb jij dit besteld, Buster? Wat krijgen we nou? Ik dacht dat we zouden gaan brainstormen?' zei Annie. 'Nee,' zei Buster, 'Suzanne heeft het voor ons meegebracht.' Hij deed een stap opzij en Suzanne zwaaide opgelaten naar Annie. 'Ik wilde even zeggen dat ik het heel erg vind van jullie ouders,' zei Suzanne. Buster veronderstelde dat ze de artikelen bedoelde die inmiddels vooral op internet begonnen te verschijnen. 'Ik dacht, misschien willen jullie wel wat eten, maar ik wil me vooral niet opdringen.' Buster wierp een smekende blik op zijn zus. Annie keek voor het eerst echt naar Suzanne en haar gespannen houding verdween. 'Sorry, Suzanne,' zei Annie. 'Het zal nog wel even duren voor we dit allemaal verwerkt hebben. Bedankt voor het eten.'

'Graag gedaan,' zei Suzanne.

'Nou, laten we opscheppen,' zei Buster. Hij haalde het aluminiumfolie van de lasagne, maar Annie schoof haar stoel achteruit, stond op met haar pen en blocnote in haar hand en zei: 'Ik heb op het moment nog geen honger, maar gaan jullie rustig je gang. Ik denk dat ik hier even verder aan werk op mijn kamer. Nogmaals bedankt, Suzanne.'

'Ik vond je echt geweldig in *Date Due*,' zei Suzanne terwijl Annie naar haar kamer liep, en vlak voordat ze de deur dichtdeed antwoordde Annie: 'Dat is aardig van je.'

Nu waren Buster en Suzanne alleen met het eten op tafel. 'Eigenlijk moet ik gaan,' zei Suzanne. Buster keek naar haar korte, dikke vingers, haar donkerrode nagels, de tientallen goedkope ringen die tot aan haar knokkels liepen. Hij wist dat Annie op hem zat te wachten op haar kamer en dat de Zaak van de Vermiste Fangs nog onopgelost was, maar hij vond het leuk dat Suzanne er was, dat ze een gast hadden. 'Doe je ook mee?' vroeg hij. 'Ik hou er niet van om alleen te eten.' Ze knikte en Buster pakte borden en bestek en schonk twee glazen vol met ijs en water. Hij schepte het eten dat Suzanne had klaargemaakt op en nam zorgvuldige happen. Plotseling schaamde hij zich omdat hij een tand miste. 'Lekker,' zei Buster en Suzanne bedankte hem.

'Ik heb je boek gelezen,' zei Suzanne.

'Wanneer?' vroeg Buster.

'De dag nadat je met onze groep had gepraat,' zei ze. 'Ik heb je eerst opgezocht op internet en toen je boek geleend van professor Kizza. Ik heb een paar lessen overgeslagen, zodat ik het kon lezen in het park. Ik vond het echt goed.'

'Dank je,' zei Buster.

'Maar wel heel triest.'

'Weet ik. Hoe meer ik schreef, hoe triester het werd.'

'Maar het einde is hoopvol,' zei ze. 'Min of meer.'

Ze aten een paar minuten in stilte.

'Ik wist eigenlijk niet of ik nou moest komen of niet,' zei Suzanne.

'Hoezo?' vroeg Buster, die best wel een idee had waarom, maar haar dat zelf wilde horen zeggen.

'Ik dacht eerst echt dat je me gewoon wilde versieren toen je me uit de klas liet halen.'

'O god,' zei Buster. 'Sorry dat dat zo idioot ging.'

'Geeft niet, hoor. Maar toen heb ik dus je boek gelezen, en ook over jou en je zus en je ouders op internet, en realiseerde ik me dat je misschien gewoon... eenzaam bent. En ik ben zelf ook eenzaam. En ik wil echt graag schrijven en ik denk dat jij me zou kunnen helpen om dat beter te doen en dus zou ik het fijn vinden als we vrienden zouden kunnen zijn.'

'Oké,' zei Buster.

'Ik ben wel zenuwachtig,' zei Suzanne. 'Ik kan het misschien goed verbergen, maar normaal gesproken doe ik dit soort dingen nooit.'

'Nou, ik ben blij dat je gekomen bent.'

'Ik vind het echt erg van je ouders.'

'Bedankt,' zei Buster.

'En nu moet ik misschien maar weer eens gaan.'

'Bedankt,' herhaalde Buster.

Voor ze wegging haalde Suzanne een dik pak papier uit haar rugzakje en legde dat op tafel. 'Nog meer dingen die ik geschreven heb,' zei ze. 'Gewoon fragmenten en onafgemaakte verhalen en het is allemaal niet zo goed, maar je zei dat je meer van mijn werk wilde lezen.'

'Dat is ook zo,' zei Buster. Hij keek naar het aantal pagina's dat ze op tafel had gelegd en voelde zich overweldigd en een klein beetje jaloers. Zelfs als het vreselijk was, was het in elk geval wel verdomde veel.

'Dag,' zei Suzanne en ze liep vlug naar de deur. Buster bleef aan tafel zitten en zwaaide naar haar terwijl ze zichzelf uitliet. Hij spoelde de lasagne weg met een grote slok ijskoud water en hoopte dat Suzanne niet gek was, en ook niet al te zeer geneigd tot depressiviteit, maar gewoon een aardige, hoopvolle, zij het misschien enigszins excentrieke jonge vrouw die een manier zou vinden om zijn leven beter te maken. Hij zette de rest van het eten in de koelkast en rommelde in de lades van de keukenkastjes tot hij een scherp potlood had gevonden. In gedachten zag hij vaag iets geweldigs glimmeren in de toekomst. Suzanne. Hij keek naar Annies kamer en dacht aan wat daar op hem wachtte, het mysterie dat misschien nooit opgelost zou worden. Buster voelde een nieuwe doelbewustheid, het verlangen om hetgene waaraan hij en zijn zus begonnen waren ook tot een einde te brengen. Hij zou zijn vader en moeder vinden, het raadsel ontraadselen en dan vrij zijn om dit deel van zijn leven af te sluiten en een nieuwe weg in te slaan, die naar een fantastische bestemming zou leiden.

[de aanslag, 1975
kunstenaars: hobart waxman en caleb fang]

Hobart bleef maar doorzeuren over 'die godverdommese nepkunstenaar' Chris Burden en Caleb begon zich zorgen te maken. Hij voelde hoe de spanning groeide in zijn lichaam, in afwachting van het onvermijdelijke moment dat zijn mentor zou besluiten er iets aan te doen. Burden, die een paar jaar eerder met een geweer in zijn arm was geschoten als onderdeel van een performance, had net zijn nieuwste project voltooid, 'Doomed', waarin hij roerloos onder een schuine glasplaat had gelegen terwijl een klok tikte aan de muur van de museumzaal. Zo was hij bijna vijftig uur lang blijven liggen, tot een medewerker van het museum een kan met water naast hem had neergezet. Toen was Burden opgestaan, had hij een hamer gepakt en de klok kapotgeslagen. 'Die klootzakken hadden hem gewoon moeten laten wegkwijnen,' zei Hobart, maar Caleb schudde zijn hoofd. 'Nee, kijk, daar ging het nou juist om, Hobart. Hij weigerde zich te verroeren tot het museumpersoneel een interactie met hem had. Zij controleerden de parameters van het stuk, maar wisten dat zelf niet. Eigenlijk best interessant.' Hobart keek Caleb aan met een blik alsof alles wat hij zijn favoriete leerling had bijgebracht voor niets was geweest. 'Puur gelul, Caleb,' zei hij, zwaaiend met zijn armen zodat de andere mensen in het cafetaria naar hem keken. 'Wat heb ik je nou gezegd over alles wat in een gecontroleerde omgeving plaatsvindt? Dat is geen kunst! Het is dood, levenloos. Dus je laat jezelf neerschieten in een of andere achterlijke galerie? Nou en? Er is geen gevaar, geen verrassingselement. Nee, het moet in de buitenwereld gebeuren, tussen mensen die niet beseffen dat het kunst is. Zo moet het zijn!' Caleb knikte, opgelaten omdat hij zijn idool voor de zoveelste keer had teleurgesteld. Hij zwoer dat hij het van nu af aan beter zou doen, dat hij al zijn eerdere ideeën over kunst radicaal overboord zou zetten. Hij zou zichzelf leren om een hekel te krijgen aan wat hij eerst mooi had gevonden en enthousiast te zijn over wat hij eigenlijk niet goed begreep, in de hoop dat dat uiteindelijk zou leiden tot zoiets als inspiratie, iets waardoor hij nog beroemder zou worden dan Chris Burden of zelfs Hobart Waxman.

Caleb had jaren eerder voor het eerst de aandacht van Hobart getrokken, toen hij nog studeerde aan UC Davis en daar zijn afstudeerproject had onthuld. Hij had een gemotoriseerd apparaat het lokaal binnengereden en verkondigd dat hij een machine had gebouwd die 'alles wat je ooit bent kwijtgeraakt of verziekt hebt ter plekke kan laten teruggroeien.' Hobart had een paar jaar eerder zijn linkerpink verloren bij een auto-ongeluk en de studenten richtten hun aandacht meteen op zijn hand. Caleb draaide schakelaars om en de machine begon te zoemen, met het geluid van metaal dat langs metaal streek. Een paar tellen later kolkte er plotseling rook uit de sleuven in het omhulsel en riep Caleb dat de studenten het lokaal moesten verlaten, dat er iets mis was, maar iedereen bleef zitten, gebiologeerd door de simpele machine die Caleb had gebouwd. Na enkele seconden ontplofte het apparaat. Een schroefje boorde zich in Calebs rechterwang, zijn handen zagen rood van de schroeiwonden en het bloed stroomde uit zijn bovenlip. Verder was er niemand gewond en toen de rook eenmaal was opgetrokken, stelde Hobart een paar vragen aan Caleb. Waarin school de kunst? In de machine? De ontploffing? De weigering van de studenten om het lokaal te verlaten? Het feit dat Hobarts ontbrekende pink niet was teruggegroeid? Met zijn accent uit Tennessee, dat destijds nog zo zwaar was dat de andere studenten hem soms maar moeilijk konden verstaan antwoordde Caleb: 'Alles. Overal. De hele boel.' Hobart glimlachte en knikte en een paar maanden later was Caleb zijn assistent en vertrouweling.

Het probleem was dat Hobart al jarenlang niets opmerkelijks meer had geproduceerd. 'Dat komt door de universiteit,' klaagde hij. 'Die zuigt alle creativiteit uit je weg.' Caleb, die maar net kon rondkomen van het geld dat hij van Hobart kreeg en als hulpdocent verdiende, vroeg zich af of een vaste aanstelling met prima secundaire arbeidsvoorwaarden zijn kunst juist geen goed zou hebben gedaan. 'Geloof me, Caleb, kunst werkt het beste als ze voortkomt uit wanhoop. De enige reden waarom ik hier blijf, is dat nou eenmaal iemand les moet geven aan de kinderen. Anders blijven we eeuwig opgescheept zitten met dezelfde vreselijke kunst van nu.' Op een avond, toen Hobart zat te dutten in zijn leunstoel, bladerde Caleb de aantekeningen door waar Hobart wekenlang aan had zitten werken, en ontdekte dat die uitsluitend bestonden uit Hobarts handtekening, honderden malen herhaald. Op dat moment, terwijl hij met zijn vinger over de inktlijn streek die Hobarts naam spelde, besefte Caleb dat hij het initiatief zou moeten nemen als ze wilden dat er iets betekenisvols zou gebeuren.

Die avond schetste hij zijn plan aan Camille, die in zijn bed lag hoewel ze officieel nog steeds zijn studente was. Ze was nog geen eenentwintig, maar Caleb besefte dat ze een uitstekend oog had voor wat wel of niet zou werken en hoe je kunst moest maken. Drie maanden eerder had ze helemaal in haar eentje een performance bedacht waarbij ze dure artikelen stal uit warenhuizen en drogisterijen en die dan verlootte. Het geld dat ze daarmee verdiende – meestal aanzienlijk meer dan de artikelen gekost zouden hebben – gaf ze terug aan de winkel en biechtte haar overtredingen vervolgens op aan de manager. Niet één zaak had een aanklacht ingediend en een warenhuis had zelfs gevraagd of ze er niets voor voelde haar performance voort te zetten. Caleb was tien jaar ouder dan zij en zou zijn middelmatige baantje aan de universiteit zijn kwijtgeraakt als hun relatie bekend was geworden, maar toch werd hij onweerstaanbaar tot haar aangetrokken. Ze was evenwichtig, zelfverzekerd, het kind van welgestelde ouders, alles wat hij niet was. Het enige wat ze wilden was iets belangrijks maken en ze begonnen tot het inzicht te komen dat ze elkaar misschien nodig hadden om iets van waarde neer te zetten.

'Een slecht idee, Caleb,' zei ze terwijl ze geconcentreerd een vaardig gerolde joint rookte. 'De mislukking straalt ervan af.'

'Volgens mij niet,' zei Caleb. Het zou kunnen werken en als dat gebeurde, zou Hobart de beroemdste kunstenaar van het land zijn. Als het níét werkte, zou Caleb waarschijnlijk voor vele jaren de bak indraaien. 'Grote kunst maken is moeilijk,' zei hij, in de hoop dat hij het zou gaan geloven als hij het hardop zei.

Toen Caleb zijn plan onthulde aan Hobart en uitlegde waar zo'n ambitieus project allemaal toe zou kunnen leiden, glimlachte zijn mentor. Hij zwaaide met zijn handen, alsof hij wilde zeggen dat verdere uitleg overbodig was en zei: 'Ja.'

Camille wilde niet dat hij het alleen zou doen. Op de dag dat het zou gebeuren, dreigde ze alles te ruïneren als ze niet mocht meedoen. Caleb was heimelijk blij dat er iemand meeging, een handlanger, een extra naam in het politiedossier die hopelijk de aandacht een beetje zou afleiden van de zijne. Hij was echter vooral blij bij het vooruitzicht op samenwerking. Hij vermoedde dat hij daar het meest geschikt voor was en dus verlieten ze die ochtend hand in hand zijn flatje, Caleb met een plunjezak over zijn schouder.

Ze installeerden zich in het kantoortje van Hobart, waarvan

het enige raam uitkeek op de binnenplaats, en wachtten af. Terwijl Camille keek of Hobart eraan kwam, begon Caleb de M1 Garand te monteren, zijn vaders geweer uit de oorlog, een erfstuk dat hij had gekregen na de dood van zijn ouders. Zijn vader had hem laten zien hoe hij het wapen in elkaar moest zetten, maar het kostte Calebs handen moeite de instructies van zijn vader op te volgen. Met iedere klik, als het geweer weer iets meer vorm aannam, zette hij meer vraagtekens bij de wijsheid van zijn besluit en vroeg hij zich af wat voor gevolgen een mislukking zou hebben. Tegen de tijd dat hij het geweer had geassembleerd en geladen en getest had hoe het aanvoelde, was hij er bijna zeker van dat hij niet zou doen. Maar toen fluisterde Camille: 'Daar komt hij,' en voelde Caleb de bedwelming van de inspiratie, van de zekerheid dat hij op het punt stond iets waardevols te creëren. Hij boog zich uit het raam en richtte het geweer op zijn mentor.

Caleb keek hoe Hobart de binnenplaats overstak naar het Kunstgebouw, met al zijn gewicht op zijn tenen, zodat hij de indruk wekte dat hij bij de minste of geringste aanraking voorover zou vallen. Er golfde een zee van beweging om Hobart heen en iedereen maakte door zijn of haar nabijheid nu deel uit van het kunstwerk. Caleb haalde diep adem, hield die vast, voelde een kalmte door zijn lichaam trekken die naar zijn idee voorafging aan goede beslissingen en schoot. Camille, die links van hem stond en over zijn schouder toekeek, slaakte een kreetje en drukte haar handen tegen haar mond terwijl Hobart op de grond smakte alsof de botten in een oogwenk uit zijn benen waren verwijderd. Sommige omstanders beseften wat er gebeurd was en vluchtten alle kanten op. Verward geschreeuw galmde over de binnenplaats terwijl Caleb vlug wegstapte bij het raam. Hij wist niet zeker waar hij Hobart precies geraakt had en hoe ernstig hij gewond was, maar hij concentreerde zich op het frustrerende en tijdrovende demonteren van het geweer. Camille stopte de onderdelen in de plunjezak en voor ze Hobarts kantoor verliet om in Calebs flatje op hem te wachten, gaf ze hem een kus. 'Het was prachtig, echt,' zei ze en liep toen zelfverzekerd het kantoor en de gang uit en verdween uit het zicht. Caleb bleef op de grond zitten, al wist hij dat hij ook moest gaan, dat hij zoveel mogelijk afstand moest creëren tussen zichzelf en de aanslag. Hij probeerde zijn handen door pure wilskracht te laten stoppen met trillen en kalmeerde zichzelf met de gedachte dat híj dit had laten gebeuren, hoe het dan ook zou aflopen. Zijn handen hadden dit voor zijn ogen laten gebeuren.

Caleb slaagde er de volgende dag in het ziekenhuis binnen te glippen, terwijl kranten en tv nog bol stonden van het nieuws over Hobart Waxman, die zich in zijn rechterschouder had laten schieten en een hoop belangrijk spierweefsel had laten beschadigen uit naam van de kunst. De politie had een getypt briefje in zijn zak gevonden met de tekst *Op 22 september 1975 werd ik neergeschoten door een vriend*. De vriend in kwestie was nog niet opgespoord, maar kon een niet malse aanklacht verwachten. Het hoofd van politie had op het plaatselijke nieuws gezegd: 'Ik begrijp dat kunst een essentieel onderdeel is van een beschaafde maatschappij, maar je kunt niet zomaar mensen neerschieten. Dan wordt dat een probleem.'

Toen Caleb de kamer van Hobart binnensloop, vol slangen en machines en de antiseptische geur van uitgestelde dood, kon Hobart zelfs geen schim van een glimlach tevoorschijn toveren. 'Het spijt me,' zei Caleb. Hij besefte nu hoe slecht voorbereid hij was geweest, hoe vreselijk het mis had kunnen gaan als hij niet ontzettend veel stom geluk had gehad. Sissend als een oude radiator bracht Hobart moeizaam uit: 'Het was schitterend, Caleb. Ik voelde de kogel en toen lag ik ineens op de grond. Ik hoorde de chaos om me heen en ik zag voeten in alle richtingen rennen. Ik dacht dat ik flauw zou vallen van de pijn en door de shock, maar ik dwong mezelf om bij m'n positieven te blijven, om het allemaal in me op te nemen, want ik wist dat ik misschien nooit meer zoiets zou meemaken. Het was schitterend.'

Caleb wist wat er komen zou. Hij zou zichzelf aangeven bij de politie en hen zijn eigen getypte brief geven, ondertekend door Hobart en hemzelf, waarin hij uitlegde wat de voorstelling inhield. Hij zou de gevangenis indraaien, zij het voor minder lang dan een redelijk iemand zou verwachten, omdat het zo'n bizarre misdaad was. Hij zou zijn baan kwijtraken omdat hij een wapen had afgevuurd op de campus en alles zou voor onbepaalde tijd heel erg slecht gaan. Dat wist hij allemaal. Hij was erop voorbereid.

Hobart zou herstellen en een van de meest besproken kunstenaars van het decennium worden. Hij zou het jaar erop een beurs krijgen van de NEA. De universiteit, die dolgraag wilde wedijveren met UCLA, zou hem een belangrijke leerstoel aanbieden. Hij zou nog jarenlang teren op dit beruchte project en Caleb misgunde hem die meevaller niet. Hobart was zijn leermeester geweest. Hij had hem de bijna magische vaardigheden bijgebracht die nodig waren als je wilde dat de wereld zich aanpaste aan jouw verlangens. Hobart had hem geleerd wat belangrijk was. Als je echt van kunst hield, was die zelfs de grootste ellende waard en als je iemand pijn moest doen om je doel te bereiken, dan moest dat maar. Als het resultaat mooi genoeg, vreemd genoeg of memorabel genoeg was, deed de rest er niet toe. Dan was het dat waard.

hoofdstuk negen

Annie en Buster stapten het vliegtuig uit en liepen naar de terminal, veilig gearriveerd in San Francisco. Voorafgaand aan hun reis hadden ze veel gediscussieerd over hoe ze zich het beste konden kleden. Buster had een voorkeur gehad voor gleufhoeden, gekreukte pakken, sigaretten zonder filter en dasspelden terwijl Annie neigde naar identieke zwarte pakken, Lone Ranger-maskers, fijngestampte amfetaminen en gemanicuurde nagels. Buster wilde kennelijk graag een privédetective zijn en Annie een superheld. Ze besloten uiteindelijk iets te kiezen waardoor ze niet de aandacht zouden trekken, subtiel maar toch in zekere zin eender. Buster droeg een wit overhemd met de mouwen opgerold tot boven zijn ellebogen, een donkerblauwe spijkerbroek en zwarte leren sneakers en Annie een wit T-shirt met V-hals, een donkerblauwe spijkerbroek en platte zwartleren schoenen. Aan hun pols hadden ze allebei het soort horloge dat duikers dragen, zwaar, solide en waterdicht, accuraat en nauwkeurig op elkaar afgestemd. In hun zak zat een dikke rol bankbiljetten, een pen die maar half zo groot was als een normale pen – om stiekem aantekeningen te kunnen maken – een handje Red Hots om scherp te blijven en het adres van Hobart Waxman, hun grootste, of liever gezegd enige, kans om hun vermiste ouders te vinden.

Nadat ze hun bagage hadden opgepikt en een auto hadden

gehuurd, begonnen Annie en Buster aan de rit naar Hobarts huis in Sebastopol. Ze hoopten vurig dat Hobart, die inmiddels bijna negentig was, nog zo alert zou zijn dat hij hen de benodigde informatie kon verschaffen, maar ook net dement genoeg om hen niet om de tuin te kunnen leiden. Terwijl Annie reed en Buster kaartlas, bespraken ze de verschillende manieren waarop ze Hobart zouden kunnen overhalen om de verblijfplaats van hun ouders te verklappen.

'Moeten we dreigend het huis binnenstormen en proberen hem zo bang te maken dat hij het vertelt?' vroeg Buster. Annie schoot dat idee meteen af.

'We willen niet dat hij een hartaanval krijgt. Ik vind dat we het juist heel kalm moeten aanpakken. We doen alsof we gewoon wat meer willen weten over onze ouders, nu die hoogstwaarschijnlijk dood zijn. Als Hobart dan eenmaal op zijn praatstoel zit, brengen we het gesprek geleidelijk op waar ze zich zouden kunnen verschuilen als ze níét dood zijn.'

'Maar als hij echt weet waar ze zijn, wordt hij vast achterdochtig als wij zomaar komen binnenvallen. Ik heb hem nog nooit ontmoet en jij hebt hem ook al twintig jaar niet meer gezien. Dan beseft hij natuurlijk meteen dat we onze ouders zoeken. Ik vind dat we hem hard moeten aanpakken.'

'Nee,' zei Annie gedecideerd. 'We slaan geen man van negentig in elkaar.'

'Hard aanpakken,' corrigeerde Buster haar. 'Hem gewoon voor het blok zetten en laten merken dat het ons menens is.'

'Probeer eerst nog maar eens iets anders te verzinnen,' zei Annie. 'Wat dacht je hiervan? Een van ons houdt hem aan de praat, terwijl de ander zegt dat hij zogenaamd naar de wc moet en dan het huis doorzoekt. Als we echt een aanwijzing vinden, hebben we hem klem en moet hij wel alles opbiechten.'

'Dat is geen slecht idee,' gaf Buster toe. 'Goed bedacht.'

'Die arme stakker maakt geen schijn van kans,' zei Annie.

Het enige resultaat van twee weken brainstormen was Hobart Waxman, ook al hadden Annie en Buster voortdurend gehoopt dat de telefoon zou gaan en hen een aanwijzing zou geven, al was die nog zo miniem. Direct nadat het nieuws over de verdwijning van hun ouders bekend was geraakt, was er plotseling verbluffend veel belangstelling geweest voor de Fangs. Alle grote kranten hadden wel iets over de vermoedelijke ontvoering geschreven. Het kunstkatern van de *New York Times* had een groot artikel over Caleb en Camille op de voorpagina gehad. Annie en Buster werden ook meerdere malen genoemd in het artikel, maar broer en zus hadden wijselijk besloten geen commentaar te geven. De telefoon had een paar dagen lang vrijwel onophoudelijk gerinkeld, maar dat was ook weer even abrupt gestopt. Er waren weer andere zaken in het nieuws, en het enige dat overbleef waren Annie en Buster en hun overtuiging dat hun ouders ergens wachtten om ontdekt te worden.

Annie belde regelmatig met de politie, om te vragen of de creditcards van haar ouders misschien gebruikt waren, maar dat was nooit het geval. Er was niet één afboeking gedaan van hun bankrekening. Annie en Buster hadden oude agenda's en willekeurige nummers op stukjes papier onder de loep genomen, maar niets gevonden wat hen op het spoor zou kunnen brengen van de huidige verblijfplaats van hun ouders. De galeriehouder die ooit als agent voor Caleb en Camille had opgetreden was inmiddels dood en verder hadden ze geen familie. Er was alleen Hobart.

Hun ouders hadden geen hoge pet opgehad van de kunst tot op heden en hadden altijd laatdunkend gereageerd als hun kinderen weer eens met een suggestie waren gekomen over wat nu waardevolle kunst was. Dada? Te absurd. Mapplethorpe? Te serieus. Sally Mann? Te exploiterend. Maar Hobart Waxman, ja, die was het. Hobart was nooit op bezoek geweest bij de Fangs in Tennessee en had Buster nog nooit ontmoet, maar als er iemand was aan wie Caleb en Camille misschien de details van hun groots opgezette verdwijning zouden toevertrouwen, was hij het wel. Het was niet veel, maar wat hadden ze anders? Wat hadden hun ouders hen verder nog voor houvast gegeven?

Annie herinnerde zich hoe haar ouders ademloos een van Hobarts beroemdste performances hadden beschreven, het stuk waardoor hij oorspronkelijk bekendheid had gekregen. Het heette *De Ongenode Gast,* waarin Hobart inbrak in de enorme villa's waarmee de westkust bezaaid was, kasten van huizen met hordes personeel. Als hij zich eenmaal geïnstalleerd had in zo'n enorm huis, met tientallen ongebruikte kamers, bleef hij daar dagen, weken en soms zelfs maandenlang onopgemerkt wonen. Hij sliep in kasten, stal eten uit de keuken, keek tv en nam foto's van zichzelf om zijn bezoek vast te leggen. Een paar keer werd hij ontdekt en gearresteerd en draaide hij een tijdje de bak in, maar meestal putte hij gewoon alle mogelijkheden uit en glipte dan 's nachts het huis weer uit, zonder ook maar enig teken achter te laten dat hij er ooit geweest was, behalve dan een kaartje waarop hij de eigenaars bedankte voor hun gastvrijheid.

'Het was echt perfect,' legde Caleb uit aan Annie toen ze nog een kind was. 'Hij dwong nietsvermoedende mensen deel te nemen aan zijn project. Hij maakte ze tot een onderdeel van zijn kunst en zelf wisten ze van niks.'

'Maar hoe konden ze het nou mooi vinden als ze niet eens wisten wat er aan de hand was?' vroeg Annie verward.

'Ze moeten het ook niet mooi vinden,' zei Caleb lichtelijk teleurgesteld. 'Ze moeten het gewoon ervaren.'

'Ik zal het wel niet snappen, denk ik,'

'De eenvoudigste dingen zijn vaak het moeilijkst te snappen,' beaamde Caleb, in zijn schik met Annie, al had zij geen flauw idee waarom.

Hobart woonde aan het eind van een lange, gebogen oprijlaan. Verder strekten zich rond het huis alleen maar velden uit tot aan de horizon. Toen ze stopten voor het huis, klein en landelijk, met een schuurachtig atelier in de achtertuin, zagen ze geen auto of een ander teken dat er iemand aanwezig was. 'Nog beter,' zei Buster, terwijl ze even in de auto bleven zitten. 'Dan kunnen we rustig rondneuzen terwijl hij er niet is.' Ze stapten uit en Buster liep om het huis heen naar het atelier, terwijl Annie door een van de ramen aan de voorkant naar binnen keek. Ze klopte en toen niemand opendeed, voelde ze aan de deurknop. De deur zat niet op slot. Moest ze naar binnen gaan? Voelde dit aan als een film? Annie wist het niet zeker, al had ze wel het gevoel dat het leven beter was als het aanvoelde als een film, als je dacht dat er een script was dat je vertelde hoe alles zou aflopen, ook al had je het misschien nog niet gelezen.

Binnen was het huis brandschoon. Er stonden wat duur uitziende moderne meubels en een stoel die Annie herkende van een ansichtkaart in een museum. Ze liep naar een bureau met daarop een blocnote, een telefoon en een stapeltje post. Ze keek de post door, maar vond geen enkele aanwijzing. Ze hield de blocnote schuin, om te controleren of Hobart misschien iets op een voorgaand blaadje had geschreven en de letters waren doorgedrukt, maar ook dat leverde niets op. Ze pakte de telefoon en toetste *69 in, om te kijken wie voor het laatst had gebeld, alleen scheen Hobarts telefoon geen nummermelder te hebben. De prullenbak was leeg, en dat was het. Annie had alle speurderstrucs die ze uit films had geleerd opgebruikt.

Ze wilde net naar de gang lopen, die naar nog meer kamers leidde, toen ze haar broer plotseling 'Eh, Annie?' hoorde zeggen. Ze draaide zich om en keek in de richting van de keuken. De glazen schuifdeur was open en Buster stond in de deuropening, kaarsrecht en met grote ogen. Plotseling zei een stem achter haar broer: 'Verroer je niet, meisje, of ik leg je vriendje om,' en Annie zag Hobart Waxman, gebogen van ouderdom. Hij stond achter Buster en hield die met één hand bij zijn nek. 'Zeg, Annie, hij heeft een pistool,' zei Buster. Nu begon het echt op een film te lijken, dacht Annie. Ze voelde paniek opwellen, omdat ze dit soort films vaker had gezien en die meestal eindigden met een handgemeen, een gevecht om het pistool, een onbedoeld schot en sirenes. 'Hobart?' zei Annie. De oude man stak zijn hoofd om Buster heen en tuurde naar Annie. 'Wacht 'ns even,' zei Hobart en hij liet Busters nek los. 'Ben jij niet Annie Fang?'

'Klopt, Hobart.'

'Dan is dit zeker Buster?' vroeg Hobart. Buster en Annie knikten.

'Godallemachtig,' zei Hobart.

'Kun je nu misschien je pistool laten zakken?' vroeg Annie.

'Ik heb helemaal geen pistool,' zei Hobart. 'Ik drukte gewoon m'n hand tegen zijn rug.' Hij liet zijn hand zien en bewoog met zijn vingers.

'Het voelde anders wel als een pistool,' zei Buster. 'Je pakte me behoorlijk hard aan.'

'Hoe kom je erbij?' zei Hobart.

'Het spijt me, Hobart,' zei Annie terwijl de twee mannen de woonkamer binnenkwamen. Hobart wuifde haar gêne weg, omhelsde haar en kuste haar toen. 'Ik heb je voor het laatst gezien toen je een baby was,' zei hij. Hij keek naar Buster. 'Ze was het mooiste kind dat ik ooit gezien had.' Buster knikte glimlachend en liep in de richting van de gang. 'Praten jij en Annie maar gezellig samen, dan ga ik even naar de wc,' zei hij tegen Hobart. Vervolgens draaide Buster zich half om, zodat Hobart zijn gezicht niet kon zien, knipoogde tegen Annie en legde zijn vinger tegen zijn lippen, alsof hij duidelijk wilde maken dat ze niets moest zeggen. Annie greep hem stevig bij zijn arm toen hij haar passeerde en trok hem terug. 'Oké,' zei Buster, nog steeds met een brede glimlach. 'Dan ga ik later wel.'

'Ik heb je gezien in die film,' zei Hobart en hij wees op Annie. 'Je weet wel, waarin je een bibliothecaresse speelt die toestanden krijgt met skinheads.'

'*Date Due*,' zei Annie.

'Precies,' zei Hobart en hij klapte in zijn handen.

'Die heeft haar een Oscarnominatie opgeleverd,' zei Buster.

'Ze had moeten winnen,' zei Hobart.

'Bedankt,' antwoordde Annie met een rood hoofd.

'En jij dan,' zei Hobart met een gebaar naar Buster. 'Ik heb dat prachtige boek van je gelezen, over een echtpaar dat in het wild opgegroeide kinderen adopteert. Ik kan nooit titels onthouden.'

'*A House of Swans*,' zei Buster.

'Daar heeft hij een Golden Quill voor gewonnen,' zei Annie.

'Ik zag dat je nog een boek had geschreven, maar de recensies waren niet bijster goed en daarom ben ik er nooit aan toegekomen om het te lezen.'

De kleur trok weg uit Busters gezicht, maar hij herstelde zich, haalde zijn schouders op en zei glimlachend: 'Veel heb je er niet aan gemist.'

'Het was nog beter dan zijn eerste boek,' zei Annie.

'Ik ga het zeker lezen, nu ik je eindelijk ontmoet heb,' zei Hobart.

'Je vraagt je waarschijnlijk af wat we hier komen doen,' zei Annie, in een poging de situatie weer onder controle te krijgen.

'Ik heb uiteraard gehoord over jullie ouders, dus ik neem aan dat jullie daarover willen praten,' zei Hobart.

Buster en Annie knikten.

'Wat willen jullie weten?' vroeg hij.

'Waar ze zijn,' zei Annie.

'Wat?' vroeg Hobart verward en zijn glimlach vervaagde.

'Waar zijn onze ouders?' vroegen Buster en Annie in koor en ze deden allebei een stapje in de richting van Hobart.

Die zuchtte diep en wees toen in de richting van de woonkamer. 'Laten we eens even rustig gaan praten.'

Het duurde bijna vijf minuten voor Hobart eindelijk lekker zat in zijn door George Nelson ontworpen Z-stoel. Buster en Annie zaten naast elkaar tegenover Hobart, op een zwartleren sling sofa, met het gevoel alsof ze op een bus wachtten die veel en veel te laat was.

'Ik heb geen idee waar jullie ouders zijn,' zei Hobart.

'Dat geloven we niet, Hobart,' antwoordde Annie.

'Als ze jullie al niet verteld hebben wat ze in hun schild voeren, waarom żouden ze het in hemelsnaam dan wel aan mij vertellen?' vroeg hij.

'Omdat ze van je houden,' zei Annie, met een onwillekeurige trilling van jaloezie in haar stem. 'Jij was hun mentor. Natuurlijk zouden ze het aan jou vertellen, aan de enige die hun artistieke principes zo hoog heeft staan dat hij het verder nooit aan iemand zou doorbrieven.'

'Jullie hebben geen idee waar jullie het over hebben,' zei Hobart. Hij kneep zijn ogen half samen, alsof hij de golven van waanzin die Annie en Buster uitstraalden duidelijk kon zien. 'Jullie ouders haatten me.'

'Ze haten je helemaal niet,' zei Buster, die zijn ouders levend hield door middel van de tegenwoordige tijd. 'Misschien waren ze bang dat ze teveel door je zouden worden beïnvloed of zo, maar jij was de enige kunstenaar voor wie ze ooit respect hebben gehad.'

'Ik heb ze al minstens tien jaar niet meer gezien of gesproken,' antwoordde Hobart. Zijn gezicht begon langzaam tekenen van woede te vertonen en zijn kale hoofd werd heel lichtjes rood, alsof hij iets te lang in de zon had gezeten. 'Ik bedoel, kom nou toch, Buster, ik had jou nog nooit gezien. Hun enige zoon!'

'We geloven je gewoon niet,' zei Annie opnieuw. Buster schoof een klein eindje bij Annie vandaan, hoogstens vijf centimeter, net genoeg om haar dat laten merken en zei toen: 'Ik geloof hem, min of meer.'

'Nee,' zei Annie en ze schoof naar Buster, zodat hun schouders weer tegen elkaar kwamen. 'We geloven je niet.'

'Nou, dan zijn we uitgesproken. Tenzij jullie het uit me willen losslaan, en ik heb al gezien wat een watje deze jongen is,' zei Hobart en hij wees naar Buster.

Annie merkte dat ze haar vuisten balde, ook al fluisterde ze steeds in zichzelf: 'Blijf kalm, blijf kalm, rustig aan.' Toen voelde ze hoe Busters hand zich om haar vuist sloot en haar vingers langzaam openboog, tot ze weer recht en ontspannen waren. 'Sorry,' zei Annie. 'We proberen te begrijpen wat er aan de hand is, maar we zijn niet zo goed in dingen op eigen houtje uitvinden.'

'Vooral ik ben daar slecht in,' gaf Buster toe.

'We weten niet wat we moeten doen,' vervolgde Annie.

Hobart zweeg even. Hij trok met zijn rechterhand aan de kraag van zijn overhemd en Annie voelde even een vlaag van schaamte omdat ze er niet in geslaagd was haar publiek te overtuigen. Ze was nog steeds geen stap verder als het erom ging haar ouders te vinden, en bovendien was ze ook nog eens Hobarts leven binnengestormd en had ze de zorgvuldig opgebouwde eenzaamheid van zijn laatste jaren aan flarden gescheurd. Alleen al de namen van Caleb en Camille schenen iets bij Hobart te hebben losgemaakt, iets wat hij tot nu toe met succes in zijn geheugen had weten weg te moffelen. Annie wilde eigenlijk het huis uit rennen, in de auto springen en wegrijden, maar ze kon zich niet verroeren. Het gewicht van haar mislukking hield haar aan de bank geketend.

'Mag ik jullie een goede raad geven?' zei Hobart na een korte stilte. Toen Annie en Buster knikten zei hij: 'Hou op met zoeken.'

'Wat?' zei Annie.

'Er zijn twee opties. De eerste is dat ze werkelijk dood zijn, dat er iets vreselijks met ze is gebeurd. In dat geval is jullie speurtocht zinloos en rekt hij alleen het verdriet dat op ieder sterfgeval volgt.'

'Hobart,' viel Annie hem in de rede, 'denk je echt dat Caleb en Camille dood zijn?'

Hobart zweeg even en woog zorgvuldig zijn woorden af. Annie en Buster wachtten af, met het gevoel dat het lot van hun ouders van zijn antwoord afhing. 'Nee,' gaf Hobart toe. 'In zoverre ben ik het met jullie eens. Jullie ouders hebben zo'n wilskracht, zo'n geloof in wat wel en niet kan, dat ik me eerlijk gezegd geen scenario kan voorstellen waarin ze omkomen door zoiets banaals en willekeurigs als moord op een parkeerplaats. Neerstorten met een zelfgebouwde vliegmachine tijdens een internationale luchtvaartshow, dat wel. In een dierentuin in de tijgerkooi springen als er net een klasje op schoolreis langskomt, ja, natuurlijk. Zichzelf in brand steken in het grootste winkelcentrum van Amerika. Uiteraard.'

'Dus dan houden ze zich ergens schuil,' zei Annie.

'En daarmee komen we bij de tweede optie.'

'Wat is die dan?' vroeg Buster.

'Jullie laten hen vermist blijven,' zei Hobart. 'Ze leven kennelijk nog, hebben deze bizarre stunt bedacht en niets aan hun eigen zoon en dochter verteld. Ze willen duidelijk graag dat jullie geloven dat ze dood zijn. Doe dan alsof jullie dat geloven.'

Annie wierp een blik op Buster, maar die wilde haar niet aankijken. Het idee om op te geven leek even ondenkbaar als de mogelijkheid dat ze hun ouders werkelijk zouden vinden. Alleen verbeeldde ze zich steeds weer het moment waarop ze het plannetje van haar ouders in de war schopte. Ze zag het ongeloof op hun gezichten en dan begon haar hart sneller te slaan.

'Ik zei vroeger tegen mijn studenten – niet alleen Caleb en Camille maar iedere kunstenaar die ook maar een greintje belofte toonde – dat ze zich volkomen aan hun werk moesten wijden. Alles wat de realisatie van een fantastisch idee belemmerde moest uit de weg worden geruimd. *Kinderen zijn de dood van de kunst*, zei ik vaak.'

Annie en Buster trokken een gezicht, want dat hadden ze hun vader talloze keren horen zeggen, steeds als zij weer eens een Fang-project bemoeilijkt hadden.

'En dat meende ik ook,' vervolgde Hobart. 'Daarom ben ik nooit getrouwd en ben ik nooit een serieuze relatie met iemand aangegaan. Jullie ouders beseften dat ze een manier moesten vinden om die theorie van mij te omzeilen. Ze moesten iets verzinnen waardoor mijn ongelijk zou blijken en daarom verweefden ze hun gezin en hun kunst zo innig met elkaar dat je ze niet meer van elkaar kon scheiden. Ze maakten jullie twee tot hun kunst.

In feite was het verbluffend. Maar de tijd verstreek, en misschien kwam het doordat ik nooit echt heb weten voort te bouwen op mijn vroegere successen of misschien was ik gewoonweg jaloers, maar ik kon nooit meer naar een project van de Fangs kijken zonder een vreselijk, onheilspellend voorgevoel te krijgen, het gevoel dat jullie twee op de een of andere manier onherstelbaar beschadigd werden. Caleb begreep dat; hij begreep waarom ik nooit echt enthousiast kon zijn over zijn werk en daarom hield hij al gauw op met me te schrijven. Jullie ouders weigerden nog langer contact met me te hebben en bleven stug hun eigen visie najagen. En ze hadden gelijk. Ze hebben mijn ongelijk aangetoond door mijn theorie compleet op zijn kop te zetten. Kinderen zijn niet de dood van de kunst; de kunst is de dood van kinderen.'

Annie voelde een soort elektrische schok door zich heen gaan. Hobart keek haar aan alsof hij zich persoonlijk verantwoordelijk voelde voor hun hele leven, met een triestheid die ze niet goed kon bevatten.

'Dat is niet eerlijk,' zei Annie, die het onwillekeurig toch voor haar ouders opnam, ook al was ze het nog zo met Hobart eens. Ze zat niet te wachten op Hobarts medelijden, of misschien wilde ze niet dat hij dat al zo snel zou tonen.

'We leven nog,' zei Buster en Hobart stak zijn handen op, in een gebaar van overgave.

'Dat is waar,' zei Hobart en hij keek hen opnieuw verdrietig aan.

'Dus dan laten we ze gewoon verdwijnen?' zei Annie. 'Ze mogen ons dit straffeloos aandoen?'

'Je benadert dit op een manier waardoor je kwaad wordt op je ouders, omdat ze jullie buitengesloten hebben. Omdat ze jullie willen wijsmaken dat ze echt dood zijn.'

'Hoe moeten we het dan anders benaderen?' vroeg Buster.

'Je zou bijvoorbeeld kunnen zeggen dat jullie ouders zich eindelijk misrekend hebben,' zei Hobart. 'Ze hebben, al was het dan misschien onbedoeld, de draden van kunst en gezin ontward en nu zijn jullie vrij.'

Annie en Buster bleven roerloos zitten. Annie wachtte tot Hobart verder zou gaan. Ze wist nog niet of wat hij zei nou logisch klonk of niet.

'Jullie hoeven je ouders niet meer door het hele land achterna te jagen terwijl zij zich ergens schuilhouden. Jullie hoeven je leven niet meer in de wacht te zetten tot zij besluiten dat hun nieuwste project klaar is om onthuld te worden. Ze zijn vergeten jullie aan hen vastgeketend te houden en nu zijn jullie niet langer verplicht om hen te volgen. Dat is toch positief, of niet soms?'

'Het is moeilijk zo te denken,' zei Annie.

'Dat lijkt mij ook, als je van kinds af aan anders geleefd hebt,' zei Hobart.

'Ik weet niet of ik wel zo wil denken,' zei Buster.

'Wat willen jullie eigenlijk doen, mochten jullie je ouders inderdaad vinden. Wat zouden jullie dan bereikt hebben?'

Annie, die verbazend genoeg nog nooit bij een psychiater was geweest, kreeg het overweldigende gevoel dat ze nu in therapie was en dat beviel haar absoluut niet. Onwillekeurig vormden haar lange, slanke vingers zich weer tot kleine, woedende mokers. Ze probeerde wanhopig een antwoord te bedenken op Hobarts vraag, maar er schoot haar niets acceptabels te binnen en ze leunde gefrustreerd achterover op de bank. Buster zei: 'We willen ze duidelijk maken dat ze niet zomaar alles kunnen doen wat ze willen, alleen omdat zij toevallig vinden dat het mooi is.'

'Dat is al die moeite niet waard,' zei Hobart. 'Sorry, Buster en Annie, maar zelfs als jullie dat zeiden, denk ik niet dat ze er iets van zouden leren. Net als zoveel kunstenaars zijn jullie ouders gewoon niet in staat om dat feit onder ogen te zien. Caleb en Camille zijn juist al het grootste gedeelte van hun leven bezig zichzelf wijs te maken dat alleen kunst belangrijk is.'

'Kun je dan helemaal niemand bedenken die ons zou kunnen helpen?' vroeg Annie. Ze probeerde zich wanhopig voor te blijven doen als een capabel persoon, iemand die zijn oorspronkelijke actieplan volgde, of dat nou nog zinvol was of niet.

'Nee, niemand. Hun agent is allang dood, zoals jullie ongetwijfeld weten, en ze hebben nooit de moeite genomen om een ander te zoeken. Ze hadden heel weinig vrienden in de kunstwereld, of misschien wel helemaal geen; er was in elk geval niemand die hetzelfde deed als zij. Je hebt natuurlijk die man die dat boek over hen heeft geschreven, maar ik kan me niet voorstellen dat jullie ouders nog contact met hem zouden hebben, ongeacht de omstandigheden.'

De auteur die Hobart bedoelde was Alexander Share, een kunstcriticus die een studie over het werk van de Fangs had geschreven, *Een Gewaarschuwd Mens: Een Overzicht van de Verwarrende Kunst van Caleb en Camille Fang*. Hij had Caleb en Camille overgehaald om in te stemmen met verscheidene lange interviews, zowel telefonisch als persoonlijk; Buster en Annie mochten niet met hem spreken. Toen duidelijk werd dat Share een aantal serieuze bedenkingen had aangaande hun werk, verbraken Caleb en Camille alle contact en probeerden ze de uitgever zover te krijgen dat hij het boek niet zou publiceren, maar uiteindelijk maakte het in feite weinig uit. Het boek werd gepubliceerd, maar zorgde niet voor veel opschudding; lang voor Alexander Share zijn poging deed om het werk van de Fangs te verklaren, hadden de meeste mensen al besloten wat de waarde van dit soort kunst was. 'Kritiek is als het ontleden van een dode kikker,' zei Caleb toen het boek uitkwam. 'Je wroet in de darmen en de stront en de organen terwijl dat wat er werkelijk toe doet, wat het lichaam bezielde, allang verdwenen is. Het brengt de kunst geen steek verder.' Toen Annie en Buster vroegen waarom hun ouders dan besloten hadden toch met Share te praten zei hun moeder: 'Als je maar niet verwacht dat je iets waardevols zult vinden, is het soms leuk om een tijdje in bloed en ingewanden te wroeten.'

Hobart werkte de lijst met mogelijke handlangers verder af,

maar kon niemand bedenken die echt in aanmerking kwam. 'Je had twee kunstenaars die heel gecharmeerd waren van jullie gezin. De eerste, Donald Huppeldepup, was in feite een vandaal die bestaande kunstwerken vernielde. Van kunst op zich had hij totaal geen verstand, maar hij was wel diep onder de indruk van je ouders.'

'Waar is hij nu?' vroeg Annie.

'Dood,' zei Hobart. 'Hij wilde een of ander standbeeld kapot zagen, kukelde eraf en brak zijn nek.'

'En de ander?' vroeg Annie, die merkte dat het gewoon verrassend was om nieuwe dingen te weten te komen over haar ouders, al waren die dan nog zo triviaal.

'Er was ook een vrouw, een oud-studente van me, eerlijk gezegd, die erin slaagde contact te krijgen met je ouders. Ze was jong en knap, wat de boel in principe had kunnen compliceren.' Hij zweeg even, om te zien of ze begrepen wat hij bedoelde. Annie keek hem met een uitgestreken gezicht aan en Hobart vervolgde: 'Daarmee bedoel ik op seksueel gebied. Maar na een tijdje verdween ze weer uit beeld, toen duidelijk werd dat je ouders alleen geïnteresseerd waren in kunst. Volgens mij heb ik een hele tijd later in het universiteitsblad gelezen dat ze getrouwd was en kinderen had gekregen. Ze bleek dus normaal te zijn. Meestal vind je het vreselijk als zoiets gebeurt, maar in haar geval was dat het beste. Een doodgewoon leven is het volmaakte toevluchtsoord voor een slechte kunstenaar.'

Annie herinnerde zich plotseling glashelder een verrassend jonge vrouw die haar ouders had geholpen met een van hun vroege projecten. Ze heette Bonnie, of misschien Betty, en had net gedaan alsof Buster en Annie niet bestonden. Voor haar waren er alleen de twee kunstenaars op wie ze indruk wilde maken. Bewonderaars van Caleb en Camille deden wel vaker alsof Buster en Annie onzichtbaar waren, om zo de mate van concentratie te behouden die hun ouders verlangden. Zeker in Annies ogen was dat begrijpelijk.

'Verder nog iemand?' vroeg ze. Hobart schudde zijn hoofd. Het werd laat en de hemel verduisterde langzaam, op een haast magische manier. Het kostte Hobart moeite om recht overeind te blijven zitten. Zijn schouders waren ingezakt en het was alsof hij een klein, nerveus dier in het kommetje van zijn zacht maar onbedaarlijk trillende handen had. 'Niemand heeft ooit een innige band opgebouwd met Caleb en Camille,' zei hij. 'Het was altijd jullie vieren, in jullie eigen kleine wereldje. Daar kon niemand tussenkomen.' Hobart zei die laatste zin zo dat Annie niet zeker wist of hij dat nou goed of slecht vond. Hadden hun ouders naar zijn idee van hen gehouden, of waren ze hun gijzelaars geweest? Ze durfde het niet te vragen.

'We moeten weer eens gaan,' zei Annie. 'We hebben je lang genoeg lastiggevallen.'

'Nee, ga nog niet weg,' zei Hobart, die plotseling overeind sprong. 'Het is al laat. Jullie kunnen blijven slapen. Ik kook wel iets.'

Annie schudde haar hoofd. Buster gaf haar een por, maar ze bleef Hobarts aanbod afslaan. 'Nee, we moeten echt gaan.'

'We hebben nog niet eens over mijn werk kunnen praten,' zei Hobart. Het was alsof zijn lichaam door zijn overduidelijke wanhoop opzwol en plotseling zo veel ruimte in beslag nam dat Annie en Buster zich in het nauw gedreven voelden.

'We moeten het vliegtuig halen,' zei Annie, al hadden ze in werkelijkheid geen retourvlucht geboekt en ook geen hotel. 'Bedankt voor je hulp.'

'Ik heb geen ene moer gedaan,' zei Hobart schouderophalend. 'Alleen wat advies gegeven dat jullie volgens mij toch niet opvolgen.'

Hobart omhelsde Annie en kuste haar en gaf Buster een hand.

'Jullie zijn grote kunstenaars,' zei Hobart terwijl Annie en Buster naar hun huurauto liepen. 'Jullie kunnen kunst en realiteit van elkaar scheiden. Veel zogenaamde kunstenaars kunnen dat niet.'

'Dag, Hobart,' zei Annie terwijl ze startte.

'Kom nog 'ns langs,' zei Hobart.

Annie gaf zachtjes gas en de auto reed langzaam de oprit af. In haar spiegeltje zag ze Hobart weer naar binnen schuifelen. Hij deed de deur dicht en toen werd het hele huis donker.

Tijdens de terugrit naar San Francisco vroeg Buster wat ze nu moesten doen. Hun mogelijkheden waren zo beperkt dat ze niet langer om het gevoel heen konden dat alles misschien op een fiasco zou uitdraaien. In feite zat er niets anders op dan terug te gaan naar huis. Ze hadden totaal geen aanwijzingen. De weinige aanknopingspunten die ze hadden gehad, waren afgevallen na hun gesprek met Hobart. Annie had geen flauw idee hoe ze hun zoektocht moesten voortzetten. Buster lag inmiddels te slapen en snurkte zacht. Annie gaf gas en de koplampen sneden door het duister. Ze besefte dat ze met lege handen stonden en kon het gevoel niet van zich afzetten dat dit een soort wedstrijd was, tussen Buster en zij en haar ouders. En als ze die gedachtegang volgde, was ze gedwongen toe te geven dat haar ouders gewonnen hadden. Ze waren voor onbepaalde tijd verdwenen, misschien wel voorgoed, en het enige wat zij kon bedenken was om maar terug te gaan naar huis.

Ze waren te laat om nog een vlucht te halen, dus zette Annie de auto bij langparkeren en liet haar stoel zakken. Net toen ze haar ogen dichtdeed vroeg Buster, nog half in slaap: 'Wat doen we nu?'

'Morgenochtend gaan we terug naar Tennessee,' zei Annie.

'En pa en ma dan?' vroeg hij.

'Misschien heeft Hobart wel gelijk,' zei Annie, die haar gedachten van de afgelopen uren onder woorden bracht. 'Misschien hebben ze zich vergist door zich van ons af te zonderen, zonder er rekening mee te houden dat wij ze weleens zouden kunnen vergeten. Misschien hebben wij nu de overhand.' Dat was, in het kader van het spel dat naar haar idee bestond tussen hen en hun ouders, de enige overwinning die nog mogelijk was. Het spel gewoon op hun eigen voorwaarden beëindigen.

'Misschien,' zei Buster zonder veel overtuiging. Voor Annie antwoord kon geven, sliep hij alweer. Annie deed ook haar ogen dicht. De auto was een dunne huls die hen beschermde tegen de boze buitenwereld en Annie sliep beter dan ze in weken had gedaan, samen met haar broer opgesloten in een voorwerp dat volledig tot stilstand was gekomen.

Annie en Buster belden vrijwel dagelijks met de politie, maar er was nog steeds niets te melden over de creditcards van hun ouders en ook geen nieuws over vreemde activiteiten door mensen die aan hun signalement beantwoordden. 'Hoe langer het duurt, hoe lastiger het wordt,' zei de sheriff en ze begrepen precies wat hij bedoelde.

Annie hield het huis schoon, kookte, ging dagelijks vijf kilometer hardlopen en keek naar minstens één oude film op de video, terwijl Buster bijna de hele dag doorbracht op zijn kamer, werkend aan iets wat zo noodzakelijk voor hem was dat hij het niet eens aan Annie kon uitleggen. Ze was op een keer zijn kamer binnengekomen toen hij zat te schrijven en had een stuk papier gezien met daarop de woorden: *We zijn vluchtelingen. We zijn vluchtelingen. We leven op een grens. We leven op de grens. De wet is op zoek naar ons. De wet is watertandend op zoek naar ons. Een stad vol goudzoekers. Een sloppenwijk vol goudzoekers. We leven op de grens, een sloppenwijk vol goudzoekers. We zijn vluchtelingen en de wet is watertandend op zoek naar ons. We=? De grens=?*

'Buster,' vroeg Annie, wijzend op de haastig neergekrabbelde woorden, 'wat is dit?' Buster schudde zijn hoofd. 'Dat weet ik ook niet,' zei hij. 'Maar ik ben wel van plan erachter te komen.' Annie liet hem verder beuken op zijn computer en luisterde naar het heftige geluid van zijn handen die iets uit niets maakten. Ze was een beetje jaloers op hem omdat hij zijn kunst zo gemakkelijk met zich kon meedragen. In tegenstelling tot Buster had zij scriptwriters zoals Daniel nodig om tekst voor haar te schrijven, regisseurs zoals Freeman om haar te vertellen hoe ze de tekst moest brengen en acteurs zoals Minda om de tekst tegen te zeggen. Ze had vaak gedacht dat Busters eenzaamheid, altijd maar in zijn eentje, schrijvend op een klein kamertje, een van de redenen was waarom het mis met hem was gegaan, maar nu dacht ze dat het ook juist heel interessant zou kunnen zijn om iets te creëren zonder dat anderen zich daarmee bemoeiden. Aan de andere kant kon ze zich niet voorstellen dat ze ooit iets anders zou doen dan acteren. De manier waarop ze een tekst geloofwaardig maakte, de aanwijzingen van de regisseur in zich opnam en daar een scène uit opbouwde, naar een andere acteur keek en zichzelf wijsmaakte dat ze van hem hield. Annie keek op haar kamer naar een film waarin een beeldschone, roofzuchtige actrice onder een straatlantaarn stond met een zakdoek in haar mond, nadat ze van een panter weer was terugveranderd in een vrouw. Annie vond het jammer dat zij geen actrice was geweest in die tijd, toen je gewoon nog bizarre dingen kon doen zonder dat iemand zich daar druk om maakte.

Annie had maar één keer haar e-mail gecheckt na haar vlucht uit Los Angeles. Er was een mailtje geweest van Daniel, dat ze gewist had zonder het te openen. Er was een mailtje geweest van haar agent, met als onderwerp *Tijd voor een nieuwe zakelijke relatie*. Dat had ze ook gewist zonder het te lezen en verder was er alleen maar spam geweest.

Nu ze weer inlogde, zag ze dat ze een nieuw bericht had van Lucy Wayne, de regisseur van *Date Due*. Annie had haar al tijden niet meer gesproken. Ze had zich zo opgelaten gevoeld na de film van Freeman en alle heisa rond haar privéleven dat ze Lucy uit de weg was gegaan, uit angst dat ze te horen zou krijgen dat ze haar teleurgesteld had. Het onderwerp van het mailtje was *Nieuws*. Annie klikte het aan en las:

Ha Annie,

Ik heb je wel honderd keer geprobeerd te bellen. Volgens je agent was je ondergedoken, maar hij heeft me je e-mailadres gegeven, om op die manier met je in contact te komen. Ik heb veel aan je gedacht en nadat ik hoorde over je ouders, begon ik me zorgen om je te maken. Ik hoop dat alles oké is, al kan ik me niet voorstellen dat je op dit moment goed in je vel zit. Ik weet hoe gecompliceerd je relatie met Caleb en Camille was en hoewel we elkaar al een tijd niet meer gesproken hebben, zou ik je dolgraag weer eens willen zien.

De voornaamste reden voor dit bericht is dat ik het script voor mijn volgende film af heb en dat jij de laatste tijd veel door mijn hoofd spookt. De hoofdpersoon, de vrouw waar ik nu anderhalf jaar over geschreven heb, kan ik gewoon niet voor me zien zonder meteen aan jou te denken. Ik denk dat ik dit personage in veel opzichten gecreëerd heb met jou in gedachten. Ik weet natuurlijk niet hoe je situatie op dit moment is, en of je weer geïnteresseerd zou zijn in acteren, maar ik denk wel dat je geknipt zou zijn voor deze rol. Ik ben bezig de financiën rond te krijgen, al denk ik wel, nadat Paramount mijn laatste film min of meer om zeep heeft geholpen met hun bemoeizucht, dat ik deze keer weer voor de onafhankelijke weg kies. Dus veel geld zal er niet inzitten, maar toch hoop ik dat je het zult overwegen. Ik heb het script als bijlage toegevoegd, zodat je het kunt lezen als je dat wilt. Ik kijk uit naar je mening, maar nog veel meer naar een hernieuwde samenwerking. Ik zou dolgraag weer dezelfde opwinding voelen als tijdens het maken van Date Due, *en daar had jij een heel groot aandeel in.*

Schrijf me als je kunt,
Lucy Wayne

Voor ze *Date Due* had geschreven en geregisseerd, was Lucy een niet onbekende conceptual artist geweest binnen het kunstwereldje van Chicago. Haar eigen ouders waren minimaal beroemde fotografen geweest. Lucy voorzag dekens van vreemde teksten in zwarte kruissteken, zoals *Meer Kon Ik Niet Voor Je Doen* en *Ren Blootsvoets Naar de Zee en Weer Terug* en *Klap In Je Handen en Laat het Regenen.* Ze deelde de dekens uit onder de daklozen in de stad en algauw was Chicago vol van die tekstborden op dekenformaat. Vervolgens zwierf Lucy door de stad met een videocamera, op zoek naar haar eigen creaties, en vertoonde het resultaat in galeries. Ze begon gesproken tekst toe te voegen, vormde een deel van het materiaal om tot korte films die op diverse festivals werden vertoond en belandde op die manier in de filmwereld. Annie herinnerde zich dat Lucy diep onder de indruk was geweest toen ze hoorde dat Annie Kind A was. 'Ik was smoorverliefd op je ouders,' zei Lucy. 'Ik had dolgraag hun kind willen zijn.' Annie, die op dat moment nog probeerde iedere connectie met de Fangs te verbreken, zei alleen maar: 'Ze zouden gehakt van je hebben gemaakt.'

Lucy's nieuwste script, *Favor Fire,* ging over een vrouw die oppas wordt bij een echtpaar in het westen van Canada. De kinderen van het echtpaar hebben de neiging af en toe spontaan in brand te vliegen. Zelf worden ze niet gedeerd door de vlammen, maar het is de taak van de oppas om te voorkomen dat het huis afbrandt en het vuur in bedwang te houden. De vader en moeder, rijk, intellectueel en eindeloos wreed, heersen over het landhuis en hebben kritiek op alles wat de oppas doet. De vier kinderen, in leeftijd variërend van vijftien tot zes, zijn lief maar eenzaam, door hun omstandigheden en de duidelijke afkeer die hun ouders van hun vreemde aandoening hebben. Vandaar dat ze afhankelijk zijn van de oppas als het om ontspanning of nieuws uit de buitenwereld gaat. Na verloop van tijd, als de vrouw beter met haar verantwoordelijkheden leert omgaan, ontwikkelt ze een obsessie voor vuur, lucifers en vonken en moet ze voortdurend weerstand bieden aan de verleiding om de kinderen juist aan te sporen in brand te vliegen. Aan het einde van de film brandt het huis – hoe kan het ook anders – tot de grond toe af en worden de kinderen meegenomen door de oppas. Ze laten de ouders achter, verlaten British Columbia en trekken de ijzige, zuivere kou van de Yukon in.

Annie was onder de indruk van de vreemde emoties in het script en de onaangename manieren waarop de vrouw bijna onwillekeurig toegeeft aan de gevaren van het gezin. De film zou vrijwel geheel op één locatie gedraaid worden, in het landhuis, en had iets claustrofobisch door die constante dreiging van brand. Annie realiseerde zich dat het niet gemakkelijk zou zijn om de film te maken, maar wel heel spannend, als alles op zijn plaats zou vallen. Net als *Date Due* ging het over iemand die toegeeft aan haar slechtste impulsen, maar die er op de een of andere manier toch in slaagt de beproeving te overleven. Annie vroeg zich af of Lucy haar zo zag, als een vrouw die nooit echt gedeerd zou worden door de vreselijke keuzes die ze steeds weer maakte. Ze minimaliseerde het document en schreef een e-mail aan Lucy met daarin alleen: 'Geweldig. Ik doe mee.'

Zodra ze het mailtje verzonden had, gunde ze zichzelf een toekomstvisie waarin ze níét eindeloos op zoek was naar haar ouders. En toen, omdat ze besefte dat dat mogelijk was, stelde ze zich een toekomst voor waarin haar ouders al gevonden waren. En vervolgens, omdat er niemand was om dat op niets gebaseerde optimisme te temperen, stelde ze zich een toekomst voor waarin haar ouders nooit bestaan hadden. Zodra ze zichzelf dat wonderbaarlijke visioen had toegestaan, zodra het vorm had aangenomen, verdampte het ook onmiddellijk weer. Het ging in rook op toen Annie besefte dat ze zonder haar ouders niet bestaan zou hebben. Al deed ze nog zo haar best, ze kon geen manier bedenken waarop ze eerder geboren kon worden dan haar ouders, waarop ze hen in kon halen. Nee, het ging helaas niet zonder haar ouders, nog jong en onervaren, zich totaal niet bewust van het feit dat hun pad onvermijdelijk gekruist zou worden door hun kinderen, Annie en Buster, al hadden die hun naam nog niet gekregen.

[licht, camera, actie, 1985
kunstenaars: caleb en camille fang]

Bonnie keek hoe de Fangs door de studio ijsbeerden, zonder acht te slaan op elkaar. Ze wachtten gewoon op wat er komen ging, met zulke uitgestreken gezichten dat ze geen mensen leken maar robots, geprogrammeerd om louter en alleen hun taken uit te voeren, zonder enige afwijking, hoe gruwelijk de omstandigheden ook zouden worden en ondanks de chaos die onvermijdelijk zou volgen. Toen alles eindelijk perfect in orde was stond Caleb op uit zijn regisseursstoel en ging achter de cameraman staan. 'Actie!' riep hij. Het kostte Bonnie, zwetend in haar verpleegstersoutfit, de grootste moeite om haar handen niet te laten trillen. Ze vroeg zich af hoe ze dit gezin ooit bij zou kunnen houden, hoe ze hen in hemelsnaam zou kunnen helpen om iets bijzonders te creëren.

Eerder dat jaar had ze voor het eerst van de Fangs gehoord, toen ze Hobarts Waxmans *Inleiding tot Betekenisvolle Kunst* had gevolgd. Tijdens die cursus hadden ze een van de eerste werken van de Fangs bestudeerd, waarin Caleb een aantal zelfgemaakte lichtkogels op zijn rug had getapet en met zijn negen maanden oude zoon in zijn armen in brand was gevlogen in een overvol winkelcentrum. De vlammen spoten onder zijn jas vandaan en rook kolkte uit zijn broekspijpen maar hij bleef gewoon door het winkelcentrum lopen met zijn kind in zijn armen. Het werd allemaal gefilmd door Camille, die op de eerste verdieping stond en met haar camera over de balustrade hing om goed te kunnen focussen op de emotieloze gezichten van Caleb en, nog veel verrassender, de baby, terwijl de rest van het winkelende publiek probeerde te begrijpen wat zich voor hun ogen afspeelde. 'Dit,' had Hobart tegen zijn leerlingen gezegd, 'is zo rudimentair en staat zo los van alle tradities dat je je bijna zou gaan afvragen of het nog wel kunst is. De Fangs werpen gewoon hun eigen lichamen in een ruimte, alsof het handgranaten zijn, en wachten dan tot de chaos losbreekt. Ze hebben geen verwachtingen, anders dan het voornemen om onrust te veroorzaken. Als je dit als een van de weinigen persoonlijk hebt meegemaakt is het dubbel zo verontrustend, omdat de Fangs zich niets lijken aan te trekken van de mentale en soms ook fysieke pijn die met hun performances gepaard gaat.' Bonnie keek hoe Caleb, die duidelijk brandwonden moest oplopen, doodkalm door het winkelcentrum liep. Bonnie had het gevoel dat ze gehypnotiseerd werd door zijn bewegingen. Caleb Fang baadde in vuur en beschermde zijn zoon tegelijkertijd tegen de vlammen. Het leek zo onnodig maar ook zo intens boeiend dat Bonnie op slag verliefd werd, niet op de kunst maar op de Fangs.

Ze wist Hobart Waxman een postadres van de Fangs te ontfutselen, na het nodige geflirt, want ze begon te beseffen dat ze veel bereiken kon met behulp van haar eigen niet onaanzienlijke schoonheid. Ze schreef Caleb en Camille de ene brief na de andere en hoopte op antwoord, al wist ze eigenlijk niet wat voor antwoord dan wel. Ze vertelde hen over haar eigen artistieke verlangen, namelijk om een nederig onderdeel te zijn van een project van de Fangs.

De Fangs reageerden niet en dat kon Bonnie hen niet kwalijk nemen. Ze hadden iets volmaakts tot stand gebracht, dus waarom zouden ze dat verstoren door een buitenstaander toe te laten, en dan vooral eentje die zelf geen artistieke visie had? Bonnie deed nu al maanden haar best om een eigen performance te bedenken, een unieke act die de absurditeit van het leven zou blootleggen, maar ze was niet in staat om nieuwe ideeën te verzinnen. Als ze een bestaand kunstwerk zag, begreep ze waarom het wel of geen succes was, maar ze kon die kennis niet aanwenden om iets origineels te creëren, of zelfs maar een herinterpretatie van een bestaand werk. Ze was, zoals Hobart zo vriendelijk mogelijk had uitgelegd, in feite niet meer dan een criticus.

Ze keek naar nog enkele video's van de Fangs die Hobart haar had geleend en die soms zo korrelig en amateuristisch waren dat het moeilijk was om te zien wat er gebeurde. Konden de Fangs nou maar gebruikmaken van goede belichting, een cameraman die wist wat hij deed en meerdere camera's, om alle nuances vast te leggen! Konden de Fangs hun kunst maar maken zoals ook speelfilms werden gemaakt! Tegelijkertijd besefte Bonnie dat dat onmogelijk was en dat juist het belangrijkste aspect van hun performance verloren zou gaan als je de aandacht vestigde op het feit dat er iets ging gebeuren, dat er iets vastgelegd moest worden.

En toen realiseerde ze zich wat ze de Fangs kon bieden, hoe ze hun werk kon verbeteren en zichzelf nuttig kon maken. Ze konden wél gebruikmaken van alle techniek die bij een echte film hoorde, van alle mensen die zo'n film het aanzien waard maakten, zonder de spontaniteit te verliezen die cruciaal was voor hun werk. Het was zo volmaakt dat Bonnie zichzelf voor het eerst de flauwe hoop toestond dat ze misschien toch een kunstenaar zou blijken te zijn.

Caleb was naar Los Angeles gevlogen om met Bonnie samen te werken terwijl Camille en de kinderen zich voorbereidden op hun rollen. Toen Bonnie Caleb afhaalde van het vliegveld, met haar allerkortste rokje aan en haar haar zo gestyled dat het was alsof ze van honderden meters hoogte was gevallen en precies aan Calebs voeten was geland, gaf hij haar alleen maar een hand en begon toen meteen te praten over wat hij nodig had om zijn visie om te zetten in realiteit. Bonnie zocht vlug een blocnote in haar tasje en volgde Caleb, haastig een stortvloed aan instructies noterend waarvan Caleb verwachtte dat die exact zouden worden opgevolgd. 'Ik ga ervan uit dat je capabel bent,' zei hij toen ze eindelijk in haar auto zaten en door de straten van de stad reden. 'Mijn gezin is uitermate capabel, dus ik reken erop dat je zult doen wat ik wil.' Bonnie knikte. 'Ik doe alles wat je verlangt, Caleb,' zei ze. 'Wat je ook van me vraagt, ik zal ervoor zorgen dat het gebeurt.' Caleb glimlachte en roffelde met zijn vingers op zijn dij. 'Dit zou weleens echt bijzonder kunnen worden, Bonnie,' zei hij. 'Een nieuw hoofdstuk voor de familie Fang.' Hoewel hij het niet met zoveel woorden zei, maakte Bonnie zichzelf wijs dat zij nu ook tot die familie behoorde.

Ze werkten snel en huurden camera's, belichting en een kleine studio, allemaal voor een week. Ze namen een crew in dienst, om voor drie dagen aan een korte film te werken en beloofden vooruit te betalen. Ze huurden een documentaireploeg om het maken van de film vast te leggen. Caleb werkte aan een script terwijl Bonnie, die al twee weken niet naar de universiteit was geweest, iedere ochtend naar Calebs hotelkamer ging om hem van de vorderingen op de hoogte te houden. 'Ik wil dat jij ook een rol speelt in de film,' zei hij en Bonnie had het idee dat ze misschien samen seks zouden hebben, maar Caleb liet nooit ergens uit blijken dat hij zich lichamelijk tot haar aangetrokken voelde. Hij was maar op één ding uit: het maken van iets verbluffends, en daardoor wilde Bonnie nog liever met hem neuken.

Uiteindelijk arriveerden ook de overige Fangs. De kinderen, Annie en Buster, waren zo emotieloos dat Bonnie het moeilijk vond om met hen om te gaan. Ze waren zes en acht, maar leken net kleine volwassenen en Bonnie, die zich helemaal niet volwassen voelde, vond het gewoon gemakkelijker om geen contact met hen te hebben. Ze verzonnen ingewikkelde spelletjes waar Bonnie niets van begreep en speelden die urenlang, zonder zich ook maar iets aan te trekken van alle activiteiten in de ruimte, tot een van hun ouders hen riep. Dan staakten de kinderen onmiddellijk hun spel en liepen ze vlug naar Caleb en Camille. En

Camille, nou, dat was moeilijk voor Bonnie. Ze was heel hartelijk en stond constant met bemoedigende woordjes klaar, zodat Bonnie zich na verloop van tijd afvroeg of ze niet beter met Camille naar bed kon gaan in plaats van met Caleb; ze merkte dat het haar niet meer kon schelen hoe ze zich in het gezin binnenwerkte. Ze wilde alleen nog maar een van hen zijn.

Eindelijk draaiden de camera's en bracht Bonnie, die de verpleegster speelde, de kinderen de kamer binnen. Camille, de zieke moeder van de kinderen, kwam moeizaam op één elleboog overeind en zei dat ze dichterbij moesten komen. 'Ik wil die mooie kinderen van me zien,' zei ze, maar nog voor ze de zin helemaal had uitgesproken riep Caleb al: 'Cut!' De crew stelde de apparatuur in voor een nieuwe take en Caleb zei: 'Oké, Jane, iets meer emotie, graag. Je hebt je kinderen in maanden niet gezien en nu staan ze opeens voor je. Begrijp je wat ik bedoel?'

Camille knikte. 'Moet lukken,' zei ze.

Licht, camera, actie.

Bonnie bracht de kinderen opnieuw naar binnen en Camille boog zich voorover en zei: 'Ik wil die mooie kinderen van me zien!'

'Cut!' riep Caleb. 'Oké, misschien was dat weer ietsje teveel emotie. Je hebt tenslotte terminale kanker. Ergens ertussenin, zou ik zeggen.'

'Begrepen,' zei Camille en ze stak haar duim op.

Licht, camera, actie.

Bonnie bracht de kinderen binnen en Caleb riep: 'Cut!' De filmcrew bracht alles vlug weer in gereedheid en de documentairecrew focuste op Caleb terwijl die zei: 'Oké, Bonnie, misschien breng je de kinderen wat te vlug naar binnen. Hun moeder ligt op sterven; ze is er slecht aan toe. Je wilt ze niet graag laten zien hoe het met hun moeder is.'

Bonnie knikte, te zenuwachtig om iets te kunnen zeggen.

Licht, camera, actie.

Bonnie bracht de kinderen binnen en Camille boog zich voorover en zei: 'Ik wil die mooie kinderen van me zien,' en Caleb riep: 'Cut!' Hij drukte peinzend zijn wijsvinger tegen zijn voorhoofd en zei toen: 'Laten we die zin eens proberen zonder het woord *mooie*, ja? Misschien ligt het er anders wel erg dik bovenop.' Camille stak opnieuw haar duim op tegen de regisseur.

Licht, camera, actie.

Bonnie bracht de kinderen binnen en Camille boog zich voorover en zei: 'Laat me die –' en Caleb riep: 'Nee, oké, cut! Sorry, Jane, maar het is toch beter met *mooie* erin. Sorry.'

Licht, camera, actie.

Bonnie bracht de kinderen binnen en Camille boog zich voorover en zei: 'Laat me die mooie kinderen van me zien,' en Caleb zei: 'Cut! Nee, wacht, sorry hoor. Hadden we nou al gezegd dat we *mooie* er toch in zouden houden?' Camille glimlachte geduldig en zei: 'Ja. Je wilde graag *mooie kinderen*.'

'Oké,' zei Caleb en hij stak verontschuldigend zijn hand op. 'De volgende take moet lukken.'

Licht, camera, actie.

Bonnie bracht de kinderen binnen, Camille boog zich voorover en Caleb schreeuwde: 'Cut! Oké, Jane, je buigt je wat te ver voorover. Dat komt zo wanhopig over. Ik wil graag een langzame, geleidelijke beweging richting de kinderen. De mooie kinderen.' Camilles glimlach verstrakte en ze zei: 'Kun je het niet even voordoen?' maar Caleb wuifde die suggestie weg. 'Ik zie het meteen als het goed is,' zei hij.

Licht, camera, actie.

Bonnie bracht de kinderen binnen en Camille boog zich voorover en zei: 'Ik wil die mooie kinderen van me zien,' en Caleb riep uiteraard: 'Cut! Oké, ik hoor niet genoeg nadruk op het woordje *ik*. *Ik* wil die mooie kinderen van me zien. Je hebt ze per slot van rekening al maanden niet gezien.' Camille leek verward, maar knikte toch maar. 'Ik zal het proberen,' zei ze.

'Ik denk dat deze take het gaat worden,' zei Caleb.

Drie uur later hadden ze nog steeds niet één take die Calebs goedkeuring kon wegdragen. Hij richtte zijn meeste woede op Camille, de stervende vrouw in het bed die inmiddels schor was omdat ze zo vaak dezelfde zin had moeten zeggen, maar had ook regelmatig kritiek op Buster en Annie vanwege de overduidelijke fouten die zij maakten in hun zwijgende rollen. De kinderen huilden nu soms tussen de opnames door en dan zei Caleb: 'Gebruik dat. Gebruik die emotie tijdens de volgende take.' Camille maakte een obsceen gebaar naar hem vanuit haar bed. 'Krijg de klere,' zei ze. 'Actie!' riep Caleb.

Na een tijdje begon hij ook aanmerkingen te maken op de belichting, het camerawerk en de geluidsman. 'Hoor eens, man,' zei een lid van de crew, 'zeg nou gewoon wat je wilt voor we een opname maken, dan zorgen wij er wel voor dat het goed komt.' Caleb keek naar de camera van de documentaireploeg en schudde vol ongeloof zijn hoofd. 'Ik weet pas wat ik wil als ik het zie,' zei hij. 'Nou, zo werkt het niet,' zei het crewlid. Caleb snoof. 'Het is anders wel zoals ík werk, en ik heb tientallen prestigieuze onderscheidingen gekregen, op filmfestivals over de hele wereld!'

Licht, camera, actie.

Bonnie bracht de kinderen binnen en Camille boog zich voorover en zei: 'laat me die mooie kinderen van me zien.' Caleb keek zwijgend toe, met zijn armen over elkaar, en dus loodste Bonnie de kinderen naar het voeteneinde van het bed, zodat Camille met haar hand over Busters gezicht kon strijken. 'Cut!' riep Caleb. 'Ik wil dat je eerst het gezicht van het meisje aanraakt en dan pas dat van de jongen.'

Camille begon met haar vuisten op het kussen te beuken. 'Wat heb je toch?' schreeuwde ze.

'Ik wil gewoon dat het perfect wordt,' antwoordde Caleb.

Buster en Annie begonnen luid te snikken en Camille sloot de kinderen in haar armen. Bonnie wist niet of dat nou echt was of deel uitmaakte van de performance. Een van de crewleden probeerde Caleb tot rede te brengen en legde een sussende hand op zijn schouder, maar die sloeg Caleb weg. 'Blijf van me af!' schreeuwde hij. Hij gebaarde naar de documentairecrew en zei: 'Doorgaan met filmen! Dit is het creatieve proces van een genie en ik wil dat jullie dat tot in het kleinste detail vastleggen.' Meteen nadat hij dat gezegd had, griste Caleb het script van zijn stoel en scheurde het in kleine stukjes. 'Oké, dan maar geen script!' zei hij. 'We gaan gewoon alles improviseren.' De filmcrew stond nu gewoon over de set verspreid en staarde naar Caleb. 'Licht, camera, actie!' schreeuwde Caleb, maar niemand verroerde zich. Hij duwde de cameraman naar de camera en een van de andere crewleden sprong op Caleb af en nam hem in een hoofdgreep. Een ander greep hem bij zijn benen, zodat hij niet kon schoppen, en samen sleepten ze hem weg. Vijf minuten later stormde Caleb de set weer op en begon met zijn regisseursstoel te zwaaien alsof het een wapen was. Vervolgens pakte hij de camera af van de documentairecrew en ontsloeg iedereen op staande voet. 'Klaar met filmen!' schreeuwde hij. De crew verliet haastig de set, terwijl ze in het voorbijgaan obsceniteiten schreeuwden tegen Caleb. Zodra alleen de Fangs en Bonnie nog over waren, hielden de kinderen onmiddellijk op met huilen en glimlachten breed. Camille barstte in lachen uit en klapte langzaam, terwijl Caleb diep boog. Zijn neus bloedde en zijn shirt was zo erg gescheurd dat het half omlaag hing, maar hij haalde zijn schouders op en vroeg aan zijn familie: 'Wat vonden jullie ervan?' Camille knikte en zei: 'Gewoonweg schitterend.' Bonnie kon zich niet verroeren. Ze had het gevoel alsof ze in shocktoestand verkeerde en pas na bijna tien minuten zag Caleb dat Bonnie huilde, met hakkelende snikken die in hikgeluidjes eindigden. 'Jij was ook geweldig, Bonnie,' zei hij. 'Echt goed gedaan.' Hij gebaarde naar de rest van het gezin. Iedereen ging om Bonnie heen staan, legde hun handen op haar schouders en wreef over haar rug. 'Ik was doodsbang,' zei Bonnie. 'Heel goed,' zei Camille. 'Dat is precies hoe je je voelen moet.'

Ze zetten de apparatuur bij elkaar en verzamelden ieder stukje film, zodat ze het later konden monteren. Toen de boel was opgeruimd, stelde Caleb voor hun succes te gaan vieren en begonnen de kinderen te juichen. 'Ik denk dat ik naar huis ga,' zei Bonnie. 'Het zware werk zit erop,' zei Caleb. 'Nu kunnen we relaxen en bespreken hoe het allemaal gegaan is.' Bonnie kon niets bedenken wat ze minder graag wilde dan de afgelopen uren nog eens herbeleven. 'Ik denk niet dat ik dat kan,' zei ze. 'Ik denk niet dat ik kan doen wat jullie doen. Ik ben geen kunstenaar.'

Camille legde haar hand op Bonnies arm en zei: 'De eerste keer is altijd moeilijk. Je voelt heel veel emoties en je weet niet op welke je moet vertrouwen. Je weet dat het niet echt is, maar het voelt zo echt aan dat je je onwillekeurig toch rot voelt. Dat gaat over, geloof me.' Bonnie schudde haar hoofd. 'Ik kan het gewoon niet,' zei ze. 'Je hebt echt talent, Bonnie,' zei Caleb. 'Je wordt heel bijzonder, dat voel ik gewoon. Je gaat iets heel bizars maken, iets wat wij vieren ook ontzettend mooi zullen vinden.' Het hele gezin kwam om Bonnie heen staan en omhelsde haar, tot ze het gevoel had dat ze het zou uitgillen. En toen dansten de Fangs weg, hun lichamen tintelend van plezier omdat ze iets waardevols hadden gecreëerd. Bonnie keek hen na terwijl ze de straat uit liepen, een gezin dat zo hecht was dat het nooit gescheiden zou kunnen worden.

hoofdstuk tien

Buster kon het gevoel maar niet van zich afzetten dat hij en zijn zus thuis bespioneerd werden, al wist hij niet door wie. Of eigenlijk wist hij dat wel degelijk: door Caleb en Camille. Op een avond verwijderde Buster alle luchtroosters, keek onder alle lampenkappen en streek met zijn vingers over de vezels van het tapijt, om te voelen of ergens microfoontjes verborgen waren. Annie kwam zijn kamer binnen terwijl hij op zijn knieën op de grond zat en zijn vingers behendig over het tapijt liet glijden, alsof hij iets in braille las. 'Wat doe je daar, Buster?' vroeg Annie. Hij keek op, terwijl het gonsde in zijn hoofd en het bloed ruiste in zijn oren en hij zei: 'Ik ben iets kwijt.' 'Wat dan?' vroeg Annie. Buster staarde weer naar het tapijt en zei: 'Dat weet ik niet.'

Buster raakte er steeds meer van overtuigd dat Annie en hij een cruciaal onderdeel vormden van het project van hun ouders. Ze waren verdwenen, en nu was het de taak van Annie en Buster om te bedenken wat er gedaan moest worden om hun ouders terug te laten keren uit de wereld der vermisten en het stuk te voltooien. Hoe vaak hadden hun ouders hen niet de wildernis van een winkelcentrum of een park of een privéfeestje ingestuurd en alleen maar gezegd dat ze voorbereid moesten zijn, dat ze zich moesten openstellen voor de oneindige mogelijkheden die hun ouders, machtig als goden, zouden kunnen creëren? En hoe vaak waren

Buster en Annie, met hun supergevoelige reflexen voor de chaos die kolkte onder de oppervlakte van alle levende en niet-levende dingen, niet in staat geweest om precies op de juiste manier te reageren als de voorstelling begon en alles daardoor op een nog hoger – en vreemder – plan te brengen?

Busters angst was dat hij Annie zou vertellen over zijn vermoeden dat ze eigenlijk moesten blijven zoeken naar hun ouders en dat ze dat dan zou weigeren. Het was een delicate zaak om iets anders te willen dan zijn zus. Hij was het niet gewend om in zo'n positie te verkeren en daarom bleef hij zijn oor tegen de muren van het huis drukken, luisterend naar de stemmen van zijn ouders.

'Heb je al eens geprobeerd spiritueel contact met ze te leggen?' vroeg Suzanne terwijl ze in zijn auto zat. De motor draaide en Buster had een van haar verhalen in zijn handen. Sinds zijn terugkeer naar Tennessee zag hij Suzanne nu om de paar dagen. Hij wachtte op de parkeerplaats van de Sonic Drive-In, waar ze 's avonds werkte als serveerster, en als ze pauze had racete ze op haar rolschaatsen naar zijn auto en stapte dan vlug in, terwijl de wieltjes van haar skates nog draaiden. Ze spraken over haar verhalen en hoe ze die kon verbeteren, aten het eten dat ze meebracht en zaten met hun schouders bijna tegen elkaar, terwijl de raampjes langzaam beslagen raakten.

'Wat zei je?' vroeg hij terwijl hij het verhaal neerlegde.

'Nou, als ze dood zijn, zou je kunnen proberen met ze in contact te komen via een seance. Of een ouijabord. Dat kun je kopen bij de Wal-Mart.'

'Ik weet niet of dat wel zo'n goed idee is,' zei hij. 'Ik geloof niet in dat soort zaken, dus zou ik me toch niks aantrekken van wat zo'n ding me vertelde, zelfs niet als m'n ouders echt dood waren en met me probeerden te communiceren.'

'Ik geloof zelf ook niet in dat gedoe,' zei ze, 'maar toch betekent het iets, of niet soms? Je legt je handen op het houten pijltje en laat dat over het bord bewegen en dat zegt iets, ook al is het misschien iets wat je al wist. Je praat in feite tegen jezelf, maar misschien zeg je dan wel dingen die je anders niet zou zeggen.'

'Ik denk het niet,' zei Buster, die het graag over iets anders wilde hebben.

'Misschien begrijp ik niet goed wat er precies aan de hand is,' zei Suzanne zacht en plotseling verlegen. 'Je denkt dat je ouders dood zijn?'

'Dat zou kunnen.'

'Maar ook dat ze nog leven?'

'Misschien wel.'

'En je denkt dat ze dit allemaal met opzet hebben gedaan?'

'Ja.'

'Alleen weet je niet hoe je ze moet vinden?'

'We hebben het wel geprobeerd, maar we zijn er gewoon niet zo goed in.'

'Nou,' zei Suzanne, 'kennelijk laat je dit niet rusten tot je ze gevonden hebt. Maar je hebt geen goede ideeën meer. Misschien is het dan wel tijd voor stomme ideeën.'

'Ga verder,' zei Buster, plotseling geïnteresseerd in haar logica.

'Je moet iets stoms doen, iets onverwachts. Misschien laten ze zich daardoor uit hun tent lokken of komen jullie iets op het spoor.'

'En jij wilt dat we een ouija gebruiken?'

'Misschien wel iets nóg stommers,' zei Suzanne met haar ogen samengeknepen tot spleetjes. Het was alsof ze diep nadacht over ridicule zaken en dat die niet vanzelf bij haar opkwamen.

'Daar zit iets in,' zei Buster. 'Niet slecht.'

'Jij helpt mij,' zei Suzanne met een gebaar naar haar verhaal, waarin Buster zo druk met een rode pen bezig was geweest dat niet duidelijk was wat nou van Suzanne was en wat van Buster. 'Het zou leuk zijn als ik jou ook kon helpen.'

Plotseling kuste ze hem op zijn mond. Buster proefde ketchup en mayonaise, maar ze stond alweer op haar rolschaatsen voor hij kon reageren. Hij keek hoe ze met haar armen pompte, als nauwkeurig afgestelde machineonderdelen, terwijl ze naar de achterlichten van andere auto's schaatste.

Toen Buster de woonkamer binnenkwam, zat Annie te lezen in een boek uit de beperkte verzameling van haar ouders, een doe-het-zelfhandboek voor het omverwerpen van regeringen.

'Volgens mij heb ik een idee,' zei Buster, die zich meteen opgelaten voelde, al wist hij niet of dat was omdat hij dat hardop zei of gewoon omdat het, voor zover hij zich kon herinneren, de allereerste keer was dat hij dit gezegd had.

'Wat voor idee dan?' vroeg Annie.

'We plegen zelfmoord.'

'Dat is wel een héél slecht idee,' zei Annie.

'Nou, niet echt, natuurlijk. We dóén alsof we zelfmoord plegen, om pa en ma uit hun tent te lokken.'

'Met andere woorden, waarom zou je iets origineels verzinnen?' zei Annie. 'Dat lijkt me niet verstandig, Buster.'

'Waarom niet?'

'Als ze echt dood zijn –'

'Maar jij denkt dat ze níét dood zijn!' viel hij haar enthousiast in de rede.

'Dat klopt,' gaf Annie toe.

'En ik ook niet. Dus waarom zouden we het niet proberen?'

'Als we doen alsof we zelfmoord plegen, helpen we alleen ons eigen leven nog meer naar de klote, uitsluitend om onze ouders te vinden die ons graag willen wijsmaken dat ze gewelddadig om het leven zijn gekomen. Klinkt jou dat als gezond in de oren?'

'Ze wíllen dat we iets doen,' zei Buster. 'Ik voel het gewoon. Ik weet het zeker. Ze houden zich verborgen en wachten tot wij de volgende stap zetten, tot we iets in gang brengen.'

'We zouden dit niet meer doen, weet je nog wel? We laten ons leven niet meer bepalen door wat zíj willen,' antwoordde Annie. Haar hele lichaam tintelde nu van woede. 'Ze doen ons pijn,

Buster. En als ze ons opzettelijk pijn doen, om ons voor hun karretje te spannen, dan heb ik veel liever dat ze voorgoed onvindbaar blijven. Dan hoef ik ze nooit meer te zien.' Zodra ze die laatste zin gezegd had, liet ze haar hoofd tegen de rugleuning van de bank zakken en maakte haar woede plaats voor zo'n intense triestheid dat Buster even geen woord meer kon uitbrengen.

Ze zouden altijd in deze impasse eindigen. Buster wilde geloven dat zijn ouders nog van hen hielden, dat ze dit allemaal hadden gepland om te voorkomen dat hun kinderen eronderdoor zouden gaan en om hen sterker te maken. Annie, daarentegen, was ervan overtuigd dat hun ouders bezig waren met iets wat alleen maar voor henzelf was en dat de pijn die ze anderen deden tijdens de uitvoering van hun idee hen onverschillig liet.

'Sorry, Buster, maar ik wil niet dat ze ons dit aandoen,' zei Annie. Ze richtte haar aandacht weer op het boek.

'Het zou iets kunnen zijn,' zei Buster, al had hij geen idee wat hij nou eigenlijk bedoelde. Daarom herhaalde hij het, op luidere toon, tot Annie haar boek neerlegde en hem aankeek. 'Het zou iets kunnen zijn,' zei Buster opnieuw, maar zonder overtuiging. Hij zag zijn ouders in een soort cel van gasbetonblokken, die kalkachtige strepen achterlieten op hun handen. Hij zag ze 's avonds verdrietig tegen elkaar aan zitten, wachtend tot hun kinderen de aanwijzingen zouden ontcijferen die ze haastig hadden achtergelaten en hen zouden bevrijden uit hun zelfgeschapen gruwel. Annie stond op en sloeg haar armen onbeholpen om Buster heen. 'Het zou iets kunnen zijn, goddomme,' zei Buster. 'We maken hier deel van uit, het gebeurt, en zelfs als we niets doen blijven we er toch deel van uitmaken.' Annie hield hem stevig vast en zei: 'Ze hebben ons verkloot, Buster.'

'Niet met opzet,' zei hij.

'Maar toch hebben ze het gedaan,' antwoordde Annie.

Buster zat op zijn kamer. Annie sliep in de kamer ernaast en het geluid van de lucht die door de ventilatieroosters waaide, klonk precies als de ademhaling van zijn ouders. Buster was aan iets bezig, een boek misschien, en herhaalde de regels die hij iedere keer zei als hij weer begon aan het verhaal dat hij zichzelf vertelde, als een soort gebed: 'We leven op de grens, in een sloppenwijk vol goudzoekers. We zijn vluchtelingen en de wet is watertandend op zoek naar ons.' Hij wist nu wie de vluchtelingen waren, een tweeling, broer en zus. Wezen. In de wereld van het verhaal werden zulke kinderen naar gruwelweeshuizen gestuurd, als voorbereiding op de volgende fase: in een ondergrondse arena vechten tegen andere kinderen, als vermaak voor de elite. De broer en zus waren ontsnapt en hadden samen met andere wezen een kamp opgericht aan de grens van het land, in de hoop dat ze zich lang genoeg zouden kunnen verschuilen om volwassen te worden en dus niet meer interessant voor degenen die naar hen op zoek waren. Buster was begonnen met de woorden die de stem van zijn vader had voorgelezen op het recordertje en had inmiddels bijna negentig bladzijden van iets wat zo bizar was dat hij zichzelf steeds moest voorhouden om niet te snel te gaan, om de woorden hun plaats te laten vinden op de pagina, uit angst dat hij het verhaal anders in gruzelementen zou slaan.

Hij wist wat er aan de hand was. Hij was niet dom. De tweeling waren hij en Annie. De ouders die waren gestorven en hen als wezen hadden achtergelaten waren Caleb en Camille. De arena waar de kinderen vochten was gewoon een manier voor Buster om te schrijven over het geweld waar naar zijn idee alles mee zou eindigen. Het zou niet goed aflopen, begreep Buster, maar toch kon hij alleen maar doorgaan. Hij schreef uren achter elkaar, tot pure uitputting hem dwong om naar bed te gaan, en voelde de voldoening die het gaf om iets te scheppen, iets te creëren wat misschien nog niet succesvol was, maar wel het werk van zijn handen.

Als hij even vast zat en een bocht in het verhaal de volgende ontwikkeling aan het oog onttrok, haalde Buster het schilderij tevoorschijn dat hij van zijn moeder had gekregen. Hij hield het verborgen onder zijn bed, bang dat langdurige blootstelling aan de afbeelding de lucht die hij inademde radioactief zou maken. De jongen op het schilderij was zo innig verstrengeld met de tijger met wie hij vocht dat Buster soms de indruk had dat ze elkaar omhelsden, elkaar troostten omdat een van de twee onvermijdelijk moest sterven. De handen van de jongen waren in prikkeldraad gewikkeld en het roestige metaal dat zich in zijn knokkels boorde was zo vakkundig en gedetailleerd geschilderd dat Busters eigen handen pijn begonnen te doen als hij te lang naar het schilderij staarde. Als iemand het hem gevraagd had, had hij niet met zekerheid kunnen zeggen hoe hij zichzelf zag in het schilderij. Was hij de jongen? De tijger? Een van de kinderen die keek naar de strijd? Soms verbeeldde hij zich dat hij het prikkeldraad was, een instrument dat gebruikt werd om alles wat verzet bood aan stukken te snijden, en soms dat hij zich al in de buik van de tijger bevond en dat de jongen uit alle macht probeerde hem te redden. Zijn moeder had dit schilderij speciaal voor hem uitgekozen. Ze had het hem zelf gegeven. En het was op dat moment, terwijl hij op de grond zat met het schilderij in zijn handen en alles om hem heen geluidloos en verstild was, dat Buster plotseling besefte dat hij een methode had gevonden om zijn ouders te laten terugkeren.

Hij duwde de deur van Annies slaapkamer open. De vloer kraakte en Annie zat meteen rechtop in bed, met wijdopen ogen, als iets mechanisch dat haarfijn was afgesteld. Haar stem klonk absoluut niet slaperig toen ze zei: 'Wat nu weer, Buster?' Hij liet haar het schilderij zien, alsof het een schat was die hij wel met iemand móést delen. 'Hiermee gaan we ze vinden,' zei hij.

Toen Annie uit de keuken terugkwam met een koffiebeker vol wodka, was Buster druk bezig de rest van de schilderijen uit Annies klerenkast te halen en op de vloer van haar slaapkamer uit te stallen. 'Hier krijg ik nachtmerries van, Buster,' zei ze, maar Buster bleef ze neerleggen, tegel na tegel, het ene traumatische beeld na het andere. Annie nam een grote slok uit de beker en ging op bed zitten. 'Wat ben je nou precies aan het doen?' vroeg ze.

'Deze schilderijen,' zei Buster met een handgebaar, alsof hij de afbeeldingen zegende. 'Als ma ze zo graag geheim wilde houden, waarom bewaarde ze ze dan hier in de klerenkast? Waarom maakte ze het zo gemakkelijk voor ons om ze te vinden?'

'Ze wilde ze niet voor ons geheim houden, maar voor Caleb,' zei Annie.

'Dat vraag ik me af,' zei Buster, die steeds opgewondener werd terwijl hij praatte. 'Dit zou iets kunnen zijn. Dit zou precies kunnen zijn wat we zochten.'

'Ik begrijp je niet, Buster. Ik begrijp hier helemaal niets van,' zei Annie, die ook naar de schilderijen gebaarde, maar zonder ernaar te kijken.

'Dit is voor de buitenwereld totaal onbekende kunst van de Fangs. Ik denk niet dat ma echt wilde dat we ze zouden vernietigen. Ik denk dat ze hierdoor terug zullen komen, dat dit de aanleiding is waardoor pa en ma weer op zullen duiken.'

'Door die schilderijen?' vroeg Annie.

'Een expositie,' zei Buster. 'We vragen een belangrijke galerie om deze schilderijen tentoon te stellen. De geheime kunst van Camille Fang. We zorgen ervoor dat het zoveel mogelijk publiciteit krijgt. We geven ze een platform en een hoop belangstelling en laten ze dan de boel in de war sturen.'

'Je hebt hier niet goed over nagedacht, Buster' zei Annie.

'Hierdoor kunnen we ze terug laten komen,' zei Buster, die zich niet uit het veld liet slaan door de twijfels van zijn zus.

'Nee,' zei ze hoofdschuddend. 'Ik wil hier niks mee te maken hebben.'

Buster keek naar de schilderijen, naar de instrumenten die hun moeder naar zijn rotsvaste overtuiging speciaal voor hen had achtergelaten, om te gebruiken. Hij zag ze in gedachten in een prestigieuze galerie hangen, omringd door hordes mensen die hun neus bijna tegen de doeken drukten om ze beter te kunnen begrijpen. Hij zag zichzelf in het midden van de galerie staan, met zijn zus naast zich, en kijken hoe de zee van mensen zich scheidde terwijl hun ouders hun rentree in de wereld maakten, herboren en ieder aspect van de kunst beheersend.

'Zie het dan zo,' zei hij. 'Misschien hebben ze inderdaad geen plannen voor ons en interesseren wij ze helemaal niet meer. Dan worden deze schilderijen ons geheime wapen. Een val die we voor ze opzetten.'

'Ga verder,' zei Annie. Haar ogen begonnen te fonkelen toen ze de woorden *wapen* en *val* hoorde.

'We zeggen dat dit in feite was wat ma onder kunst verstond, maar dat ze zich jarenlang morrend heeft moeten schikken naar pa's nauwe opvattingen over artistieke expressie. We zeggen alles waar pa zich wild aan zou ergeren. En misschien scheppen we dan wel zoveel chaos in hun leven dat ze gedwongen worden in het openbaar te verschijnen, gewoon om de zaken recht te zetten.'

'Camille ontkent vast dat ze iets met die schilderijen van doen had,' zei Annie, die nu kennelijk toegaf dat dit iets zou kunnen zijn. 'Caleb gaat naar de galerie, om het met eigen ogen te zien en Camille gaat met hem mee, om hem om te praten. En dan staan wij ze daar op te wachten.' Annie nam nog een slok wodka. Ze liet de alcohol door haar lichaam circuleren en slechte ideeën in goede veranderen. 'Ja,' zei ze glimlachend. 'Dat lijkt me wel wat.'

Buster liet Annie in de waan dat ze hun eigen plannen maakten in plaats van deel uit te maken van de plannen van hun ouders. Hij geloofde oprecht dat ze gewoon deden wat hun ouders van hen verlangden. Als Caleb en Camille zoveel moeite hadden gedaan om doodgewaand te worden, om te verdwijnen, hadden ze ook iemand nodig die hen weer in de wereld van de levenden zou laten terugkeren. Wie anders dan Buster en Annie? A en B. Buster keek naar het tableau dat hij gevormd had met de schilderijen: één groot tapijt van chaos en groteskheid. Als je het van voldoende afstand bekeek, was het net een portret van hun ouders.

De voorbereidingen namen veel tijd in beslag. Annie en Buster waren niet gewend aan dit aspect van de kunst, het intermezzo tussen idee en uitvoering. Maar nu hun ouders er niet meer waren, moesten zij het zelf doen en Buster merkte dat hij opgewonden raakte door de kans om zijn ouders, zijn zus en de wereld te tonen dat hij even goed in staat was bizarre gebeurtenissen te creëren als wie dan ook. Daarom begonnen ze bij het begin en startten ze met de lichtelijke eentonige taak van het fotograferen van ieder afzonderlijk schilderij.

Ze gebruikten een rechthoekige lap zwart fluweel die ze gekocht hadden in het warenhuis in de stad. Ze legden de lap in de woonkamer op de grond, haalden steeds één schilderij en legden dat dan keurig in het midden van het fluweel. Ze verwijderden de kap van een schemerlamp in de woonkamer en die hield Buster boven het schilderij terwijl Annie een foto maakte. Na zo'n vijftien schilderijen – sprinkhanen die van de uitgeholde resten van een dode muilezel aten, kinderen op het strand die een kreupele vogel prikten met een scherpe stok – gooide Annie het bijltje erbij neer. 'Ik geloof niet dat ik nog langer naar die dingen kan kijken, Buster,' zei ze en ze overhandigde de camera aan haar broer. 'Ik krijg de aandrang om óf veel meer alcohol te drinken óf juist helemaal niets meer en beide mogelijkheden zijn even erg.'

'Het hoort er allemaal bij,' zei Buster en hij staarde door de zoeker naar het schilderij. Hij nam een foto, controleerde het digitale beeld om te zien of het voldoende scherp was, legde het schilderij weg en ging een ander, even bizar doek halen. Nadat zijn moeder had verteld dat zij dit allemaal had geschilderd, had hij zich eerst verbeeld dat ze in de schemerige klerenkast op de oude kamer van haar dochter had gewerkt, haastig, als haar man even weg was, constant geplaagd door de angst dat ze ontdekt zou worden. Hij had zich verbeeld dat ze 's nachts, als Caleb sliep, naar de doeken ging kijken en er langdurig naar staarde, in een poging erachter te komen waarom ze ze zo dwangmatig schilderde. Nu hij echter geloofde dat de schilderijen in feite rekwisieten waren, een onderdeel van een groter en belangrijker kunstwerk, namelijk de heropstanding van de Fangs, zag hij zijn ouders in gedachten lachen en hun best doen elkaar af te troeven met het ene buitenissige idee voor een schilderij na het andere. Hij zag Caleb, met zijn hand op Camilles schouder, bemoedigende woordjes mompelen terwijl zij haar penseel zorgvuldig over het doek bewoog. Hij zag hen samen voldaan naar de voltooide schilderijen staren en ze daarna verbergen in de kast op Annies kamer, tot ze op een gegeven moment ontdekt zouden worden en dan de functie zouden vervullen waarvoor ze van het begin af aan bedoeld waren geweest.

Zodra ze de schilderijen gecatalogiseerd hadden, begonnen Annie en Buster mogelijke locaties voor de expositie af te strepen. Musea vielen af, besloten ze. Het zou te lang duren voor een tentoonstelling ingepland kon worden en de gebouwen zelf waren zo groot dat het de boel onnodig zou compliceren. Ze hadden een ruimte nodig die ze konden vullen, waarin alle aandacht op het werk van hun moeder gericht zou zijn en die snel beschikbaar was. Daarom concentreerden ze zich op galeries waarmee de Fangs eerder hadden samengewerkt.

'Je hebt de Agora Gallery in New York,' suggereerde Annie. Die had ooit een video vertoond (beelden van een beveiligingscamera die de Fangs hadden gestolen, aangevuld met meneer Fangs eigen heimelijke camerawerk) van een van de vroegere werken van de Fangs: Buster die, na achtergelaten te zijn in een pashokje in een groot warenhuis, met een beveiliger door de zaak liep, op een willekeurig echtpaar wees en dan luidkeels volhield dat dat zijn ouders waren, ondanks hun verwoede ontkenningen.

Ze stuurden de galerie een e-mail en wat jpeg's van de schilderijen en al een paar uur later werden ze gebeld door de eigenaar, Charles Buxton. 'Spreek ik met A of met B?' vroeg hij toen Buster opnam. 'B,' zei Buster, maar verbeterde zichzelf meteen en zei: 'Buster.'

'Is dit weer allemaal onzin, Buster?' vroeg de galeriehouder.

'Pardon?'

'Wat moet dit voorstellen? Zitten je ouders hierachter?'

'Onze ouders zijn verdwenen, meneer Buxton,' zei Buster, die de zenuwen begon te krijgen bij de gedachte dat hij alles zou kunnen ruïneren als hij niet voorzichtig was.

'Weet ik,' zei Buxton. 'Ik lees de kranten. Maar ik weet ook dat de familie Fang nou meestal niet echt recht door zee is.'

'Er zit hier verder niets achter,' zei Buster. 'Het is iets wat mijn zus en ik willen doen, als eerbetoon aan mijn moeder.'

'Kun je aantonen dat je moeder deze schilderijen inderdaad heeft gemaakt?' vroeg Buxton.

Buster zweeg even. De schilderijen waren niet gesigneerd en ook verder bleek nergens uit dat hun moeder de maakster was. Buster vroeg zich plotseling af of zijn ouders de schilderijen niet gewoon hadden gekocht van een totaal andere kunstenaar, om te kunnen gebruiken bij hun nog veel grotere kunstwerk. 'Mijn zus en ik hebben voor mijn moeders verdwijning met haar over deze werken gesproken, en ze gaf toe dat ze ze geschilderd had,' zei hij uiteindelijk.

'Er klopt iets niet,' zei meneer Buxton. 'Ik herinner me je ouders nog heel goed. De expositie was een succes en ik weet dat de persoonlijkheid van je vader en moeder daar een grote rol bij speelde, maar ik was eerst en vooral geïnteresseerd in hun werk. Ik was er niet in geïnteresseerd – en dat ben ik trouwens nog steeds niet – om zelf deel uit te maken van dat werk. Met andere woorden: ik heb geen zin om voor gek te staan als later blijkt dat het allemaal weer een trucje van de Fangs was. Dat is het me gewoon niet waard.'

'Er zit niets achter,' zei Buster. 'Het is allemaal precies zoals het lijkt.'

'Dat klinkt als iets wat je vader zou zeggen, vlak voordat de pleuris uitbreekt,' antwoordde meneer Buxton. Buster hoorde hem ophangen en het gesprek overgaan in een gestage zoemtoon.

'Dit is heel, heel vreemd, Buster,' zei Suzanne terwijl ze naar het schilderij van de jongen en de tijger staarde. 'Het is echt geweldig.'

Buster had het misselijkmakende gevoel dat Annie hem van de trap zou gooien als ze wist dat hij de schilderijen aan Suzanne had laten zien, dat hij een buitenstaander had verteld over hun plan om hun ouders terug te laten keren uit de wildernis. Ze was er toch al niet zo blij mee dat hij zoveel tijd doorbracht met Suzanne en kon de oude Fang-neiging om niemand van buiten het gezin te vertrouwen nog niet van zich afschudden. 'Schrijft ze nou echt zo goed?' vroeg Annie op een keer, toen Buster thuiskwam na het zoveelste afspraakje met Suzanne.

'Ik vind van wel,' zei Buster. 'Volgens mij wil ze echt goed worden, en ik denk dat ik haar daarbij kan helpen. Maar dat is het niet alleen. Ik vind haar aardig, en zij mij. Dat heb ik nog niet zo vaak meegemaakt.'

'Nou, goed dan,' zei Annie. 'Daar wil ik me verder niet mee bemoeien.' Vervolgens, alsof het niet het hele punt van het gesprek was maar gewoon een terloopse opmerking, voegde ze eraan toe: 'Maar vertel haar niet over de schilderijen, oké? Dat blijft onder ons.' Buster had braaf geknikt.

En toen, na een tijd gepraat te hebben over schrijven, over zijn werk en het hare, over het uitwerken van ideeën en het bijslijpen van zinnen, was er een stilte gevallen in het gesprek. De drive-in was geleidelijk leeggestroomd, zonder dat ze het gemerkt hadden, en het parkeerterrein was donker. De vloer van de auto was bezaaid met etensverpakkingen en verfrommelde pagina's van mislukte schrijfpogingen. Buster werd zo zenuwachtig van de stilte, en van de gedachte dat Suzanne die misschien als aanleiding zou zien om op te stappen, dat hij besloot haar het schilderij te laten zien en haar te vertellen over zijn grootse plan om zijn ouders op te sporen, gewoon om haar in de auto te houden. Misschien leek het wanhopig, maar dat kon hem niet schelen. Misschien ging Annie later door het lint, maar dat kon hem ook niet schelen. Hij wilde alleen dat Suzanne nog tien minuten naast hem zou blijven zitten. En toen, terwijl hij het middelste handschoenenvakje opendeed om het schilderij te pakken, drukte Suzanne plotseling haar lichaam tegen het zijne, duwde haar tong in zijn mond en voelde met het puntje aan de plek waar zijn hoektand ooit had gezeten. Haar tong wreef over dat kale stukje tandvlees en Busters oren begonnen te tintelen en zijn eigen tong leek op te zwellen.

'Ik wil dit graag,' zei ze terwijl ze razendsnel haar uniform uittrok, 'als jij het ook wil.' Ze leek wel een soort slangenmens, zo vlug wist ze zich in zo'n kleine ruimte van haar kleren te ontdoen. Dit was iets totaal nieuws voor Buster, fysiek verlangen dat bevredigd werd. Hij had in zijn leven in totaal vijf vrouwen gekust, waarvan eentje zijn zus was geweest. Buster wist dat dat geen hoge score was. Hij kon de keren dat hij seks had gehad op de vingers van één hand tellen, en dan nog genoeg vingers overhouden om ingewikkelde schaduwpoppetjes op de muur te maken. Hij deed er echter wijselijk het zwijgen toe, zei niets waaruit zou kunnen blijken dat Suzanne seks met hem misschien niet echt een openbaring zou vinden, en knikte alleen maar. Hij deed haar bril af, legde die op het dashboard en volgde haar naar de achterbank. Onderweg wist hij zijn broek uit te doen, maar zijn schoenen hield hij per ongeluk aan. Ja, besloot hij, met haar benen zo strak om zijn romp geslagen dat hij gedwongen was snel adem te halen, alsof hij net een brandend gebouw was ontvlucht, dit wilde hij.

Busters auto stond nog steeds op de verlaten parkeerplaats. Zijn tong deed pijn omdat hij die tegen zo'n beetje ieder plekje van Suzannes lichaam had gedrukt en hij vroeg zich af waarom hij haar nu toch het schilderij liet zien. Zat er meer achter dan alleen zijn eigen behoefte om iemand anders te vertellen over zijn ouders? Wilde hij met het feit dat hij een oplossing had bedacht voor een ingewikkeld en onhandelbaar probleem een capabele indruk maken? Gebruikte hij de bizarre, gewelddadige schilderijen van zijn moeder en zijn idee om met behulp daarvan zijn ouders uit hun tent te lokken werkelijk als een middel om aantrekkelijker over te komen op Suzanne? En werkte dat?

'Dus je denkt dat dit een aanwijzing is?' vroeg ze.

'Volgens mij wel,' zei hij.

'Het moet meer zijn dan dat,' zei ze. Buster, ongemakkelijk gedraaid op de achterbank van de auto, streek met zijn hand over haar rechterarm en voelde de zachte donshaartjes oprijzen onder zijn aanraking. Hij had er nu spijt van dat hij haar het schilderij had laten zien. Hij wilde dat ze hem zou blijven aanraken, dat hij nog steeds zou voelen hoe de tientallen ringen aan haar vingers over zijn huid streken.

De enige echte vriendin die hij ooit had gehad, een schrijfster die een bundel korte verhalen had gepubliceerd rond de tijd dat ook *A House of Swans* was uitgekomen, had hem ooit verteld dat zijn emoties verkeerd waren afgesteld. 'Je bent heel lief,' zei ze toen ze elkaar een jaar kenden en aan het dessert zaten in een restaurant, 'maar het is alsof je ouders je getraind hebben om op de wereld te reageren op een manier die zo specifiek is voor hun kunst dat je niet weet hoe je met mensen uit de echte wereld moet omgaan. Je gedraagt je altijd alsof ieder gesprek de inleiding is tot iets vreselijks.' Buster had toegegeven dat daar iets in zat, had gezegd dat hij even naar de wc moest, was vervolgens het restaurant uitgevlucht, had haar achtergelaten met de rekening en haar nooit meer gezien. Hij had wel verlangens, maar die werden gecompliceerd door zijn onvermogen om zijn verlangens te begrijpen en dus koos hij ervoor om dan maar geen relaties aan te gaan.

Nu zat hij op de achterbank van de auto van zijn ouders, innig verstrengeld met een halfnaakte vrouw, en wenste hij alleen maar dat hij ietsje langer had gewacht na hun vrijpartij, en haar niet meteen een schilderij van zijn moeder had laten zien. Hij snapte dat dat als een merkwaardige emotionele reactie kon overkomen, maar gelukkig leek Suzanne het niet belangrijk te vinden. Of liever gezegd, ze vond het juist heel belangrijk en daardoor verlangde Buster nog meer naar haar.

'Ik bedoel, als dit alleen maar een aanwijzing was, denk ik niet dat ze er zoveel moeite voor zou hebben gedaan. Dit is iets waar iemand heel veel tijd in heeft gestoken, iets wat veel voor haar betekende. Ik wil niet zeggen dat je het mis hebt. Misschien is het inderdaad een aanwijzing, maar ook meer dan dat. Dat is toch een soort definitie van kunst? Het gaat over één ding, maar in feite over een heleboel dingen tegelijk.'

'Ja, misschien,' zei Buster. 'Maar het is in de eerste plaats een aanwijzing, dat weet ik zeker. Misschien zegt het ons nog veel meer, allerlei diepe zaken over mijn moeder, maar ik weet eigenlijk niet of ik die wel wil weten.'

'Ik vraag me af,' zei Suzanne, die over het prikkeldraad streek alsof ze bang was dat het haar hand zou openhalen, 'of zelfs je moeder wel zou kunnen zeggen wat het precies betekent.'

Na reacties te hebben ontvangen van nog eens vijf galeries, die geen van alle geïnteresseerd waren in Camilles schilderijen of misschien bang waren dat ze potentiële chaos zouden binnenhalen, begon Buster te beseffen dat zijn ouders een kleine misrekening hadden gemaakt. Als niemand de schilderijen tentoon wilde stellen, hoe moesten ze dan terugkeren? Annie was zo ver gegaan om contact op te nemen met Hobart, in de hoop dat die hen zou kunnen helpen een galerie te vinden. Hobart had zich tijdens een korte e-mailwisseling eerst tegen het idee verzet, maar was uiteindelijk bezweken voor Annies vasthoudendheid. Buster wist niet hoe het precies in zijn werk zou gaan, maar wel dat uiteindelijk ergens een galerie de schilderijen zou exposeren. De Fangs waren nog zo belangrijk binnen de kunstwereld dat ongetwijfeld iemand deze vreemde variant op hun gebruikelijke werk zou willen tentoonstellen, maar dat kon nog jaren duren. Buster dacht niet dat hij zo lang met die onzekerheid kon leven. En hij wist dat Annie, als dit nog langer zo doorging, op een gegeven moment spontaan in vlammen zou opgaan.

Op een middag vond Buster een pakje in de brievenbus en leek het alsof alle botten in zijn lichaam heel even van rubber waren. Hij haalde diep adem, keek naar het label en zag dat het aan Annie geadresseerd was. Aan Annie. Niet aan Buster, die zoveel tijd had besteed aan de speurtocht naar zijn ouders maar aan zijn zus, die er net als een ervaren huurmoordenaar tevreden mee leek om geduldig te wachten op het perfecte moment om de trekker over te halen. Buster nam het pakje mee naar binnen, ging naar Annies kamer en gooide het op haar bed. 'Voor jou,' zei hij. Annie glimlachte. 'Volgens mij hebben we alle films hier in huis nu wel gezien en daarom heb ik een paar nieuwe besteld,' zei ze. Buster fronste zijn voorhoofd. 'Ik dacht dat het van pa en ma was,' gaf hij toe. Het was Annies beurt om te fronsen. 'Zij zoeken ons niet, wij zoeken hen,' zei ze.

Ze maakte het pakje open en haalde er een stapel dvd's uit. Buster zag *Five Easy Pieces* en *Orpheus*, films waar Annie altijd dol op was geweest maar waar hij nooit echt van had gehouden en die hij eerlijk gezegd ook nooit echt begrepen had. Buster keek de stapel door en pakte *The Third Man*, met een zwart-witfoto van Orson Welles op de voorkant. 'Deze ken ik niet,' zei Buster. 'Ook al hoor je hem natuurlijk gezien te hebben.' Annie vrolijkte weer op, griste de dvd uit zijn vingers en tikte ermee op het bed, alsof ze een dirigent was die op het punt stond een symfonie te beginnen. 'Deze film,' zei ze, 'allemachtig! De hoofdpersoon is een schrijver. En er komt ook een actrice in voor. En iemand is dood, maar misschien ook niet echt dood. Misschien is hij gewoon opzettelijk verdwenen.' Buster schudde zijn hoofd. 'Volgens mij hoef ik nou niet meer te kijken.'

'Als een film echt super is, kun je hem niet verpesten door de plot te verklappen,' zei ze. 'Dan speelt de plot een ondergeschikte rol.'

'Dus deze film is eigenlijk het verhaal van ons leven?' vroeg Buster.

'Het is het verhaal van ons leven, als ons leven beter en interessanter zou zijn,' zei Annie. 'Laten we er vanavond naar kijken.'

Die avond installeerden ze zich op de bank, met Busters laptop op het salontafeltje, en opende de film met citermuziek die zo chaotisch en atonaal was dat Buster de aandrang voelde de film weer uit te zetten. Ze keken hoe Joseph Cotten door Wenen dwaalde, op zoek naar een zekere Harry Lime die misschien dood was en misschien ook niet. Het wemelde in de film van de schimmige, verdachte figuren die Cotten naar vreemdere en vreemdere plekken brachten en Buster verlangde naar schimmige, verdachte figuren in zijn eigen leven. Toen Lime inderdaad levend opdook, voelde Buster een schok van opluchting, ook al besefte hij dat het in feite voor iedereen beter zou zijn geweest als Harry Lime inderdaad dood was geweest.

Bovenin een reuzenrad zei Orson Welles tegen Joseph Cotten dat dertig jaar oorlog, terreur en bloedvergieten in Italië de Renaissance en Michelangelo hadden voortgebracht, en vijfhonderd jaar vrede en democratie in Zwitserland goddomme alleen de koekoeksklok. Buster kon zich voorstellen dat zijn vader zoiets gezegd zou hebben. Annie vertelde dat Orson Welles die zin zelf had bedacht en hem aan het script had toegevoegd toen dat eigenlijk al voltooid was, en Buster had het gevoel dat Orson Welles en zijn vader dikke maatjes zouden zijn geworden als ze elkaar ooit ontmoet hadden.

Toen de film voorbij was, nadat Cotten en de autoriteiten Orson Welles hadden achtervolgd door het rioolstelsel onder de stad en Cotten Welles uiteindelijk had doodgeschoten, keek Buster zijn zus aan. 'Ik weet waarom je die film hebt uitgekozen,' zei hij. Annie glimlachte. 'Er zijn een paar overeenkomsten met ons eigen leven, zou je kunnen zeggen.' Buster wees naar het inmiddels donkere scherm. 'Het toont aan dat je nooit moet opgeven als je iemand wilt vinden die vermist is, ook al zijn anderen het niet met je eens, en dat je een doodgewaande kunt laten herrijzen.' Annie schudde haar hoofd. 'Ik heb hem uitgekozen omdat het laat zien dat, als je iemand laat herrijzen, je hem daarna zelf mag doden.' Annie floot het thema uit de film, al klonk het nergens naar, en haalde het schijfje uit de computer. Ze stopte de dvd weer in het doosje en sloot dat met een klik.

Buster was, voor zover hij wist, alleen in huis toen de telefoon ging. Annie was boodschappen doen. Iets wat eerst een opgave was geweest, was nu een excuus om het huis uit te komen. Bovendien begon ze zich bewust te worden van het feit dat, nu ze weer een tijdje terug was, mensen haar begonnen te herkennen en om haar handtekening vroegen. Annie gaf toe dat dat geen slecht gevoel was. Iedereen was altijd aardig en beleefd en niemand scheen haar laatste, rampzalige film te hebben gezien. Ze kenden haar als een superheldin, en dat vond Annie best. Soms gaf de caissière haar gratis pakjes kauwgom. Maar nu rinkelde de telefoon en was Buster alleen. Hij liep naar het toestel, liet het voor de vijfde keer overgaan en nam toen op, in de hoop dat de stem aan de andere kant van de lijn bekend zou klinken.

'Spreek ik met A of met B?' vroeg de stem, die zo oud klonk dat Buster niet zeker wist of hij nou met een man of een vrouw sprak. Buster besefte wel meteen dat hij iemand van een galerie aan de lijn had. Dat waren de termen die ze gebruikten, A en B Fang. Buster antwoordde, zoals Annie hem jaren geleden geleerd had te doen als iemand anders behalve hun ouders hen bij hun artiestennamen noemde: 'Met Buster.'

'Ik heb de schilderijen gezien,' zei de stem. 'Ik vond dat ik maar even moest bellen.'

'Met wie spreek ik?' vroeg Buster. Hij dacht dat het misschien Annie was, die hem een beetje probeerde op te vrolijken. Buster had de hele ochtend dieper zitten graven in zijn nieuwe roman, die nu eindelijk ook een titel had, *The Child Pit*. De tweeling was inmiddels weer gevangengenomen en zat onder de grond opgesloten, in ruimtes onder de arena die verbonden werden door tunnels, afgesloten met stalen deuren, waar dag en nacht het geluid van moordballades door de luidsprekers klonk. De tweeling, Micah en Rachel, had zich al vlug ontpopt tot felle vechters en had zo het respect van de andere kinderen weten af te dwingen. Ze waren constant bezig met ontsnappingsplannen, zonder echt te hopen dat die ooit zouden lukken. Buster voerde het inherente gevaar waarin de kinderen verkeerden steeds verder op. Ze waren vuil en verwilderd en probeerden wanhopig hun woede op de volwassenen gericht te houden en niet op elkaar, maar toch voelde Buster een soort genegenheid voor de arena, voor het idee dat de levens van de kinderen misschien onherroepelijk geruïneerd zouden worden, maar dat ze in elk geval gezamenlijk zouden lijden. En nu, licht in zijn hoofd als een zwemmer die plotseling boven komt na minutenlang onder water te zijn geweest, was Buster niet opgewassen tegen de aanhoudende, krasserige stem door de telefoon. 'Pa?' zei hij verward. 'Ma?'

'Wat? Nee, met Betsy Pringle. Mijn man en ik hebben jarenlang de Anchor Gallery hier in San Francisco gerund. Je zou ons een experimentele galerie kunnen noemen. Nu leid ik die samen met mijn zoon.'

Buster kon zich die galerie niet herinneren en had ze ook geen e-mail gestuurd. Dat, plus het feit dat het kennelijk een toevallig telefoontje was, maakte hem weer wat kalmer en dwong hem om zich te concentreren.

'Waar belt u over?' vroeg Buster, in een poging de vrouw uit haar tent te lokken en wat meer duidelijkheid te verkrijgen.

'Over de schilderijen, uiteraard. Ik bel vanwege de schilderijen van je moeder. Voel je je wel goed? Is Kind A er ook? Zou ik haar kunnen spreken?'

'Nee, ze is er even niet, maar ik kan dit ook afhandelen,' zei Buster.

'Goed zo. Ik ben blij dat te horen. Zoals je ongetwijfeld zult weten, waren wij de eerste galerie die ooit werk van de Fangs heeft getoond. Je vader had zelf al wat dingetjes gedaan, maar wij hebben het allereerste gezamenlijke project van je vader en moeder geëxposeerd. Dat was nog voor jij en A geboren waren en we laten ons er graag op voorstaan dat wij ze in zekere zin ontdekt hebben. Mijn man was altijd een grote fan van het werk van je ouders, en nu zouden we ook graag het laatste werk van de Fangs willen laten zien. Dan is de cirkel rond, zou je kunnen zeggen.'

'De Anchor Gallery?' vroeg Buster, die nog steeds moeite had om het allemaal te bevatten. 'Ik kan me niet herinneren dat ik contact met u heb opgenomen.'

'Nee, dat heeft Hobart gedaan,' zei de vrouw. 'Hij is een oude vriend, een genie. Ik vermoed dat je zus hem een mailtje heeft gestuurd en om hulp heeft gevraagd en Hobart heeft weer contact met mij opgenomen, de slimmerik. Ik zit op dit moment naar de foto's van de schilderijen te kijken. Schitterend werk, echt schitterend. Ik kan me herinneren dat je moeder begonnen is als schilderes en allerlei soorten beurzen heeft gewonnen op grond van haar meer traditionele kunst. Daarom was het helemaal niet zo schokkend om die schilderijen onder ogen te krijgen als je misschien zou denken. Ik weet natuurlijk niet hoe jullie situatie is, maar kennelijk willen jullie graag dat het werk van jullie moeder geëxposeerd wordt en binnenkort hebben we ruimte beschikbaar. Ik denk dat het voor alle betrokkenen een goede zaak zou zijn.'

Buster wenste vurig dat Annie erbij was. Hij had geen pen of papier en was de naam van de vrouw alweer vergeten. Hij herhaalde in gedachten keer op keer het woord *Anchor*, als geheugensteun. Als dit allemaal waar was, bedacht hij, zou het de start zijn van waar hij op gehoopt had: het eerste tikje dat het balletje aan het rollen zou brengen door de sleuf van hun amateuristische, Rube Goldberg-achtige machine.

'Dat lijkt me een geweldig idee,' zei Buster. 'We willen heel graag laten zien dat mijn moeder zelf ook een getalenteerd kunstenares was, in haar eigen medium.'

'Dat is precies wat wij ook willen,' antwoordde mevrouw Pringle. 'Haar nagedachtenis eren.' Busters gezicht vertrok even en hij overwoog om duidelijk te maken dat zijn ouders alleen vermist werden en niet officieel dood waren, maar besloot zijn mond te houden.

'Mijn zoon wil je ook nog even spreken, om de details te regelen,' zei ze. 'Ik wilde je alleen het aanbod doen. De galerie is nog steeds van mij en ik neem nog steeds de beslissingen. En hoewel ik inmiddels oud ben, en misschien niet meer zo op de hoogte van de laatste ontwikkelingen in de kunstwereld als vroeger, vind ik nog steeds dat iets vreemds altijd beter is dan iets wat alleen maar mooi is.'

'Soms kan het ook allebei zijn,' merkte Buster op.

'Soms,' gaf ze toe en ze overhandigde de telefoon toen aan haar zoon.

Toen Annie thuiskwam na het boodschappen doen, werd Buster een soort vloedgolf en spoelde het verhaal met zo'n kracht over haar heen dat Buster naar adem hapte toen hij uitgesproken was. 'Dit is het, Annie,' zei hij. 'Het gaat gebeuren.' Annie glimlachte, met tanden die zo wit en volmaakt waren dat ze regelrecht uit een commercial voor een medisch onmogelijk soort tandpasta had kunnen stappen. 'Wat zonde,' zei ze. 'Godallemachtig, wat doodzonde dat ik Calebs gezicht niet kan zien als hij hoort over die schilderijen. Ik zou er ik weet niet hoeveel voor over hebben om dat te kunnen zien.' Buster wilde eigenlijk zeggen dat hun vader hoogstwaarschijnlijk allang op de hoogte was van de schilderijen, maar hij besefte dat ze dit vanuit andere gezichtspunten benaderden en hij wilde haar blijdschap niet bederven. Wat deed het er ook toe wat hun motivatie was, als het maar eindigde met alle vier de Fangs samen in één ruimte?

'Ik wil met jullie mee,' zei Suzanne toen Buster haar vertelde over de opening in de galerie in San Francisco, die over een paar weken zou plaatsvinden. Ze waren in haar piepkleine appartementje, in een blok sociale woningbouw dat na nog één gebarsten waterleiding waarschijnlijk meteen onbewoonbaar verklaard zou worden.

Op ieder uur van de dag hoorde Buster kinderen door de gangen hollen, want de muren waren weinig dikker dan een laken aan een waslijn.

'Ik weet niet of dat wel zo'n goed idee is,' zei Buster. In gedachten zag hij de vier Fangs, Annie en Buster en Caleb en Camille, herenigd, opgelucht, woedend en onzeker over hoe het nu verder moest. En dan zag hij Suzanne, die op haar rolschaatsen rondjes om hen heen reed. Wilde hij haar niet blootstellen aan de Fangs of wilde hij de Fangs niet blootstellen aan haar? Was het niet zo dat hij gewoon alleen moest zijn als er belangrijke dingen gingen gebeuren? Hij had geen idee. Hij probeerde zich de mensen in zijn leven voor te stellen als chemische stoffen, die je heel voorzichtig met elkaar moest mengen omdat anders de kans op explosies en littekens levensgroot was. De meest waarschijnlijke verklaring was echter dat hij het gewoon prettig vond om Suzanne voor zichzelf te hebben, zonder dat er voortdurend kans was op chaos. Wat de reden ook was, en hoe graag hij haar er misschien ook bij had willen hebben als zijn ouders terugkeerden, hij kon gewoon niet toestaan dat ze meeging.

'Ik zou niet alleen maar een blok aan jullie been zijn,' zei Suzanne. 'Ik zou mezelf nuttig kunnen maken. Jij denkt dat je ouders tijdens de opening zullen opduiken en een hoop herrie zullen schoppen, hè? Maar Annie denkt dat ze incognito zullen zijn en zullen proberen ook weer stilletjes te verdwijnen. Hoe dan ook, zij hebben de touwtjes in handen. Maar mij kennen ze niet. Ik zou de boel stiekem in de gaten kunnen houden, je weet wel, vanuit een gebouw aan de overkant van de straat. We zouden walkietalkies kunnen gebruiken, en ik een verrekijker, en als ik ze zag zou ik jullie kunnen waarschuwen, zodat jullie je gereed kunnen houden. Ik zou jullie tactische voorsprong kunnen zijn,' zei ze en haar ogen werden groot van opwinding bij de gedachte aan die denkbeeldige spionagespelletjes. Buster realiseerde zich dat zijn ouders Suzanne waarschijnlijk geweldig zouden vinden omdat ze zich zo snel aanpaste aan alle idiote dingen om haar heen.

'Het lijkt me gewoon niet zo'n goed idee. Niet dat ik niet wil dat je mijn ouders ontmoet, hoor,' zei hij, alsof er ook een versie van de realiteit bestond waarin Suzanne op bezoek zou gaan bij Busters ouders en ze allemaal ijsthee zouden drinken op de veranda en een potje zouden kaarten en over de paardenrennen praten. Hij snapte eigenlijk niet waarom hij, na iemand gevonden te hebben die totaal niet uit het veld geslagen leek door zijn familiegeschiedenis, toch nog dacht dat ze in feite recht had op iets traditioneels en oersaais.

Ze lagen in bed. Op tv stond een of andere kungfu-marathon aan, de hele tijd dat ze seks hadden gehad. De hele kamer galmde van de zwiepende geluiden als er weer eens een doodschop werd uitgedeeld en van het onophoudelijke, staccato gelach dat weliswaar was nagesynchroniseerd in het Engels, maar toch heel erg buitenlands klonk. Suzanne had haar bril niet op en daardoor leken haar ogen onscherp en wazig. Ze leek teleurgesteld en Buster vroeg zich af of ze boos op hem was. 'Je hebt me ontmoet op een raar moment in mijn leven. Daar ben ik blij om, maar ik denk dat alles beter zal worden als ik dit voor mijn ouders gedaan heb, voor zowel Annie als mij. Dan speelt niet langer steeds die... hoe zal ik het zeggen... die onzekerheid mee.'

Suzanne boog zich naar hem toe en tikte hem vinnig op zijn voorhoofd, zodat haar vingertop net zijn huid schampte. Buster trok een gezicht, maar niet voordat hij haar uitdrukking had gezien, alsof ze probeerde te besluiten wat voor iemand hij nou eigenlijk was. Hij bleef zo stil mogelijk liggen, hield zijn adem in, en hoopte vurig dat wat ze zag haar zou bevallen.

'Ik weet nog dat je binnenkwam, toen je dat praatje zou houden voor onze schrijversgroep,' begon ze. 'Ik vond je eigenlijk meteen al leuk, ook al was je gezicht bont en blauw, maar toen begon je te praten over een of ander idioot soort kauwgom en zag ik dat je een tand miste en leek je zo bloednerveus dat ik besefte dat je echt een vreemd type was. Maar om de een of andere reden raakte ik daardoor nog meer in je geïnteresseerd. En toen kwam dat meisje me halen en stond jij daar en zei je dat je mijn verhaal goed vond en dat was het fijnste wat ik ooit gehoord heb. Je verscheen plotseling in m'n leven en maakte me gelukkig.'

'Jij maakt mij ook gelukkig,' zei hij, al wenste hij dat hij het eerder had gezegd dan zij. Hij wilde het zeggen op een manier waaraan ze zou merken dat hij haar niet gewoon napraatte, maar Suzanne glimlachte en hij besefte dat hij het goed genoeg gezegd had.

'Als ik jou zo hoor, denk je dat er een tijd zal komen waarop niet alles volkomen geschift is. Afgaande op je voorgeschiedenis, weet ik niet of dat ooit zal gebeuren. Maar eigenlijk wil ik zeggen dat me dat niet uitmaakt. Als je leven altijd zo blijft, vind ik dat prima. Eigenlijk is het best leuk.'

Buster wist niet hoe hij moest reageren. Hij was verbijsterd door Suzannes nonchalante vriendelijkheid, maar ook door haar overtuiging dat gekte 'best leuk' was. Ze was in feite net zo verknipt als hijzelf, besefte hij. Misschien nog wel erger. Als zij als Fang geboren was, zou zij misschien het artistieke middelpunt zijn geworden en Buster en Annie ver achter zich hebben gelaten, twee kinderen waar hun ouders eigenlijk niet veel meer aan hadden. En hoewel het feit dat hij in één bed lag met iemand die nog zonderlinger was dan de Fangs hem misschien bedenkingen had moeten geven, trok hij haar vlug naar zich toe en liet zich door het kabaal van kinderen die veel te laat op waren en het geluid van Suzannes ademhaling, zo kalm en gestaag dat ze al diep had kunnen slapen, in een toestand wiegen die andere mensen waarschijnlijk bedoelden als ze het over sereniteit hadden.

Annie en Buster waren bezig de schilderijen zorgvuldig een voor een in te pakken. Bubbeltjesplastic, karton en tape vormden een zee van rommel waarin broer en zus leken te drijven. Annie, die een vel bubbeltjesplastic in haar hand had, trok plotseling een gezicht en liet een van de bubbeltjes knappen, met een geluid alsof ze plotseling iets beseft had en met haar vingers knipte. Ze kreeg een kleur door de nog geheime kennis die bij haar was opgekomen en Buster keek hoe haar hele gezicht rood werd. Ze probeerde iets te zeggen, maar kon alleen maar stotteren, waardoor ze nog bozer werd. Uiteindelijk wist ze haar stem te hervinden, terwijl de bubbeltjes als rotjes knalden in de vuist die ze langzaam balde. 'Als Caleb en Camille dit allemaal gepland hebben, zoals jij denkt,' zei ze, met een gebaar naar de schilderijen, 'zouden ze het dan ook niet willen vastleggen?' Ze spreidde haar armen alsof ze het hele huis wilde omvatten, alles tussen muren en dak, en Buster knikte. 'Dat heb ik vaak gedacht,' zei hij. Annie keek fronsend uit het raam, zonder iets te zien. 'Dat is helemaal geen leuk idee,' zei ze. Ze legde het bubbeltjesplastic neer, stond op en liet haar blik speurend door de kamer gaan. 'Als ik merk dat ze ons afluisteren,' zei ze, 'dan vallen er doden.'

Buster stond ook op. Ze gingen met hun rug tegen elkaar staan en liepen toen langzaam door de woonkamer, ieder een andere kant uit. Annie voelde aan de stereo-installatie, luisterde naar het gesis van een verborgen taperecorder en trok de stekker uit het stopcontact. Ze bedacht zich echter meteen, schakelde het apparaat weer in, draaide de volumeknop vol open om hun stemmen te maskeren en zette de eerste de beste plaat op die ze kon vinden, *Rock for Light* van Bad Brains. De muziek was heftig en intens en Annies hart ging er drie keer sneller door slaan, wat eigenlijk wel toepasselijk was als je bedacht wat ze aan het doen waren.

Buster deed de lamp aan en uit, alsof hij door de afwisseling van licht en donker misschien scherper zou gaan zien, en pakte toen een presse-papier in de vorm van een tinnen voorzittershamer, die niet bij de rest van de inrichting leek te passen. Hij tikte er zachtjes mee op zijn handpalm, schudde met de hamer alsof hij verwachtte dat hij zou rammelen, deed toen een la van het bureau open en sloot het voorwerp op in het donker.

'Spiegels,' zei Annie, maar die waren er niet in de woonkamer en ze liepen vlug naar de hal. Daar hing een grote passpiegel waarin de Fangs konden kijken hoe ze eruit zagen voor ze de deur uit gingen. Buster knikte tegen Annie en legde zijn wijsvinger waarschuwend tegen zijn lippen. Hij liep naar de linnenkast, pakte een gebloemd laken en hield het vast alsof het een net was om een wild dier mee te vangen. Hij naderde de spiegel zo dicht als hij maar kon zonder weerkaatst te worden in het glas en keek toen naar Annie, die knikte. Behendig gooide hij het laken over de spiegel en drapeerde het zo dat het al het glas bedekte. 'Goed zo,' zei Annie en Buster glimlachte.

Ze besteedden een halfuur aan het vaardig verduisteren van iedere spiegel in huis. Toen ze daarmee klaar waren, zonder bespied te worden door iemand van buiten, maakten ze de telefoon open. Ze wisten niet echt wat ze zochten, maar hadden zoveel spionagefilms gezien dat ze er vrij zeker van waren dat ze een afluisterapparaatje zouden herkennen als ze er eentje vonden. Ze zagen echter niets verdachts, of accepteerden dat alle componenten van een telefoon in hun ogen even verdacht leken, en Buster schroefde het apparaat weer dicht. Hij vroeg zich af of hij iets beschadigd had, of de telefoon ooit nog wel zou werken en of het hem wel iets kon schelen als hij nooit meer zou rinkelen.

'Ik kan gewoon niet geloven dat ik dit laat gebeuren!' riep Annie plotseling, balancerend op het randje van de hysterie. Ze knarste met haar tanden en balde haar vuisten zo heftig dat de knokkels lijkwit werden. 'Dit is precies wat ze willen. Dit vinden ze geweldig!' Ze stond op het punt om in tranen uit te barsten en hield zich aan Busters arm overeind.

'Gaat dit werken, Buster?' vroeg ze.

'Het is het enige wat ik kan bedenken,' zei hij. 'Als je maar één ding kunt bedenken, doet het er in feite niet toe of het zal werken of niet. Je kunt het alleen maar proberen. Wat moet je anders?'

'Ik wil uit jouw mond horen dat dit zal werken,' zei Annie. Buster was het niet gewend in zo'n positie te verkeren, om de bron van zekerheid te moeten zijn. 'Het zal werken, omdat het wel moet,' zei hij. Hij keek hoe Annies schouders even inzakten, hoe ze haar rug toen weer rechtte en weer sterk werd. Buster bleef zwijgend naast zijn zus staan, die in een soort trance leek te verkeren. De muziek die uit de speakers spatte was zo hard dat de topjes van de tapijtvezels trilden door de kracht van de bas.

Buster verbeeldde zich dat zijn ouders de wezen uit zijn nieuwe roman waren, verscholen aan het randje van de beschaving, wachtend op de onvermijdelijke voetstappen van iemand die hen zou vangen in zijn net en zou afvoeren naar een ander en nog veel vreemder oord. Vervolgens, geschokt door het besef dat het best weleens waar zou kunnen zijn, verbeeldde hij zich dat Annie en Buster helemaal niet bezig waren hun ouders op te sporen maar dat hun ouders, die in Busters ogen zelfs het opkomen en ondergaan van de zon bepaalden, hun kinderen gewoon dichter en dichter naar zich toetrokken.

[het laatste avondmaal, 1985
kunstenaars: caleb en camille fang]

Ze hadden gereserveerd in het duurste restaurant van Atlanta en de Fangs waren allemaal zo piekfijn uitgedost dat Buster en Annie het gevoel hadden dat ze een rol speelden in een commercial voor een onbereikbare levensstijl. 'Stel dat het menu in het Frans is? Hoe moeten we dan weten wat we op ons bord krijgen?' vroeg Annie aan haar ouders. 'Dat maakt het nou juist zo leuk,' zei hun moeder. Annie en Buster, ongemakkelijk in hun kriebelige nieuwe kleren en niet op de hoogte van wat hun ouders precies van plan waren, dachten dat ze nooit echt zouden begrijpen wat Caleb en Camille eigenlijk bedoelden met het woordje *leuk*.

'Fang, vier personen,' zei de hostess en ze keek in een in leer gebonden boek of de reservering klopte. 'Volgt u mij maar.' De kinderen keken hoe hun ouders, glimlachend en op hun gemak in deze vreemde situatie, plaatsnamen in stoelen met hoge rugleuningen, omringd door mensen die alleen maar een rustig avondje uit wilden. Annie en Buster kregen een misselijk gevoel, ergens diep in hun maag. Ze wisten niet wat er zou gaan gebeuren, maar wel dat het allesbehalve rustig zou eindigen.

'Mogen wij het niet weten?' vroeg Buster. Zijn handen waren kil en klam en de zenuwen gierden door zijn keel. 'Nee,' zei meneer Fang. 'Jullie moeten op alles voorbereid zijn. Als het gebeurt, weten jullie het meteen. En dan doen jullie gewoon wat natuurlijk aanvoelt.'

'Kunnen jullie ons dan tenminste vertellen of het voor of na het eten gaat gebeuren?' vroeg Annie, vertwijfeld op zoek naar een aanwijzing. 'Nee, dat kan niet,' zei mevrouw Fang glimlachend. Ze nam een slokje wijn, uit een fles die zo duur was dat Annie eruit afleidde dat de 'gebeurtenis' waarschijnlijk inhield dat ze meteen na het dessert de benen zouden nemen, zonder te betalen. Ze keek naar haar broertje, die diep en gecontroleerd ademhaalde en zichzelf dwong om dood te gaan en weer tot leven te komen. Annie deed het precies andersom. Ze hield haar adem in tot het schemerige restaurant met zijn kaarslicht begon te trillen en dansen en golven en haalde toen diep adem. Ze voelde haar hele lichaam tintelen en hoorde ieder stuk bestek dat maar ergens over een bord schraapte.

Het eten werd geserveerd. 'Eet je bord leeg,' zei mevrouw Fang tegen Buster. 'Ik heb geen honger,' antwoordde hij en keek naar het dunne reepje lever in wijnsaus. Buster liet zijn blik voor de zoveelste keer door het restaurant gaan en besefte, ook voor de zoveelste keer, dat hij en zijn zus de enige kinderen waren. 'Je moet het opeten,' zei meneer Fang. 'Hoort dit erbij?' vroeg Buster. Meneer en mevrouw Fang glimlachten tegen elkaar, proostten en zeiden in koor: 'Eet je bord leeg.'

Buster prikte met zijn mes in de lever en de saus glansde in het kaarslicht terwijl hij voorzichtig een hapje afsneed. Hij stak het in zijn mond en liet de overweldigende leversmaak even in zijn tong doordringen voor hij het zonder te kauwen vlug doorslikte. Zijn ouders staarden hem aan en Buster probeerde te glimlachen, ook al stond het zweet op zijn voorhoofd. 'Lekker,' zei hij.

Nog meer wijn, geen conversatie en klassieke muziek, al konden Annie en Buster niet horen waar die vandaan kwam. Buster had zich door pure wilskracht weten te dwingen al zijn lever op te eten zonder ook maar één keer te kauwen. Hij voelde voortdurend de dringende behoefte om te kokhalzen, maar verzette zich daartegen. Hij zou de avond niet verpesten voor de avond verpest was.

Misschien lag het aan het schemerige licht in het restaurant, dacht Annie, maar Buster leek duidelijk groen te zien: een bleek, zeeschuimachtig groen. Zijn tong leek gezwollen en te groot voor zijn mond. Annie wreef keer op keer met haar vinger over de rand van haar lepel en voelde hoe de botte, metalen rand in haar vingertoppen sneed en de lussen van haar vingerafdrukken uitwiste. Haar ouders, die maar zelden dronken omdat ze vonden dat alcohol hun reacties vertraagde, bleven van hun wijn nippen. Ze leken heel gelukkig, de enigen die wisten hoe de wereld zou eindigen. Het was alsof Annie en Buster er niet bij waren, alsof de kinderen naar een film van hun ouders keken. Meneer en mevrouw Fang wierpen allebei vlug een blik op hun horloge, keken elkaar even aan en namen nog een slokje wijn.

Buster staarde naar een kroonluchter, met zo'n intensiteit dat hij hoopte dat de ketting zou breken door de kracht van zijn verlangen en dat de hele fonkelende massa licht en kristal op de grond uiteen zou spatten. Er moest iets gebeuren. Er moest iets breken. Buster wilde alleen nog maar dat er iets zou gebeuren, zodat hij het op een lopen kon zetten, het restaurant kon uitvluchten, kon terugkeren naar de veiligheid van zijn eigen kamer. Hij voelde een tintelende aandrang door zijn lichaam trekken. Hij had het warm en koud tegelijk en al zijn gewrichten deden pijn. Plotseling ontspanden zijn spieren, in een minuscule verandering van balans, en kon hij de onwillekeurige handelingen van zijn lichaam niet meer tegenhouden.

Annie keek naar haar broer, net op het moment dat die een stroom van braaksel over de tafel spuwde, donkerbruin en donkerrood, de resten van een in stukken gehakt dier. Meneer en mevrouw Fang snakten naar adem en meneer Fang probeerde gauw een schoteltje onder Busters kin te houden, maar daar was het te laat voor. Buster maakte een geluid alsof alle lucht uit zijn longen werd geperst en de andere mensen in het reataurant keken allemaal naar de Fangs. Een ober wilde naar hun tafeltje hollen, aarzelde toen en liep terug naar de keuken. Buster sloeg zijn handen voor zijn gezicht en mompelde: 'Het spijt me, het spijt me.' Hun ouders leken niet in staat om ook maar iets te ondernemen, zag Annie, en keken verrast en vol belangstelling naar wat er gebeurde. Annie duwde haar stoel met zo'n kracht achteruit dat de glazen op tafel rinkelden en nam Buster in haar armen. Op de een of andere manier, zonder dat ze snapte hoe het kon, tilde ze haar broer moeiteloos op en hij sloeg zijn armen om haar hals. Ze droeg hem naar de uitgang, dwars door het restaurant dat alleen nog uit een waas van kleuren bestond. Buiten zette ze hem op de stoep en streelde zijn haar. 'Het spijt me,' herhaalde Buster en Annie kuste zijn voorhoofd. 'Laten we maken dat we wegkomen,' zei ze.

Het busje was op slot. Annie zocht op de parkeerplaats naar iets om het slot mee open te krijgen of een raampje mee in te slaan. Haar ouders mochten binnen blijven zitten en doen waar ze zo lang op gewacht hadden, wat dat dan ook was. Buster, die met zijn rug tegen een van de wielen zat, kreeg weer wat kleur op zijn wangen en had ook plotseling weer honger. Net toen Annie haar jas om haar hand wikkelde om een raampje in te slaan, kwamen hun ouders opdagen.

'Het spijt me,' zei Buster opnieuw, maar meneer en mevrouw Fang omhelsden hun zoon. 'Je hoeft je nergens voor te schamen,' zei meneer Fang. 'Je hebt het juist geweldig gedaan.' Hij hees Buster op zijn schouder, maakte het busje open en zette zijn zoon op de achterbank. 'En, is het gelukt met jullie voorstelling?' vroeg Annie. 'Het was niet onze voorstelling, maar die van jullie,' zei mevrouw Fang. 'Jullie hebben het gedaan.'

Het busje was nu op de snelweg en ze reden naar huis. Annie voelde hitte door haar lichaam trekken en haar handen balden zich krampachtig tot vuisten. 'Dat was gemeen,' zei ze tegen haar ouders. Buster lag met zijn hoofd op haar schoot en ze streelde zijn haar, dat plakkerig was van het zweet en koud aanvoelde door de lucht uit de airco. 'Dat was helemaal niet leuk.'

'Het was niet anders dan andere keren, Annie,' zei meneer Fang. 'We vertellen jullie altijd dat er iets gaat gebeuren. Misschien weten jullie niet precies wat, maar jullie maken er altijd deel van uit. Snap je? Jij en Buster zijn Fangs. Jullie zijn een deel van ons. We hebben jullie in een bepaalde situatie gebracht en daaruit hebben jullie moeiteloos een gebeurtenis gecreëerd. Iets verbluffends.'

'Jullie hebben het gewoon in je,' zei mevrouw Fang. 'Dit is nu eenmaal wat we doen: we houden de wereld een lachspiegel voor, we laten hem golven en vervormen en dat hebben jullie nu ook gedaan, helemaal zelf, zonder aanwijzingen van ons. Jullie hadden geen idee wat er zou gebeuren en toch zo'n chaos laten ontstaan. Die creativiteit zit diep vanbinnen en daar hebben jullie uit geput.'

'Jullie hebben Buster zo zenuwachtig gemaakt dat hij moest overgeven,' zei Annie.

'Misschien vind je ons gemeen, maar we proberen jullie juist te laten zien hoe het werkt,' zei meneer Fang. 'Zelfs als wij dood zijn, kunnen jij en Buster dit toch blijven doen. Jullie zijn ware artiesten en zullen altijd kunst maken, of je het wilt of niet. De kunst zit jullie in de genen en daar is niets aan te doen.'

'We zijn boos op jullie en het kan ons niet schelen wat je allemaal zegt,' zei Annie.

'Soms zullen jullie boos op ons zijn,' zei mevrouw Fang tegen haar kinderen. 'Soms zullen we jullie ongelukkig maken, maar altijd met een reden. We doen het omdat we van jullie houden.'

'Daar geloven we niks van,' zei Annie. Buster sliep inmiddels. Zijn gezicht trok krampachtig en hij slaakte zachte jammerkreetjes.

Mevrouw Fang draaide zich om, keek Annie aan en legde haar hand op die van haar dochter. 'Je hebt geen idee hoeveel we van jullie houden, Annie,' zei mevrouw Fang en keerde zich weer om. Zij en haar man hielden elkaars hand vast terwijl het busje door het donker reed. 'Geen idee,' zei mevrouw Fang.

hoofdstuk elf

Annie stond in het midden van de galerie, aan alle kanten omringd door haar moeders kunst, en voelde iets wat op plankenkoorts leek, iets opwindenders dan alleen maar nervositeit. Het was alsof ze tien minuten bezig was geweest om de trap van een idioot hoge springplank te beklimmen en nu aan het randje van de plank stond, in de wetenschap dat er maar één weg naar beneden was. Of misschien was ze wel gewoon stapelgek. Ze hoopte tenslotte dat haar dode ouders weer tot leven zouden komen en dadelijk hier zouden verschijnen om een stelletje schilderijen te bekijken.

Annie droeg een zwart halterjurkje, dat met een strik bevestigd was in haar hals. Het leek sprekend op de jurk die Jean Seberg had gedragen in *Bonjour Tristesse*, alleen was de jurk van Seberg ontworpen door Givenchy en had Annie de hare op de kop getikt bij een Target in Nashville. Desondanks voelde ze zich, met haar kortgeknipte haar, net als Seberg, toch een filmster in haar jurk. Ze besefte dat ze uiteraard ook een soort filmster was, maar het leek in dit geval beter om een echte, onvervalste filmster te spelen en niet gewoon een soort filmster te zijn. Buster droeg een tweedpak van zijn vader dat hem ietsje te groot was, maar dat volgens hem wel de aandacht van hun vader zou trekken als hij zich in de galerie vertoonde. Annie dronk de wijn die iemand haar had gegeven, knikte en glimlachte als er mensen naar haar toe kwamen en wachtte tot er goddomme eindelijk eens iets zou gebeuren.

Annie had alles gedaan wat ze maar kon om van de expositie een succes te maken. Ze had al haar contacten ingeschakeld om er ruchtbaarheid aan te geven en had zich laten interviewen over het werk van haar moeder door iedereen die er maar in geïnteresseerd was, in de hoop dat het zoveelste nieuwe artikel nou misschien net het stuk zou zijn dat de aandacht van haar ouders zou trekken. In de weken voorafgaand aan de tentoonstelling waren er stukken verschenen in de *New York Times, San Francisco Chronicle, San Francisco Examiner, Los Angeles Times, Art-Forum, Art in America* en *BOMB Magazine*, plus beschouwingen in *Juxtapoz* en *Raw Vision* waarin Camilles werk werd opgevoerd als een uitstekend voorbeeld van lowbrow-kunst. De voornaamste punten die Annie over het voetlicht probeerde te krijgen waren dat de schilderijen van haar moeder misschien wel belangrijker, moeilijker en kunstzinniger waren dan de gelimiteerde en verouderde kunstvormen waarmee de Fangs voornamelijk geassocieerd werden en dat het doodzonde was dat ze kennelijk de behoefte had gevoeld om dat geheim te houden.

Terwijl ze die interviews gaf, zag Annie in gedachten Caleb een rolberoerte krijgen en zo woedend worden dat hij een auto zou jatten en plankgas geven tot hij bij de galerie was, waar hij de tafel met kaas en wijn ondersteboven zou lopen en de schilderijen zou toetakelen met alle kracht die hij maar in zich had, wat veel zou zijn, Caleb kennende. Daar hoopte Annie in elk geval op: dat haar ouders zo van streek zouden raken dat ze een vergissing zouden maken en zichzelf zouden blootgeven, waardoor Annie de kans zou krijgen om publiekelijk en voorgoed afstand van hen te nemen en vervolgens samen met Buster de zonsondergang tegemoet te lopen, langzame fade-out, einde.

Chip, de zoon van mevrouw Pringle, hoopte ook dat Caleb en Camille zouden komen opdagen. Pas na verscheidene telefoontjes wist Annie haar lachen in bedwang te houden als ze met Chip sprak – Chip Pringle, god nog toe – maar ondanks haar gesmoorde gegiechel besefte ze dat Chip hoopte dat de expositie gewoon een soort prelude was op de herrijzenis van Caleb en Camille. Hij probeerde Annie meerdere keren te laten toegeven dat de hele tentoonstelling in feite een ingewikkelde truc was waardoor Caleb en Camille weer in de openbaarheid zouden kunnen verschijnen. Aangezien dat precies was wat Buster dacht en Annie was gaan beseffen dat het ook weleens zou kunnen zijn wat haar ouders gepland hadden, liet ze Chip in die waan, zonder het met zoveel woorden te bevestigen. 'Kunst,' zei Chip dan ademloos, zonder verder in detail te treden en Annie reageerde simpelweg met: 'Kunst,' alsof ze leden waren van een geheim genootschap en dit hun wachtwoord was.

Buster drentelde door de galerie en probeerde met niemand te praten terwijl zijn ogen van de schilderijen aan de wand naar de activiteit in de zaal flitsten, op zoek naar zijn vader en moeder, maar Annie verroerde zich niet en bleef op haar post, vanwaar ze uitzicht had op de enige ingang.

Buster kwam aanlopen, met een handvol kaasblokjes. 'Nog niks,' zei hij. Annie keek naar de kaas op zijn uitgestrekte handpalm. 'Waarom heb je geen bordje genomen?' vroeg ze. Buster keek verbaasd naar zijn hand. 'Ik wist niet eens dat ik die gepakt had,' zei hij. 'Geef mij er 'ns eentje,' zei Annie. Ze stopte een blokje in haar mond en de kaas voelde warm en pikant aan op haar tong. Buster deed de rest van de kaas in de binnenzak van zijn jasje en klopte zijn handen af. Annie had opeens liever dat hij helemaal aan de andere kant van de zaal zou gaan staan.

'Ik stel me steeds voor hoe het zal gaan,' fluisterde hij tegen Annie. 'Over een uurtje is het hier echt bomvol. Ik denk dat we opeens iemand horen schreeuwen, *Die schilderijen zijn nep!* En dan kijkt iedereen om en komen pa en ma binnen en eindigt alles in één grote chaos. Ik hoop dat het zo gaat.'

'Ik denk dat Caleb en Camille binnendringen via het raampje

van de wc, zich daar verbergen tot de galerie sluit, dan alle schilderijen van de muren halen en gauw weer terugrijden naar waar ze vandaan kwamen,' antwoordde Annie. Zodra ze dat gezegd had voelde ze spijt, alsof dat scenario, nu ze het verzonnen had, ook werkelijkheid zou worden. En dat wilde ze niet. Ze wilde niet dat haar ouders onopgemerkt naar binnen zouden glippen. Ze wilde ze in de galerie hebben, omringd door getuigen, oog in oog met Annie en Buster. Van wat er daarna zou gebeuren kon ze zich nog geen voorstelling maken, maar ze was er tevreden mee om eerst gewoon te wensen dat ze zouden verschijnen. Hoe het daarna ging, zou vanzelf wel duidelijk worden.

'Ik ga nog even rondlopen. Kijken wie er allemaal zijn,' zei Buster en hij verdween in de mensenmassa. Annie voelde de zenuwen door haar keel gieren en nam haar toevlucht tot een oude truc van de Fangs. Langzaam liet ze ieder deel van haar lichaam gevoelloos worden, in een soort nagebootste dood, en toen die gevoelloosheid door haar hals omhoog kroop en haar hersenen bereikte, hield ze dat moment zo lang mogelijk vast. Ze liet haar gedachten uitdoven, net als in de laatste scène van *Sunset Boulevard*: het heldere beeld werd ondoorzichtig en wazig en ging daarna langzaam over in zwart. Na een paar seconden, ook al hadden het net zo goed uren kunnen zijn, deed ze haar ogen weer open en werd ze zich langzaam weer bewust van haar lichaam. Op dat moment zag ze Buster: hij liep schouderophalend naar haar toe en had een vreemde, bijna schaapachtige uitdrukking op zijn gezicht. Annie verstijfde. Ze vroeg zich af wat ze allemaal gemist had en probeerde vlug de controle terug te krijgen over de lichaamsdelen die ze zometeen nodig zou hebben. Buster stond nu bijna naast haar, maar ze kon nog steeds niet goed horen wat hij zei. Haar oren waren nog druk bezig met opstarten en afstemmen. 'Wat?' vroeg Annie toen Buster zijn hand op haar arm legde. Hij wees naar de ingang en zei: 'Lucy.' Annie keek en zag het glimlachende gezicht van Lucy Wayne, een vrouw die ze meer dan twee jaar niet gezien had. Een herboren Annie, gloednieuw, glanzend en perfect afgesteld, glimlachte terug.

Lucy, nog geen een meter zestig en met haar zwarte haar in een knotje, liep door de drukke zaal naar Annie en Buster, die zich niet verroerden. Lucy had haar hand uitgestoken, alsof ze op de tast door een donkere ruimte liep, maar toen besefte Annie dat ze gewoon nerveus naar hen zwaaide. Annie zwaaide terug, net als Buster. Lucy droeg een witte blouse met de bovenste vier knoopjes open. Een bril met hoornen montuur hing op haar décolleté en haar ensemble werd gecompleteerd door een zwart met wit geruit tokje. Annie vond haar eruit zien als de coolste bibliothecaresse ter wereld, eentje die het grootste deel van de dag seks had tussen de boekenrekken.

'Hallo,' zei Lucy en ze tikte Annie op haar schouder. 'Wat doe jij hier?' vroeg Annie, nog druk bezig Lucy's onverwachte verschijning te verwerken. 'Dit is echt iets voor mij,' zei Lucy met een gebaar naar de schilderijen. Haar donkere, bijna zwarte ogen glommen vol belangstelling. 'Bizarre toestanden, daar leef ik voor.' Annie was kennelijk niet in staat om antwoord te geven en Buster zei: 'Nou, dan ben je hier aan het juiste adres. Na één wand met die schilderijen heb je je jaarlijkse portie bizarre toestanden wel gehad.' Lucy zette haar bril op en liep naar een van de schilderijen. 'O,' zei ze en hield die klank zo lang vast dat het was alsof ze neuriede, 'dit is echt goed.' Annie kon nog steeds niet naar haar moeders schilderijen kijken en alleen maar gissen welke groteske afbeelding Lucy's belangstelling had gewekt. Ze dronk haar wijn op en zodra ze zich een beetje opgelaten begon te voelen, omdat ze daar met een leeg glas stond, plukte een jongeman met een wit jasje en een dienblad het glas uit haar hand en liep verder. Na haar jaren in Hollywood was Annie gewend aan dit soort situaties, als alles vreemd was en er voor haar werd gezorgd door mensen die ze niet eens kende.

Twee uur na het begin van de opening was het nog steeds abnormaal druk in de galerie, voor een expositie van schilderijen door een experimentele performancekunstenaar, maar waren hun ouders nog nergens te bekennen. Annie weigerde zich daar druk om te maken. 'Maak je niet druk,' zei ze in zichzelf en realiseerde zich toen opeens dat ze het hardop gezegd had.

Tot dusver waren er al meer dan tien mensen, stuk voor stuk bijna bejaard, naar Annie toegekomen om te zeggen dat de kunst van haar ouders zoveel voor hen betekend had en iets ondefinieerbaars had veranderd in de manier waarop ze naar de wereld keken. Annie glimlachte en knikte de hele tijd, maar vroeg zich tegelijkertijd ook stomverbaasd af hoe iemand in hemelsnaam met plezier kon terugdenken aan een werk van de Fangs. Toen besefte ze dat ze waarschijnlijk opnames van de oorspronkelijke gebeurtenis bedoelden, die ze in een museum hadden gezien, en verbaasde ze zich nog meer. Werkte een trauma zo? Konden degenen die er persoonlijk bij betrokken waren geweest zich niet voorstellen dat anderen er misschien een diepere betekenis aan ontleenden? Annie voelde de muren op zich afkomen. Ze haalde diep adem en deed weer haar best om de wereld op afstand te houden. Als haar ouders verschenen – wanneer haar ouders verschenen – zou ze er klaar voor zijn. Misschien konden anderen hun concentratie laten verslappen, maar zij niet.

Annie had geen idee hoeveel wijn ze gedronken had. Het hadden twee glazen kunnen zijn, maar ook tien. Doordat iemand steeds haar lege glas meenam, kon ze nergens aan afmeten hoe dronken ze nou eigenlijk was. Ze moest plassen, maar kon onmogelijk haar post verlaten. De gedachte dat ze het moment waarop haar ouders eindelijk binnenkwamen misschien zou missen, was ondraaglijk. Als ze niet met eigen ogen getuige was van hun herrijzenis, zou het dan wel echt gebeurd zijn?

Ze zag dat Lucy en Buster samen de schilderijen van haar moeder bestudeerden. Annie wist dat ze eigenlijk naar Lucy toe moest gaan, dat ze hoorde te praten met de vrouw die haar volgende film zou regisseren, als alles volgens plan verliep. Zij en Lucy hadden al een paar weken contact gehad per e-mail, maar toch was Annie uit het veld geslagen geweest toen ze plotseling voor haar neus had gestaan. Ze had opzettelijk niets over de tentoonstelling tegen Lucy gezegd, al had die er waarschijnlijk wel over gelezen omdat ze lang voordat ze Annie ontmoet had al een fan van de Fangs was geweest. Annie wilde niet dat Lucy haar alleen maar als een onderdeel van haar familie zou beschouwen, maar nu Lucy op nog geen drie meter afstand van haar stond, merkte Annie dat haar dat eigenlijk niet meer kon schelen en dat ze gewoon blij was dat Lucy was gekomen. Alsof ze gedachten kon lezen liep Lucy naar Annie toe en zei: 'Sinds ik hier ben, heb je nog geen vin verroerd. Ik denk steeds dat je ook met een of andere performance bezig bent, als levend standbeeld of zo.' Annie schudde haar hoofd. 'Ik sta hier gewoon rustig,' zei ze. 'Ik denk na.'

'Mag ik je iets vragen?' zei Lucy en Annie knikte. 'Volgens Buster wachten jullie op je ouders. Jullie denken dat ze vanavond misschien terugkomen,' zei Lucy, zonder te laten doorschemeren wat ze van dat idee vond. Annie keek naar Buster, die nu op een bankje zat en met een paar van de bejaarde Fang-fans praatte. Buster kon ook nooit eens zijn grote mond houden. 'Dat is inderdaad een mogelijkheid,' gaf Annie toe.

'Maar je weet het niet zeker?' vroeg Lucy. 'Ik bedoel, je ouders hebben het niet gezegd?'

Annie schudde haar hoofd. Lucy's ogen werden groot en ze trok even met haar mond, alsof ze vrolijk of juist bedenkelijk had willen kijken maar zich meteen weer bedacht had. Het leek erop dat Lucy nog iets wilde zeggen maar zich inhield, en dus zei Annie het maar voor haar. 'Ik weet dat het idioot klinkt.'

'Voor Caleb en Camille Fang klinkt het eerlijk gezegd helemaal niet zó idioot,' zei Lucy. Ze liet haar blik door de galerie gaan, alsof ze wilde controleren of Annies ouders inderdaad nog niet aanwezig waren, en vervolgde toen: 'Zo te horen is dit allemaal behoorlijk emotioneel. Heb je liever dat ik ga? Misschien kunnen jij en Buster nu beter alleen zijn.'

'Nee, blijf,' zei Annie. Ze keek omlaag en zag dat ze weer een glas wijn vasthield. Het was alsof haar handen goocheltrucs verrichtten zonder haar medeweten of goedkeuring. 'Blijf alsjeblieft,' zei ze, zonder zich te generen voor de vertwijfeling in haar stem. De hoop dat Lucy misschien inderdaad zou blijven verdrong haar schaamte. Toen Lucy knikte, had Annie opeens de kracht om zich te kunnen bewegen en gaf ze haar glas aan Lucy. 'Ik moet even naar de wc, maar ik ben zo terug.'

Terwijl ze naar de toiletten liep, zag ze dat het minder druk begon te worden in de galerie. De opening was op het punt aangeland dat er meer mensen vertrokken dan er bijkwamen. Het was een beetje benauwend, de wetenschap dat dadelijk iemand de allerlaatste zou zijn die gearriveerd was. Behalve haar ouders dan, dacht Annie. Toen ze bijna bij de deur van het toilet was, pakte Chip Pringle haar heel lichtjes bij haar arm, alsof hij haar even uit koers wilde brengen en zei: 'Nog steeds niemand. Ik wil het verrassingselement niet bederven, maar heb je enig idee wanneer ze zouden kunnen komen? Kun je me dat zeggen?'

'Gauw,' zei Annie, die daar onmiddellijk spijt van had. Ze wilde zichzelf verbeteren, maar besloot het toen zo maar te laten. Het leek de meest oprechte uitspraak die ze kon doen, oprechter dan 'Geen idee' of 'Misschien komen ze wel helemaal niet' of zelfs 'Ze zijn er al.' Ze schudde zijn hand af, zonder zelfs maar te kijken hoe hij op haar woorden reageerde. Ze duwde de deur van het toilet open en had heel even geen idee, werkelijk geen flauw idee, wat ze daar nou eigenlijk kwam doen.

Toen ze terugkwam stond Lucy nog steeds op haar plekje, met Annies inmiddels lege glas in haar hand. Buster schoot Annie aan voor ze op haar post terug was.

'Ik maak me zorgen,' zei hij.

'Niet doen,' zei Annie.

'Nou, misschien is dat niet het juiste woord,' zei Buster. 'Ik begin bang te worden.'

'Ook niet doen,' zei ze. 'Wat het ook is, gewoon niet doen.'

'Volgens mij komen ze niet,' zei Buster. Het was alsof hij kromp in zijn pak.

'Ze kiezen altijd voor het verrassingselement,' zei Annie. Ze komen pas opdagen als wij denken dat ze niet meer komen opdagen.'

Buster knikte, overtuigd door die logica, en Annie had het wel willen uitgillen bij de gedachte dat hun ouders hen kennelijk zo grondig verneukt hadden dat ze het idee dat Caleb en Camille hun gedachten konden lezen niet eens vreemd vonden. Ze voelde haar woede, die meestal niet opdringerig aanwezig was, plotseling rafelig en instabiel worden en zich door haar spieren en haar bloed verspreiden. Ze wist dat ze daar weinig aan kon doen, behalve dan de woede in bedwang houden en ervoor zorgen dat die niet tot uitbarsting kwam voor ze een passend doelwit had, voor ze hem kon afreageren op degenen die het verdienden en die goddomme nog steeds hun stomme smoel niet hadden laten zien.

Annie liep naar Lucy, die een stapje opzij deed zodat Annie haar plekje weer kon innemen. 'Welke vind jij het mooist?' vroeg Lucy en ze staarde reikhalzend over haar rechterschouder naar de schilderijen.

'Niet eentje,' zei Annie. Ze had zin in een glas wijn en toen ze merkte dat ze niets in haar hand had, was ze zich bewust van een intense teleurstelling, van de schok die je voelt als je niet ziet wat je verwacht te zullen zien.

'Misschien kan ik beter gaan,' zei Lucy, zonder op haar horloge te kijken of te doen alsof ze een reden had om te vertrekken, behalve dan dat het tijd was om te gaan. 'Ik wilde je iets zeggen, al weet ik niet of dit het meest geschikte moment is. Maar ik ben hier en jij bent hier en ik heb je zolang niet meer gezien dat ik het toch wil zeggen. Ik hoop dat je het spannend vindt om te horen.'

'Wat dan?' vroeg Annie. Ze verlangde naar goed nieuws, naar iets wat misschien weleens werkelijkheid zou kunnen worden. Haar woede verdween even, haar spieren waren plotseling niet langer verkrampt en ze concentreerde zich op Lucy en de goede berichten die ze mogelijk had.

'De film heeft het groene licht gekregen. We hebben het geld, we zijn bezig de laatste dingetjes te regelen voor de locatie en we gaan beginnen met audities voor de andere rollen. Ik ga die film maken, Annie. Jij en ik gaan die film maken.'

Annie glimlachte en Lucy en zij omhelsden elkaar. 'Het gaat gebeuren, Annie,' zei Lucy. 'Wat je verder ook allemaal aan je hoofd hebt, je hebt in elk geval deze film en mij om je te helpen, als je hulp nodig hebt.'

'Bedankt,' zei Annie. 'Ik wil dat het goed wordt. Ik wil het goed doen.'

'Het wordt ook goed,' zei Lucy, die zich losmaakte uit Annies omhelzing. Ze liep naar de deur en zwaaide. 'Jij wordt ook goed,' verbeterde ze zichzelf.

Buster liep naar Annie en gebaarde naar de bijna lege ruimte. 'Ze komen niet,' zei hij en hij zoog op zijn tanden, alsof de lucht zo scherp was dat ademhalen pijn deed.

Er waren nog tien mensen en over een kwartier zou de galerie sluiten. Annie en Buster staarden omlaag, alsof ze verwachtten dat iets uit de vloer omhoog zou rijzen. Er stonden nog een paar mensen op het punt om te vertrekken, een man en een vrouw, maar ze keken naar Annie en Buster alsof ze op een teken wachtten dat ze eigenlijk moesten blijven. Annie zwaaide naar hen. 'Dag,' zei ze en het paar knikte en vertrok, duidelijk zwaar teleurgesteld. Waarschijnlijk hadden ze dezelfde verwachtingen gehad als Annie en Buster. Daarna vertrokken een voor een ook de overige gasten tot alleen Annie, Buster, Chip Pringle en zijn moeder nog over waren. Zelfs de cateraars waren al weg. Ze moesten alleen nog de lichten uitdoen en de boel afsluiten.

Chip liep hoofdschuddend naar Annie. 'Ze zijn niet gekomen,' zei hij. Annie schudde haar hoofd, maar kon geen woord uitbrengen. 'Nou ja, dat was altijd een mogelijkheid,' gaf Chip toe. 'Als je verwacht dat iets gebeurt, doen Caleb en Camille het juist niet,' zei mevrouw Pringle. Ze stond niet al te vast meer op haar benen en was flink aangeschoten, maar ze straalde. Ze leek de enige die blij was; ze waardeerde de schilderijen alleen om wat ze waren en was er tevreden mee om ze het werk te laten doen dat de verdwenen Fangs niet meer konden verrichten.

Wat konden Annie en Buster verder nog doen, behalve dan iedere dag dat de expositie duurde terugkomen en wachten tot er iets gebeurde, tot het verborgene onthuld werd?

Buster begon te huilen. Hij schudde zijn hoofd en stak zijn hand op, alsof hij zich wilde verontschuldigen of om een minuutje tijd wilde vragen, zodat hij zichzelf weer kon kalmeren. 'Ze komen niet,' zei hij. Annie legde haar handen op Busters schouders, keek hem recht aan en haalde diep adem. Ze liet hem zien hoe je moest ademhalen, hoe de lucht je longen in en uit moest stromen, hoe je in leven moest blijven. 'De deur is op slot. Doe alleen even de rest van de lichten uit als jullie weggaan,' zei Chip. Opgelaten loodste hij zijn moeder hun eigen galerie uit en liet de kunst achter die Annie en Buster nu maakten, wat absoluut niet de kunst was waar ze op zaten te wachten.

Annie begreep Busters plotselinge ineenstorting en had het in feite ook moeten verwachten. De expositie was zijn idee geweest en alles was afhankelijk geweest van deze ene list. En nu, nadat Annie en Buster alle omstandigheden hadden geschapen die hun ouders naar hun idee nodig hadden om te kunnen terugkeren, waren Caleb en Camille toch niet komen opdagen. Het was een mislukking, de zoveelste, en dat was te veel voor Buster, al was het gevoel van mislukking nog zo vertrouwd voor hem.

'Ze zijn dood, Annie,' zei Buster uiteindelijk. Zijn stem was helder en kalm, alsof hij het weerbericht las voor een land waar het nog nooit geregend had en ook nooit zou gaan regenen.

'Zeg dat niet, Buster,' zei Annie. De galerie was donker en verlaten en er was geen spoor te bekennen van hun ouders, afgezien van de penseelstreken waaruit de schilderijen aan de wand bestonden. Annie kon niet toestaan, wilde niet toestaan, dat er ook maar een beetje werd afgeweken van het onomstotelijke feit dat hun ouders nog leefden, zich verborgen hielden, en vreselijke mensen waren die gestraft moesten worden.

'Misschien zijn ze altijd al dood geweest en hebben we de aanwijzingen gewoon over het hoofd gezien,' zei Buster. 'We dachten steeds dat het een truc was. Het leek zó op een Fang-happening dat het gewoon niet echt kon zijn.'

'Klopt,' zei Annie. 'Het was veel te bizar om niet gepland te kunnen zijn.'

'Maar stel dat het nou allemaal wél gepland was?'

'Dat zeg ik toch steeds?'

'Nee,' zei Buster en hij zwaaide geagiteerd met zijn handen. 'Stel dat het gepland was, maar dat het plan was dat ze dood zouden gaan?'

Annie antwoordde niet; ze staarde Buster alleen maar aan en wachtte op het onvermijdelijke.

'Je hebt zelf gezien wat een flater ze sloegen bij de Chicken Queen en hoe verdrietig ze waren omdat hun plan op zo'n fiasco was uitgelopen. Stel dat ze dachten dat ze geen kunst meer konden maken? Als ze geen kunst meer konden maken, zouden ze niets meer hebben om voor te leven. En als ze niets meer hadden om voor te leven, waarom zouden ze er dan geen eind aan maken? En als ze er toch een eind aan zouden maken, waarom dan niet op een groteske, mysterieuze manier waarover iedereen nog lang zou napraten? Zodat iedereen zich het beste van hun kunst nog één keer zou herinneren?'

'Alsjeblieft, Buster,' zei Annie.

'Misschien voelde het wel aan als een Fang-happening omdat het dat ook was. Alleen snapten wij niet wat er werkelijk achter zat.'

Annie had plotseling het weeë gevoel dat toeslaat als een onzekerheid zeker wordt. Had ze, door die mogelijkheid steeds zo fanatiek te ontkennen, er juist voor gezorgd dat het slechts een kwestie van tijd was voor ze bezweek onder de druk van de onontkoombare waarheid? Ze probeerde haar pijnlijke, innerlijke aardverschuivingen te analyseren, de manier waarop haar emoties tegen elkaar opbotsten en onbeklimbare bergen vormden. Er bestonden stadia van verdriet, besefte ze. Het eerste stadium was ontkenning en het tweede woede. Ze had geen idee wat daarop volgde en ook geen enkele illusie dat ze ooit zo ver zou komen.

Terug in het hotel, nadat Annie haar broer naar zijn kamer had gebracht en Buster meteen nadat ze hem in bed had geholpen in slaap was gevallen, plofte ze op haar eigen bed neer. Ze was nog steeds druk bezig het feit te verwerken dat haar ouders misschien altijd wel vermist zouden blijven en nooit meer tot leven zouden kunnen worden gewekt. Eigenlijk had dat een opluchting moeten zijn, het besef dat de draad die Annie en Buster met hun ouders verbond voorgoed was doorgeknipt. Toch betrapte Annie zichzelf op de wens dat haar ouders, ook al leefden ze niet meer, toch niet dood zouden zijn. Ze verlangde naar contact, ook al had dat geen levensvonk meer die hun handelingen betekenis gaf. Waarschijnlijk, bedacht ze, wilde ze hun stemmen horen, maar dan sprekend in een taal die zij niet kon verstaan. Ze roldc om in bed, pakte de telefoon op het nachtkastje en draaide het nummer van haar ouderlijk huis. De telefoon ging over en toen hoorde ze opeens de stem van haar moeder, ruisend en ietsje te hard.

'De Fangs zijn dood. Als u een boodschap achterlaat na de piep, bellen onze geesten u terug.'

Annie wachtte en haar stilte vulde het antwoordapparaat thuis. Uiteindelijk, met alles nog ongezegd, hing Annie weer op. Tien minuten later pakte ze het toestel opnieuw, drukte op de herhaaltoets en luisterde nogmaals naar de stem van haar moeder, een onstoffelijk geluid, de schim van een schim. 'De Fangs zijn dood. Als u een boodschap achterlaat na de piep, bellen onze geesten u terug.'

Annie hing op zodra haar moeder was uitgesproken. Ze wilde

niet dat het apparaat het geluid van haar verdriet zou vastleggen, al was dat nog zo gedempt. Ze zou niet opnieuw bellen. Ze had alles gehoord wat ze horen moest. Annie bleef roerloos liggen, zonder na te denken, zich nergens van bewust behalve het geluid van de airco in de hoek, rammelend als een machine die onmogelijk de nacht kon overleven, al zou dat natuurlijk wel het geval zijn.

het inferno, 1996
kunstenaars: caleb en camille fang

De Fangs, tenminste de drie die nog over waren, zaten in een dip. Sinds Annie een halfjaar geleden was afgereisd naar Los Angeles om filmster te worden, waren Caleb, Camille en Buster steeds verder weggezonken in het overvolle interieur van hun huis, zonder goed te weten hoe het nu verder moest. Na het incident met *Romeo en Julia*, dat Annies vertrek had bespoedigd, had Buster geen zin meer om nog voor het voetlicht te treden. Hij was er tevreden mee om te observeren, en zelfs dan hield hij liever zijn ogen dicht en luisterde hij gewoon. Camille beweerde dat het zonder Annie niet meer hetzelfde zou zijn, dat ze een gezin waren en dat die eenheid hun kunst juist zo succesvol had gemaakt. Caleb hamerde erop dat ze Annie niet meer nodig hadden en nu aan de vooravond stonden van een nieuwe en productieve fase in hun carrière. Hij had alleen nog even de tijd nodig om uit te knobbelen wat die fase dan precies inhield. Dus wachtten ze af en had Buster soms het gevoel dat hij onzichtbaar begon te worden. Zijn ouders schrokken vaak als ze hem in de keuken aantroffen, alsof ze dachten dat hij samen met Annie vertrokken was. Buster vond ze kortaangebonden en het was alsof ieder voorwerp in huis zomaar in hun handen kon ontploffen. Kortom, ze waren een gezin in beroering en ze waren niet gewend aan dat gevoel. Godallemachtig, zij *zorgden* voor beroering. Voor beroering zorgen was hun *vak*.

Om wat om handen te hebben terwijl zijn ouders zaten te dubben over hun volgende onderneming – Buster hoorde meermalen het woord *kruisboog* fluisteren – concentreerde hij zich op schrijven. Voor Annie was vertrokken, had ze hem voorbereid op een leven zonder haar en hem aangemoedigd om iets artistieks te gaan doen, maar dan wel iets wat losstond van Caleb en Camille. 'Probeer wat te vinden, bijvoorbeeld gitaarspelen of schrijven of bloemschikken,' zei ze, 'waaruit blijkt dat niet iedereen die creatief is meteen zo verknipt hoeft te zijn als Caleb en Camille.' Van al die suggesties leek schrijven het gemakkelijkst geheim te houden voor zijn ouders. Buster hield een handvol potloden vast alsof het een boeket was en hij indruk wilde maken op een onbereikbaar mooie vrouw. Hij bladerde een blanco schrift door en zag in zijn verbeelding hoe de letters op het papier vloeiden. Maar daar hield het dan ook mee op.

Hij wist niet hoe hij moest beginnen. Waar moest hij over schrijven? Wat was er anders dan zijn familie? Kon hij over zijn familie schrijven? Dat leek geen goed idee. Maar hij kon wel over *een* familie schrijven. De familie Dang. De ouders zouden lilliputters zijn en de broer ouder dan de zus. Dat leek, in Busters ontluikende verbeelding, voldoende om hun ware identiteit te verhullen. Vervolgens plaatste hij de Dangs in allerlei precaire situaties. In de buik van een walvis. Opgesloten in de kofferbak van een auto die op het punt stond van een klif af te rijden. Omlaag tuimelend vanaf grote hoogte, zonder dat ook maar één parachute open wilde gaan. En al die rampspoed was de schuld van de ouders, van meneer en mevrouw Dang, die het gezin keer op keer in gevaar brachten. Steeds als het ernaar uitzag dat alles toch nog goed zou komen, dankzij het kalme en inventieve optreden van de kinderen, maakte een van de ouders weer een kritieke fout waardoor ze alsnog tot de ondergang waren gedoemd. Elk verhaal eindigde hetzelfde. De hele familie kwam op spectaculaire wijze om, maar werd vervolgens weer tot leven gewekt in het volgende verhaal. Toen hij er voor het eerst eentje voorlas aan Annie zweeg ze even en zei toen: 'Weet je zeker dat je niet liever wilt gaan bloemschikken?' Ja, dat wist Buster zeker. Hij had iets ontdekt waar hij misschien wel goed in was. Hij kon conflicten creëren, zich erdoorheen slaan en dan na afloop als enige ongedeerd zijn. Het was duidelijk dat hij een schrijver was, dat hoefde niemand anders hem te vertellen.

Buster belde Annie vaak 's avonds laat, om niet de achterdocht van zijn ouders te wekken. Niet dat het Caleb en Camille iets had kunnen schelen. Annie was tenslotte niet uit huis verbannen. In tegenstelling tot de familie van Camille, hadden meneer en mevrouw Fang hun kind niet verstoten omdat ze hen toevallig teleurgesteld had. Ze zouden haar steunen, maar als ze geen deel meer uitmaakte van hun eigen werk, konden ze ook weer niet al te veel aan haar denken. Ze hadden haar wel een groot geldbedrag meegegeven, om haar in Californië op weg te helpen. 'Het was echt een smak geld, Buster,' had Annie op een keer door de telefoon gezegd. 'Ik bedoel, zoveel geld als *rijke stinkerds* zouden geven.' Dat herinnerde Buster eraan dat zijn ouders technisch gezien rijk waren. Nog afgezien van de subsidies en stipendia die ze ieder jaar steevast schenen te ontvangen, hadden Caleb en Camille ook een MacArthur Genius Grant gekregen toen Buster tien was, een financiële klapper van zo'n omvang dat het in feite precies hetzelfde was als de loterij winnen. Zijn ouders leefden echter gewoon verder alsof er niets veranderd was. Als ze spullen nodig hadden voor hun werk kochten ze soms iets duurders, maar daar bleef het bij. De gedachte dat zijn ouders een deel van dat geld aan Annie hadden gegeven maakte Buster blij, omdat eruit bleek dat hun gezin, hoe verbrokkeld dan ook, misschien ooit weer één zou worden. Er bleek tevens uit dat, als hij het goed aanpakte, er voor hem ook een pak geld klaar zou liggen als hij de volgende stap in zijn leven zette.

Er werd opgenomen door Annies kamergenote Beatrice, een lesbiënne die hielp een gecompliceerd en illegaal klinkend post-

orderbedrijf in porno te runnen. 'Is Annie er ook?' vroeg Buster.
'Ja, ze is hier,' zei Beatrice. 'Waarom heb je me nog geen dertig dollar gestuurd? Ik zei toch dat je dat moest doen?'

'Zoveel geld heb ik niet,' zei Buster. Hoe moest hij uitleggen dat hij het geld wel degelijk had, in een verzegelde envelop onder zijn bed, te radioactief om te versturen? De onreine intenties sijpelden langzaam door de vloer heen, drongen door tot in de aarde en verontreinigden het grondwater.

'Als jij me dat geld stuurt, stuur ik jou iets spannends,' zei ze, zoals altijd.

'Is Annie er?' herhaalde Buster.

'Al goed,' zei Beatrice. 'Hier komt ze.'

Annie kwam aan de lijn en zij en Buster praatten over de gebruikelijke dingen: Annies audities ('Ik ben teruggebeld voor een tv-film over een bankoverval die misloopt. Ik moet proberen de stomme bankrover om te praten, voor zijn slimmere collega doorkrijgt wat er aan de hand is en me in elkaar slaat.'), Busters verhalen ('En dan beseffen ze opeens dat de pin uit een van de handgranaten getrokken is. Nou, je kunt wel raden hoe dat afloopt.'), Annies filmsterdromen ('Ik hoef echt geen gigaster te worden. Ik wil gewoon dat mensen me in een film zien en zich dan herinneren dat ze me ook weleens in een andere film gezien hebben en dat ik toen best goed was.') en Busters plotselinge droom om schrijver te worden ('Ik denk niet dat pa en ma ooit iets van me zouden lezen.').

'We gaan ongelooflijke dingen doen, Buster,' zei Annie altijd. 'Iedereen zal zich later Caleb en Camille alleen nog maar herinneren als de ouders van Buster en Annie Fang.'

'Ze hebben nog steeds niets nieuws geproduceerd sinds jij weg bent,' zei Buster en hij kon de bezorgdheid in zijn stem niet verbergen.

'Dat kan alleen maar positief zijn, Buster,' zei Annie.

'Jij hebt makkelijk praten,' zei Buster. 'Jij zit lekker in Californië en ik zit hier.'

'Nog even en dan kun jij ook weg,' zei ze. 'Dan kom je bij mij wonen, in L.A. en hoeven we nooit meer terug.'
'Nooit?' vroeg Buster.
'Helemaal nooit,' zei Annie.

In de supermarkt maakte Busters vader middenin een zin plotseling een onbeholpen dansje, viel tegen een rek vol potten spaghettisaus en smakte languit op de grond. Hij leek wel een beetje op het slachtoffer van een moord terwijl hij daar versuft bleef liggen. Camille was ergens in een ander gangpad en Buster verstijfde. Hij wist niet wat hij moest doen, want ze hadden het hier niet vooraf over gehad. Zijn vaders rechterhand bloedde en moest zo te zien misschien wel gehecht worden. Mensen snelden toe om Caleb te helpen en kreten weergalmden door de gangpaden. Buster ging vlug op zijn knieën op de grond zitten, middenin de smurrie, en begon verwoed handenvol saus in zijn mond te scheppen.
'Nee, nee, nee,' fluisterde zijn vader, nog steeds grimassend van de pijn. Buster voelde dat hij vuurrood werd van schaamte en koos vlug voor een andere aanpak. Er stond inmiddels een hele menigte om hen heen. 'Ik heb alles gezien!' riep Buster. 'Dit gaat ze geld kosten! We slepen ze voor de rechter!' Zijn vader greep Buster bij zijn T-shirt en gebruikte dat als houvast om moeizaam overeind te gaan zitten. 'Ik viel gewoon, Buster,' zei zijn vader. 'Dat is alles. Ik viel gewoon.' Buster liet zijn hoofd beschaamd hangen, weigerde de omstanders aan te kijken en wachtte tot iemand anders de orde herstelde. Hij voelde een minuscuul glasscherfje in zijn mond, van een van de gebroken potten. Hij liet het een paar seconden op zijn tong rusten en slikte het toen door.
Later, toen Buster en zijn vader in de auto zaten, op tientallen plastic boodschappentasjes zodat de stoelen schoon zouden blijven, schudde Caleb zijn hoofd. Zijn opengehaalde hand, die veel minder ernstig gewond leek nu hij niet meer onder de tomatensaus zat, was in papieren servetjes gewikkeld. 'Ik viel gewoon op

m'n kont,' zei hij tegen zijn vrouw. 'En B denkt echt dat we niks beters meer kunnen.'

Een paar weken na het incident in de supermarkt, toen Buster thuiskwam van school, denderde er trash metal door het huis en stonden zijn ouders furieus te dansen. Buster voelde zich net zo opgelaten als wanneer hij ze betrapt had terwijl ze seks met elkaar hadden. 'Buster!' riepen ze boven de muziek uit toen ze hem in de gang zagen staan. Zijn moeder liep naar hem toe en nam hem mee naar de woonkamer. De tafel was bezaaid met snoep en repen. Zo vierden zijn ouders iets, met keiharde muziek en suiker. Buster wist dat er iets ging gebeuren en wachtte af tot zijn ouders hem zouden vertellen wat zijn rol was in de gevaarlijk instabiele constructie die ze uiteindelijk ontworpen hadden.

'Moet je dit zien,' zei zijn vader toen het weer ietsje rustiger was in huis. Buster zat op de bank, tussen zijn ouders in, en was bezig aan zijn derde reep, die op de een of andere manier gevuld was met twee verschillende soorten caramel. Zijn ouders gaven hem een artikel uit de *New York Times* met als titel 'De Fik Erin'. De foto die bij het artikel hoorde was een close-up van een man die op de drempel van een huis stond, met een brandende lucifer in zijn hand. Kennelijk was de man in kwestie, een performancekunstenaar genaamd Daniel Harn, van plan zijn eigen huis in brand te steken, compleet met inhoud, als statement over het materialisme en de wreedheid van de natuur. Zijn huis en alle herinneringen die het bevatte zouden tot as worden gereduceerd, en dat allemaal in naam van de kunst.

'Wilden jullie ons huis ook in brand steken?' vroeg Buster.

'Nee!' riep zijn vader. 'Jezus, nee! Ik zou nooit het idee van een andere kunstenaar jatten. Vooral niet zo'n slecht idee.'

'Buster,' legde zijn moeder uit, 'die Harn probeert een soort spektakel te creëren, maar in wezen is het net zo saai als alle andere doorsneekunst. Iedereen wordt ruim van tevoren op de hoogte gebracht. Hij heeft allerlei mensen uitgenodigd en die weten dat zijn huis in de fik gaat. Hij heeft al precies uitgelegd wat ze ervan moeten vinden, nog voor er ook maar iets gebeurd is.'

'Dat is geen kunst,' zei zijn vader. 'Het is hoogstens gekunsteld. Al het werk is al gedaan.'

'Wat gaan wij dan doen? De brand blussen?' vroeg Buster.

'Niet slecht,' gaf zijn moeder toe, 'maar wij hebben een beter idee.'

'Veel, veel, veel beter,' zei zijn vader, high van de suiker, en hij begon te lachen. Busters moeder deed mee en ze lachten zo uitgelaten en met zoveel emotie dat Buster besloot het ook te proberen, gewoon om te zien hoe dat aanvoelde. Hij lachte en lachte en hoewel hij nog niet wist wat de grap was, hoopte hij dat die alle moeite die ze er nu al in hadden gestoken waard zou zijn.

De eerstvolgende keer dat hij met Annie belde, vertelde Buster haar over het nieuwe project van de Fangs, het brandende huis, het plan van zijn ouders.

'Je hoeft niet alles te doen wat ze zeggen,' herinnerde Annie hem eraan.

'*Jij* hoeft niet alles te doen wat ze zeggen,' zei Buster. 'Ik woon hier nog. En ik wil het ook doen. Dan hoor ik er tenminste nog bij en voelen ze nog enige genegenheid voor me. Anders ben ik gewoon iemand die in hun huis rondhangt.'

'Zo horen mensen niet over hun kinderen te denken.'

'Ik maak trouwens alleen maar opnames,' zei Buster. 'Ik loop niet het gevaar om gearresteerd te worden.'

'Wees voorzichtig,' zei ze.

'Het zal niet hetzelfde zijn zonder jou.'

'Jawel,' antwoordde Annie. 'Het wordt vast even vreselijk als altijd.' Ze zwegen allebei even en toen zei Annie: 'Plotseling vind ik het bijna jammer dat ik er niet bij ben.' Ze hing vlug op, alsof ze niet verder over dat gevoel wilde praten, en Buster bleef achter met de hoorn nog steeds tegen zijn oor gedrukt. Hij dacht dat, als hij maar heel erg goed bleef luisteren, hij zijn zus in Los Angeles nog zou kunnen horen terwijl ze haar tekst repeteerde en iedere lettergreep duidelijk articuleerde.

Twee weken later bevond Buster zich in Woodstock, in de staat New York. Hij wou dat hij een dikkere jas had aangetrokken, had een Leica R4 camera in zijn hand, al wist hij eigenlijk niet goed hoe hij die moest bedienen, en wachtte tot een of andere knakker zijn huis in de fik zou steken. Hij zat samen met zo'n tachtig tot honderd andere mensen op klapstoeltjes die op een veilige afstand van het huis stonden en was verreweg de jongste toeschouwer. De rest scheen een mix te zijn van New Yorkse kunstenaarstypes en mensen die gewoon zin hadden in een spektakel. Er was ook een contingent brandweerlieden aanwezig: blijkbaar had je allerlei vergunningen nodig voor je iets dergelijks mocht doen en had de kunstenaar die netjes aangevraagd. Buster kon zich niet voorstellen wat zijn ouders zouden zeggen van een kunstenaar die braaf formulieren invulde om zijn visie te kunnen realiseren. Caleb en Camille waren nergens te bekennen. Ze waren twintig minuten eerder geheel volgens plan verdwenen. Buster moest gewoon wachten tot de brand begon en dan zoveel mogelijk foto's nemen.

Hij ging op een klapstoel aan het uiteinde van de derde rij zitten en draaide de camera om en om in zijn handen. 'Kom je voor de kunst?' vroeg iemand achter hem. Buster keek om en zag een man op leeftijd, met een vlinderdas en een lekker warme jas, die hem glimlachend aankeek. 'Of gewoon om een lekkere fik te zien?'

'Allebei,' zei Buster.

'Ik kom eigenlijk voornamelijk om te zien hoe die eikel zijn eigen huis laat afbranden,' zei de man. Buster had de indruk dat hij lichtelijk aangeschoten was en waarschijnlijk een groot deel van zijn tijd in die toestand verkeerde. 'M'n zus is ook altijd met kunst bezig. Ze maakt protestborden of dat soort onzin. Ik ben bang dat ik de hedendaagse kunst niet meer begrijp.' Hij wees naar Busters camera. 'Kijk, dat begrijp ik. Foto's. Schilderijen. Beeldhouwwerken. dat begrijp ik, zelfs als het geen grootse kunst is. Maar een huis in brand steken? Je eigen poep eten? Drie dagen lang rechtop blijven staan? Als je dat onder andere omstandigheden doet, word je meteen afgevoerd naar het gesticht.'

Buster probeerde een einde te maken aan het gesprek door zijn lichaam zoveel mogelijk af te wenden, terwijl hij de man nog wel bleef aankijken. Hij had het gevoel dat zijn hoofd ieder moment van zijn lichaam kon scheuren.

'Ik bedoel, ik heb toch gelijk, of niet soms? Als ik jou een dreun verkoop, kan ik dat dan ook kunst noemen?'

Buster richtte zijn camera en nam een foto van de man.

'Is dat kunst?' vroeg de man. Zijn gezicht werd steeds roder en zijn wangen waren bol van woede.

'Nee, bewijsmateriaal,' zei Buster. 'Voor als u me echt een dreun geeft.'

'Kunst!' zei de man en hij maakte een beweging alsof hij zichzelf aftrok. Buster stond op en ging een rij verderop zitten. Hij had het koud. Wanneer begon die brand nou eindelijk eens?

Bijna twintig minuten later kwam er een man het huis uit met een blik benzine. Hij zei niets tegen de toeschouwers, maar haalde een doosje lucifers uit zijn zak, streek er eentje af en gooide die door de deuropening naar binnen. Het vuur ontbrandde meteen, maar het duurde lang voor het door de kamers van het huis begon te trekken. Buster hoorde knetterende geluiden terwijl de hitte moleculen liet rondrazen, maar het was bij lange na niet zo spectaculair als hij zich had voorgesteld. Hij besefte dat hij een explosie had verwacht en niet gewoon wat vuur. Buster stelde zijn verwachtingen bij. Het was een huis en het stond in brand. Wat wilde hij nog meer? Het leek hem gepast om te applaudisseren, als eerbetoon aan alle moeite die het gekost had om dit op touw te zetten, maar verder klapte niemand en dus bleef Buster gewoon zitten en wachtte hij op zijn ouders.

Een ruit sprong kapot en er kolkte rook naar buiten. Buster keek toe terwijl zijn ouders kalm het huis uit kwamen lopen, hand in hand, hun wazige gestaltes omgeven door flikkerende vlammen. Buster ving ze in de zoeker van de camera en klikte erop los. Zijn vaders arm stond in brand en hij zwaaide ermee, maar op zo'n manier dat Buster niet wist of hij de vlammen probeerde te doven of gewoon de verbijsterde toeschouwers begroette. Toen ze dichterbij kwamen, werd duidelijk dat de hele rug van zijn moeder overdekt was met vlammen. Ze leken wankel op hun benen en ziek van de ingeademde rook, maar liepen desondanks gewoon verder, langs het publiek en langs Buster. Het was alsof ze van plan waren helemaal terug naar huis te lopen, maar een van de brandweermannen holde naar hen toe en bespoot hen met een brandblusser, zodat ze net knullig gemaakte sneeuwpoppen leken, overdekt met schuimvlokken. Ze ploften op de grond en hoestten de rook uit hun longen. Tegen de tijd dat ze zich weer een beetje beter voelden, stonden alle toeschouwers in een kring om hen heen. Afgezien van het geklik van Busters camera klonk er geen enkel geluid. Iedereen staarde naar die twee vreemde wezens terwijl achter hen het geraamte van het huis nog steeds brandde en de vlammen bizarre schaduwen over iedereen heen wierpen. Buster keek hoe zijn ouders elkaar omhelsden en kusten, zich toen door de menigte heen wurmden, ontsnapten uit de greep van de brandweerlui en het op een lopen zetten, in de richting van het bos en hun busje. Buster wist plotseling heel zeker dat, als hij niet maakte dat hij ook snel bij het busje kwam, ze hem gewoon zouden achterlaten.

Alsof het bedoeld was om het publiek eraan te herinneren waarom ze eigenlijk gekomen waren, stortte de achterkant van het huis plotseling in en Buster benutte die afleiding om achter zijn ouders aan te rennen. Hij kon bijna geen hand voor ogen zien en hij wilde niet de camera beschadigen, die zo duur was dat hij hem van zijn vader een naam had moeten geven (*Carl*) zodat hij er voorzichtiger mee zou zijn. Buster had het gevoel dat hij misschien wel precies de verkeerde kant op rende en dat zijn ouders dat ook deden, nog versuft door de rook. Hij kende deze fase maar al te goed, het intermezzo tussen de gebeurtenis en het moment waarop het gezin weer veilig herenigd kon worden, alleen was Annie er deze keer niet bij. Hij was alleen. Zijn ouders waren samen, maar hij was alleen. Hij bleef even staan, nam een foto van de duisternis en holde toen puur op gevoel terug naar het busje.

Toen hij het eindelijk had gevonden, zaten zijn ouders op de achterbank op hem te wachten. Het portier was open en ze inspecteerden de lelijke roze plekken op hun lichaam, die snel begonnen te zwellen. Ze wenkten hem en hij nam een foto van hen. 'Het zit zo, Buster,' zei zijn vader. 'Als iemand zegt dat iets brandwerend is, bedoelt hij eigenlijk brandvertragend. Na een tijdje word je toch geroosterd.'

'Het zag er geweldig uit,' verzekerde Buster hen. Zijn vader knikte, maar zijn moeder glimlachte zwakjes. 'Toen ik je aan zag komen door het bos,' zei ze, 'dacht ik even dat je gevolgd zou worden door Annie.'

Buster richtte zijn aandacht op zijn moeder. Haar gezicht vertrok van pijn toen ze ging verzitten en hij rook verschroeid haar. 'Ik mis haar ook,' zei hij.

Zijn moeder gebaarde dat hij dichterbij moest komen en omhelsde hem. Dit waren zeldzame momenten, en Buster liet niets het geweldige gevoel verstoren dat hij en zijn moeder dezelfde emotie deelden, ook al was dat dan verdriet. En toen begon zijn moeder te snikken. 'Het is gewoon niet meer hetzelfde, hè?' zei ze.

'Camille...' begon zijn vader, maar hij zweeg toen hij de vreselijke blik in de ogen van zijn vrouw zag, de blik van iemand die zich vastklampt aan de rand van de afgrond maar weet dat ze dadelijk moet loslaten.

'De enige reden waarom we dit gedaan hebben is zodat we een gezin konden zijn. We konden prachtige, idiote dingen maken en dat samen doen. Je vader en ik hebben jou en je zus gemaakt en met z'n vieren maakten we kunst. Nu zij er niet meer bij is... ik weet niet. Ik heb het gevoel dat alles wat we van nu af aan maken onvolledig zal zijn. Er zal iets essentieels aan ontbreken.'

Busters vader boog zich dichter naar hen toe. 'We wisten dat dit op een bepaald moment zou gebeuren. Wij zouden overlijden of de kinderen zouden het huis uit gaan, maar we konden onmogelijk altijd alles met z'n vieren blijven doen. We moeten ons gewoon aanpassen. Onze kunst zal evolueren en anders worden, beter.'

'Zeg dat niet,' zei Camille.

'Oké, niet beter, dat was verkeerd uitgedrukt. Maar wel nog steeds waardevol.'

'Ik weet niet of ik dit wel kan blijven doen zonder jullie twee,' zei zijn moeder tegen Buster. 'Ik weet niet of ik dat wel wil.'

Buster omhelsde zijn moeder opnieuw en zei: 'Het is maar tijdelijk.'

'Moet ik het zo zien?' vroeg ze.

'Wij gaan weg, maar dan komen we weer terug en dan wordt alles nog beter, omdat Annie en ik dan beter weten wat we kunnen en hoe we jullie kunnen helpen.'

'Jullie komen terug,' zei zijn moeder.

'Dan moeten we jullie alles weer van voren af aan leren,' zei zijn vader.

'En dan maken we iets fantastisch,' zei Buster.

Zijn moeder hield op met huilen en streelde Busters wang. 'Ik weet dat dat niet waar is,' zei ze, 'maar laten we nog even doen alsof.'

hoofdstuk twaalf

Na eindelijk geaccepteerd te hebben dat hun ouders dood waren, verbaasde het Annie en Buster dat het rouwproces zo gewoontjes en eigenlijk oersaai was. Zonder begrafenis – ze waren het erover eens dat dat een heel slecht idee was – hadden ze in feite geen concrete manier om te kunnen rouwen. Het idee om in naam van hun ouders iets gewelddadigs en bizars te creëren werd meteen naar de prullenbak verwezen. Kennelijk had de verdwijning van hun ouders hen geen andere keuze gelaten dan hun leven gewoon voort te zetten, de draad weer op te pakken en maar te zien wat voor toekomst hen wachtte.

Annie zou binnenkort teruggaan naar L.A. en haar leven weer op de rails zetten, voor ze dat opnieuw moest achterlaten om aan Lucy's film te beginnen. Ze had Buster uitgenodigd om bij haar te komen wonen, want haar huis was ruim genoeg voor twee, maar hij had al stappen gezet om in Tennessee te kunnen blijven en hoopte maar dat dat geen gigantische vergissing zou blijken. Na wat smeken en de nodige niet echt gemeende lof voor Lucas Kizza's idiote, rommelige verhaal had hij een functie als assistent-docent aan Hazzard State Community College in de wacht weten te slepen. Hij zou les geven in schrijftechniek en verhaalopbouw en bekend staan als professor Fang, wat zo'n perfecte naam was voor een superschurk dat hij niet wist of hij dat wel aankon. Hij zou intrekken bij Suzanne: daar hadden ze het nu al een paar weken over gehad, zonder een reden te kunnen bedenken om het niet te doen. Hun ouderlijk huis zou leegstaan, een speelbal van de grillen van de wet, tot er eindelijk besloten zou worden hoe het verder moest. Annie en Buster hadden eerst nog een vaag verlangen gevoeld om het op te blazen of af te branden, maar eigenlijk waren ze klaar met zulke rommelige rouwverwerking, die in feite gewoon woede was die zich voordeed als verdriet. Ze zouden het huis verlaten en nooit meer terugkeren en met een beetje geluk zouden hun hersenen alles doen wat nodig was om dit deel van hun leven uit hun geheugen te wissen.

Maar voorlopig volgden Annie en Buster nog een aangepaste routine. Buster schreef en Annie repeteerde. Soms, net als jaren geleden toen Buster nog thuis had gewoond maar zijn zus al in L.A., probeerde hij met Annie mee te doen maar hoe goed hij ook zijn best deed, hij kon haar onmogelijk bijhouden. Ze deden geen enkele poging meer om hun ouders te vinden. Al die veel te ernstig gemeende, bijna gênante inspanningen waren voorbij en ze waren geschokt toen ze merkten hoeveel vrije tijd ze hadden nu hun speurtocht afgelopen was.

Op een van de laatste avonden thuis, terwijl Annie op haar kamer een soort jazzercise deed met behulp van een videoband die ze in een kringloopwinkel had gevonden, hoorde Buster de autobanden van Suzanne knerpen op het grind van de oprit, maar hij bleef schrijven en probeerde zoveel mogelijk woorden uit het verhaal in zijn hoofd te wringen. Zijn boek leek net een grot, vol grillige, doolhofachtige windingen, maar Buster concentreerde zich op het vinden van een uitgang die niet de oorspronkelijke ingang was en vocht zich een weg door het donker tot hij een pad zou vinden dat een ontsnappingsmogelijkheid bood. Hij wist dat Micah en Rachel uiteindelijk zouden ontkomen uit de arena en hun plaats in de bovenwereld zouden innemen, maar hij moest daar eerst zien te komen en de juiste opeenvolging van gebeurtenissen proberen te vinden die dat beeld zouden ontsluiten. Hij hoorde

Suzanne roepen in de gang en liet eindelijk zijn handen van het toetsenbord glijden. Suzanne had twee papieren zakken met eten van Sonic bij zich. De onderkant van de zakken was nat van het vet en de stoom en in haar andere hand had ze een blad met twee bekers frisdrank, die zo groot waren dat het wel tonnen leken. 'Je avondeten,' zei ze. Buster knikte en ruimde de salontafel in de woonkamer leeg. Ze gingen op de grond zitten en vielen aan op hun burgers. Buster had sinds die ochtend niet meer gegeten en beschouwde het eten, het zout en het vet en de prikkelende smaak van ketchup, als beloning voor het feit dat hij tevreden was met de hoeveelheid die hij geschreven had. 'Goeie dag gehad?' vroeg hij aan Suzanne.

Suzanne had haar burger op en maakte zorgvuldig zakjes mosterd open voor haar hot dog. 'Niet slecht,' zei ze. 'Best goeie fooien, geen zeikerds, de dag ging snel voorbij. En ik had een idee voor m'n verhaal. Tijdens m'n lunchpauze heb ik het op een servetje genoteerd.' Buster glimlachte. 'Bij mij ging het ook best lekker,' zei hij. Ze glimlachte en gaf hem een kus op zijn wang. 'Dat wist ik,' zei ze. 'Ik voelde me blij op m'n werk bij de gedachte dat jij er de ene bladzij na de andere uit ramde.' Ze aten de rest van hun eten op en namen slokken frisdrank die zo zoet was dat het vloeibare suiker leek. Buster stond zichzelf de opwindende gedachte toe dat dit misschien wel eeuwig zo zou kunnen doorgaan, als hij het tenminste niet verziekte.

'Ik heb muziek voor je meegenomen,' zei Suzanne en ze pakte haar rugzak. 'Spul dat ik besteld heb op internet. Het lijkt op die idiote dingen waar je naar luistert op jullie oude platenspeler, maar dan gloednieuw.' Ze haalde een cd tevoorschijn van een band die The Vengeful Virgins heette. Op de afbeelding op het doosje stonden honderden en nog eens honderden gitaarsnaren, die in groteske vormen waren gewonden. 'Het zijn tweelingbroers en een soort natuurtalenten of zo. Ze zijn rond de veertien en ze maken echt heel rare muziek. Alleen maar drums en gitaar, maar het lijken wel dieren.' Buster haalde zijn schouders op. Hij had geen zin in een lange discussie, maar eigenlijk luisterde hij alleen maar naar de muziek van zijn ouders, omdat hij nooit een eigen smaak had ontwikkeld. Hij vond het te moeilijk om naar andere muziek te zoeken, om voortdurend naar van alles te luisteren en zich dan af te vragen: 'Is dat nou goed of niet?' Zijn ouders hadden waardevolle muziek uitgekozen en daarom luisterde hij ernaar, maar dat zei hij niet tegen Suzanne. Hij zei: 'Zet maar op,' en richtte zijn aandacht weer op de Tots die de kok op instructie van Suzanne dubbel had gefrituurd, zodat ze dubbel zo knapperig waren.

Het eerste nummer opende met het geluid van een bassdrum, maar in een hortend ritme dat net niet helemaal klopte. Dat ging een minuut zo door en toen zong de stem van iemand die zo te horen nog maar net de baard in de keel had gekregen: 'Als het einde komt, en dat komt zeker, verdrinken we in ons eigen gruis. We zien de hemel verduisteren, en alles wat rest is roest en ruis. Maar dood gaan we niet, nee, dood gaan we niet.' Suzanne wees op de geluidsinstallatie en gaf Buster een por met haar elleboog. 'Ik had gelijk, hè? Echt raar.' Buster knikte. Een gitaar, of iets wat op een gitaar leek, huilde en plotseling werd het drumritme strakker, zo gestaag als een hartslag. Het nummer begon te buigen en te kronkelen en Buster had het gevoel dat er iets geweldigs gebeurde, iets wat zodadelijk zou imploderen. Tegen het einde van het tweede nummer zei hij vol zelfvertrouwen: 'Dit is goed,' en draaide hij het volume zo hoog dat het hele huis begon te trillen. Suzanne kuste hem opnieuw. 'Ik wist wel dat je het goed zou vinden,' zei ze.

'De wereld is hard,' gilde de stem op de cd met gepijnigde stembanden toen er een nieuw nummer begon. 'Niets wordt vergeven.' Buster ging overeind zitten. Het nummer maakte abrupt allerlei dingen los in zijn geheugen. Hij legde zijn handen stevig op de salontafel en drukte er zo hard op dat de tafel zacht begon te trillen. 'Dood je ouders, dan blijf je leven,' zong Buster perfect getimed mee. 'Dood je ouders,' herhaalde hij met overslaande stem, 'dan blijf je leven.' Suzanne legde haar hand op zijn schouder. 'Ken je dit nummer?' vroeg ze en Buster kon alleen maar knikken.

Annie kwam haar kamer uit, met haar gewichten nog in haar handen. Haar gezicht was zo verward dat haar gelaatstrekken door elkaar geroerd leken en bijna kubistisch aandeden. 'Wat moet dat in jezusnaam voorstellen?' vroeg ze en wees met een van de gewichten naar de geluidsinstallatie. Buster hield het doosje van de cd omhoog. Annie liet het gewicht vallen, zodat de vloer trilde, en griste het doosje uit zijn hand. 'Nummer drie,' zei Buster en hij wees naar de lijst met nummers op de achterkant. 'Nummer drie. "D.J.O."' 'Wat is er?' vroeg Suzanne. Ze deed een stapje achteruit, geschrokken van de intensiteit van Annie en Buster.

'Dit is een Fang-nummer,' zei Buster terwijl hij en Annie de kamer uit holden, naar zijn computer, internet, informatie over The Vengeful Virgins. 'Wat?' vroeg Suzanne. 'Onze ouders,' schreeuwde Annie en haar stem galmde door het hele huis, het huis waarin zij en Buster op de een of andere manier waren opgegroeid. 'Onze ouders, godverdomme.'

Buster en Annie doorzochten ieder hoekje van het internet nadat Suzanne was vertrokken en broer en zus aan hun eigen duistere beslommeringen had overgelaten. Buster scrollde zo snel door de gegoogelde resultaten dat Annie hem steeds een klap op zijn hand moest geven, om hem te dwingen wat langzamer te gaan. The Vengeful Virgins stonden onder contract bij Light Noise, een piepklein indielabel uit het noordwesten dat ook The Leather Channel had ontdekt, nog zo'n band waar Annie en Buster nog nooit van hadden gehoord, maar die later voor miljoenen gecontracteerd was door Interscope Records. De band bestond uit twee dertienjarige jongens, Lucas en Linus Baltz. Ze hadden geen echte website, alleen een uitgeklede pagina op MySpace met een paar nummers in een loop en wat foto's. De twee hadden lang haar, zulke donkere ogen dat ze wel zwart leken en een brede, slungelige glimlach waardoor hun enigszins scheve tanden zichtbaar waren. Het leek onmogelijk dat twee van die kinderen verantwoordelijk waren voor de verbijsterende songs die Buster had gehoord. Hoewel talloze bloggers ademloos lof toezwaaiden aan het album en daarbij altijd vermeldden dat de makers zo verbluffend jong waren, kon Buster maar weinig artikelen vinden met persoonlijke informatie over de Virgins. Hij kwam er wel achter dat ze in Wayland woonden, in North Dakota, dat ze zichzelf hadden leren spelen en geobsedeerd werden door de apocalyps. Volgens de website van hun label waren ze op het moment op tournee.

Buster checkte wanneer The Vengeful Virgins speelden. Deze avond traden ze op in Kansas City, en morgen zouden ze in St. Louis spelen.

Buster was geschokt door de manier waarop hij en zijn zus, nadat ze zichzelf gedwongen hadden om hun ouders los te laten en te accepteren dat ze dood waren, zich onmiddellijk weer in de onzekerheid en dolle activiteit van de speurtocht naar Caleb en Camille stortten. Het plan, dat Buster razendsnel bedacht had, was dat hij en Annie naar St. Louis zouden gaan om het optreden van The Vengeful Virgins bij te wonen. Ze zouden een manier verzinnen om de kleedkamers binnen te dringen, de twee jongens confronteren met het feit dat ze wisten van wie het nummer was en hen dan dwingen om op te biechten waar de ouders van Annie en Buster waren. Dat was het plan, en Buster moest toegeven dat het niet echt waterdicht was. Als hun ouders hadden besloten dat de tweeling wel mocht weten van hun verdwijning, moesten ze de jongens volledig vertrouwen. Hoe konden Annie en Buster de twee dan dwingen om hen te vertellen wat ze weten wilden? En stel dat de tweeling geen idee had wat ze bedoelden? Stel dat hun ouders toch echt dood waren en dat dit gewoon een bizar toeval was? Buster probeerde daar niet aan te denken en concentreerde zich alleen om het stekende, pijnlijke gevoel dat hij een stap dichter bij de oplossing was van het raadsel dat hij moest ontsluieren.

Annie ging op Busters bed zitten terwijl hij een plunjezak

volpakte met kleren en toiletartikelen. 'Laat ik je even wat vragen,' zei ze. 'Jij denkt dat die twee rotjochies Caleb en Camille op de een of andere manier kennen en dat die hen dit nummer hebben gegeven?' Buster dacht daar even over na en knikte toen. 'Dus dat houdt in dat The Vengeful Virgins waarschijnlijk weten van de Fangs en alle kunst die we hebben gemaakt.' Buster knikte opnieuw. 'Dus als ze weten dat onze ouders zich verscholen houden, weten ze hoogstwaarschijnlijk ook wie wij zijn. Denk je dan niet dat ze ons meteen zullen herkennen?' Daar had Buster nog niet aan gedacht. 'Misschien,' gaf hij toe. 'Ik weet het wel zeker,' verbeterde Annie hem. 'Nee, zo lukt het niet. We moeten slimmer zijn dan zij. We moeten een manier vinden om hun verdediging te omzeilen.' Buster begon de plunjezak weer uit te pakken. 'Dus dan gaan we niet naar St. Louis?' zei hij fronsend.

Maar toen, voor hij ook maar één onderbroek terug kon leggen in de kast, hoorde hij zijn zus opeens lachen. Hij keek om en zag Annie grijnzen, alsof ze alle geheimen van de wereld kende en best alles zou willen ruïneren door die te onthullen. Ze gebaarde dat hij dichterbij moest komen. 'Caleb en Camille geven alleen maar om kunst,' zei ze. 'Verder laat alles hen koud.' Buster knikte, al snapte hij niet waar ze heen wilde. 'Die jochies zijn zo jong dat er vast nog dingen zijn waaraan ze geen weerstand kunnen bieden.'

'Geld?' vroeg Buster, nog steeds gissend naar iets wat zijn zus allang doorhad.

'Roem,' zei Annie.

Terwijl Annie in grote lijnen haar plan schetste, luisterde Buster met een half oor naar de muziek van The Vengeful Virgins die nog steeds door de speakers bonkte en voelde de overweldigende aandrang om zijn naam ergens in te krassen, in letters die zo groot waren dat ze vanuit de ruimte gezien konden worden, om zo op te eisen wat ontegenzeggelijk van hem was.

Omdat ze hun plan pas de volgende dag in praktijk konden brengen, zat Buster later die avond op de bank in de woonkamer en luisterde opnieuw naar The Vengeful Virgins. Hij deed zijn ogen dicht en liet het gekrijs en gebonk tot diep in zijn lichaam doordringen, als een medisch onverantwoord smeersel. In zijn verbeelding zag hij zijn ouders, in een souterrain in North Dakota, naar dezelfde muziek luisteren, die een zonderlinge aanwijzing omtrent hun verdwijning de wereld in slingerde. De band die de muziek maakte reisde van de ene stad naar de andere, tot Annie en Buster eindelijk zouden ontdekken wat de aanwijzing was. Maar was die eigenlijk wel voor hen bedoeld? Was het misschien gewoon een grap van hun ouders, een manier om hun werk anoniem voort te zetten? Of misschien – Buster had geprobeerd daar niet meer aan te denken sinds hij het nummer had gehoord – was die tweeling wel de vervanger van Annie en Buster: de nieuwe kinderen die Caleb en Camille Fang zouden gebruiken om weer volop in de publiciteit te komen. Ze hadden genoeg van Annie en Buster, die mislukt waren en trouwens ook geen kinderen meer, en nu hadden ze Lucas en Linus. Als teken van dat nieuwe partnerschap hadden ze de jongens een nummer gegeven dat ooit alleen van de Fangs was geweest, in de wetenschap dat zij het verder de wereld in zouden kunnen sturen dan Annie en Buster zich ooit hadden kunnen indenken.

Buster deed de muziek uit en bleef nog een tijdje zitten, in de donkere stilte van zijn ouderlijk huis. Hij zoog op een ijsblokje en wreef met de ronding van het ijs over de achterkant van zijn tanden. Hij concentreerde zich tot het leek alsof zijn lichaamstemperatuur zich had aangepast aan het ijs in zijn mond. Zijn armen en benen waren gevoelloos en alleen zijn hart pompte nog bloed naar de ledematen die hij weigerde te gebruiken. Er ging een halfuur voorbij en toen kwam Buster plotseling weer tot leven. Hij stond op en zijn voeten voerden hem terug naar zijn computer. Hij wiste de laatste paar pagina's van zijn boek, die niet goed uitgedacht waren geweest, en begon opnieuw. Het was het enige waar hij controle over had, een wereld die hij zelf had geschapen, die hij kon laten gehoorzamen aan zijn wil en waarin hij zonder kans op tegenspraak kon zeggen dat iets was zoals het was.

Er zou verlossing zijn: de tweeling zou ontsnappen uit de arena en aan de toekomst die hen daar te wachten stond en een nieuwe, eigen wereld vinden. En helaas zou dat inhouden dat er verder niets zou veranderen: andere kindslaven zouden nog steeds met elkaar vechten in de arena, hun handen tot moes slaan en nog jarenlang met de gevolgen moeten leven. Maar wat konden de twee anders doen? Het was beter om alles achter te laten dan te proberen iets wat onherstelbaar beschadigd was toch te repareren. Was dat ook niet wat Annie de laatste tijd geprobeerd had duidelijk te maken aan Buster, als het om hun ouders ging? En was hij het nu alleen maar met haar eens omdat dat goed uitkwam in zijn boek of was het een soort universele waarheid? Hij schreef de hele scène, herlas hem en besefte dat dit de enige logische oplossing was. Toen hij eindelijk opstond van achter zijn computer was het één uur 's nachts en was hij helemaal niet moe. Hij klopte op de deur van Annie, die klaarwakker was en naar de muur staarde. 'Ik mag van m'n lichaam alleen maar aan Caleb en Camille denken en verder niets,' zei ze. 'Het is goddomme belachelijk.'

Buster pakte de eerste de beste video die hij kon vinden en samen keken ze, met trillende handen, naar een film van Buster Keaton waarin Keaton op de grond werd gesmakt, salto's maakte en dwars door muren werd gesmeten. En iedere keer dat er iets rampzaligs was gebeurd, zagen Annie en Buster tot hun verbijstering, stond Keaton gewoon weer op, met een uitgestreken gezicht, en liep dan verder.

De volgende middag zat Buster, die nog steeds geen oog had dichtgedaan, in de auto met Annie op de passagiersplaats. De motor stond uit, de raampjes waren open en ze stonden voor een munttelefoon bij een pompstation in Nashville. Eerder die dag had Buster de club in St. Louis gebeld waar The Vengeful Virgins zouden optreden en met de eigenaar gesproken. Hij had gezegd dat hij Will Powell was, een verslaggever van *Spin*, en dat hij graag met Lucas en Linus wilde praten. Buster had duidelijk gemaakt dat er kans was op een coverstory als de jongens hem een exclusief interview gaven. De eigenaar had gezegd dat hij de informatie zou doorgeven als de jongens arriveerden en nu wachtten Buster en Annie in de auto, de vloer bezaaid met Chick-O-Stickwikkels, in een walm van kokos en pindakaas. Ze waren naar Nashville gereden om Lucas en Linus om de tuin te leiden. Als die twee werkelijk betrokken waren bij de verdwijning van Caleb en Camille, kon Buster moeilijk het nummer van zijn ouderlijk huis opgeven als het nummer waarop ze hem terug moesten bellen. Hij wilde zelfs niet dat het kengetal van Coalfield in het telefoonnummer voorkwam, om vooral maar geen achterdocht te wekken. Nashville was tenslotte Music City, USA. Misschien traden The Vengeful Virgins nog niet echt in de grootste zalen op, maar een freelance muziekjournalist zou heel goed uit Nashville kunnen komen. Pas toen ze die ingewikkelde list bedacht hadden, beseften ze dat ze net zo goed een prepaid mobieltje hadden kunnen kopen en dan alles rustig vanuit huis hadden kunnen doen. Maar om nu hun plannen nog om te gooien, om de val die ze hadden opgezet nog te wijzigen, leek een heel slecht idee, nog veel slechter dan urenlang wachten tot de munttelefoon zou overgaan – als dat al zou gebeuren. Buster besefte dat hij, ondanks zijn pogingen om de zaak voor te bereiden, ook een hoop geluk nodig had, wilde dit werken. En met iedere minuut die verstreek, herinnerde Buster zich duidelijker dat hij juist een enorme pechvogel was, een magneet die allerlei bespottelijke soorten ongeluk aantrok.

Buster had een bordje met DEFECT bij de telefoon willen hangen, maar daar had Annie een stokje voor gestoken. 'Niemand gebruikt nog een munttelefoon,' zei ze. 'Ik kan bijna niet geloven dat ze nog bestaan. Laten we het dan vooral niet extra compliceren met nepbordjes.' Tijdens de rit naar Nashville had ze een reeks vragen bedacht voor The Vengeful Virgins, open vragen waardoor de jongens zelf konden vertellen waarom ze dachten dat ze sterren zouden worden. En goed verstopt aan het einde van de lijst, de negende van de tien vragen, had Annie de enige vraag gezet die er werkelijk toe deed, de enige vraag waarvan het antwoord zou worden vastgelegd voor het nageslacht. *Hoe zijn jullie aan 'D.J.O.' gekomen?* De tiende vraag, als die nog gesteld moest worden, was *Als je een boom was, wat voor soort boom zou je dan willen zijn?*

En toen ging de munttelefoon opeens over. Hij rinkelde een keer, twee keer, voor Buster uit de auto sprong en de hoorn van de haak griste. 'Hallo?' zei hij. 'Spreek ik met de man van *Spin*?' vroeg een stem. 'Klopt,' zei Buster, die op zijn schouder werd getikt. Hij keek om en zag dat Annie naast hem stond, met de vragenlijst voor het interview. Hij pakte het opschrijfboekje van haar aan en zij ging vlak naast hem staan, zo dichtbij dat ze het gesprek bijna kon volgen.

'Spreek ik met Lucas of Linus?' vroeg Buster.

'Met Lucas. Linus drumt. Hij maakt wel graag geluid, maar praat niet veel. Dat doe ik. Maar hij is het eens met alles wat ik zeg. Oké?'

'Ja, oké. Prima. Nou, de eerste vraag is, kijk, jullie hebben een interessante sound, heel origineel, maar toch vraag ik me af door wie jullie beïnvloed zijn.'

'Eigenlijk door niemand. We houden van speedmetal, maar zijn niet goed genoeg om dat te kunnen spelen. We luisteren soms weleens naar rap, maar dat staat eigenlijk ver van ons af. We doen onze ideeën vooral op uit boeken en films. We houden van *Mad Max* en *Dr. Strangelove* en *Carnival of Souls* en de films van Vincent Price. We lezen de *Dragonlance*-boeken en strips over zombies en we houden van boeken over het einde van de wereld. We houden van alles dat over het einde van de wereld gaat. Een van onze favoriete boeken is *The Underground*. Ken je dat?'

Het duizelde Buster even. Hij wou dat hij in St. Louis was, zodat hij het gezicht van Lucas kon zien terwijl hij die vraag stelde. Had Lucas hem nu al door, terwijl hij nog maar pas met zijn list begonnen was? 'Ja, dat ken ik,' zei hij.

'Godverdomme, wat een goed boek! Het eerste nummer op onze cd heb ik geschreven nadat ik *The Underground* had gelezen. Verder kent bijna niemand het.'

'Wat voor soort gitaar speel je?' vroeg Buster, die snel van onderwerp veranderde. Hij verzette zich tegen de aandrang om Lucas te vragen waarom hij dat boek nou zo verbazingwekkend vond, in de wetenschap dat ze dan alleen maar verder zouden afdwalen van wat hij eigenlijk wilde weten.

'Geen idee. Ik heb hem uit een catalogus. Instrumenten interesseren ons eigenlijk niet. Met een dure gitaar voel je je schuldig als je hem aan gort slaat. Bovendien maken dure instrumenten niet hetzelfde geluid als goedkope. We houden juist van een goedkope sound.'

Buster werkte de vragenlijst verder af en Lucas gaf steeds kortere antwoorden. Zijn gebrek aan concentratie was kennelijk groter dan zijn enthousiasme voor een coverstory in *Spin*. Buster hoorde hem met zijn vingertoppen over de snaren van zijn gitaar wrijven. Het maakte een piepend geluid, alsof er dieren opgesloten zaten in een kooi. Annie gaf Buster een por, om hem gefocust te houden en uiteindelijk, toen hij er echt niet meer omheen kon, raapte hij al zijn moed bij elkaar en deed ondanks talloze tegenslagen nog één poging om zijn ouders te vinden.

'Waarom heb je "D.J.O." geschreven?' vroeg hij.

Er viel even een stilte en Buster hoorde Lucas diep en gestaag ademhalen. Buster dacht dat hij zou ophangen, maar toen zei hij kalm: 'Het kwam zomaar bij me op.'

'Dus er was geen bepaalde aanleiding?' vroeg Buster.

'Nee, eigenlijk niet,' zei Lucas. 'Ik dacht gewoon, je weet wel, dat je je ouders moet doden als je iets wilt bereiken met je leven. Sorry hoor, maar ik vind dit nogal een stomme vraag.'

'Je hebt dat nummer niet zelf geschreven, Lucas,' zei Buster.

'Jawel.'

'Ik weet dat je het niet geschreven hebt,' zei Buster. 'Daar ga ik een heel artikel aan wijden als je me niet vertelt hoe het werkelijk in elkaar zit.'

'Ik ga ophangen.'

'Wie heeft dat nummer geschreven, Lucas? Het is niet eens het beste nummer op jullie cd. Ik kan zo acht nummers opnoemen die beter zijn, stukken beter. De tekst rammelt en het gevoel erachter is een beetje banaal. Het mist de diepte van jullie andere songs. Daardoor weet ik dat je het niet hebt geschreven.'

'Het wordt onze hit,' zei Lucas.

'Dat wil niet zeggen dat jullie geen andere nummers hebben die veel en veel beter zijn.'

'Ik... ik heb het inderdaad niet geschreven,' zei Lucas.

'Dat weet ik, Lucas,' zei Buster. 'Het klinkt helemaal niets als iets van jou.'

'Iedereen vindt het een hartstikke goed nummer en ik heb het niet eens zelf geschreven,' zei Lucas met overslaande stem.

'Wie heeft het dan wel geschreven?'

'Iemand anders,' zei Lucas en Buster onderdrukte de aandrang om met de telefoon tegen de bakstenen muur te beuken.

'Wie dan?'

'M'n vader,' zei Lucas uiteindelijk.

'Wat?' zei Buster, verbaasd hoe wankel de aarde plotseling aanvoelde onder zijn voeten.

'M'n vader heeft het geschreven. Hij zei dat we het mochten gebruiken. Het is het eerste nummer dat we ooit hebben gespeeld en daarom wilden we het op de cd hebben, omdat we het zo goed kenden.'

'Je vader?'

Annie fronste haar voorhoofd toen ze Buster dat hoorde zeggen en gaf hem opnieuw een por, maar hij schudde zijn hoofd en wendde zich een beetje af.

'Nou ja, in feite m'n stiefvader, maar ik noem hem gewoon

vader. Hij is al zo lang m'n vader dat ik eigenlijk geen andere ken.'

Buster hoorde een andere stem op de achtergrond, een vrouwenstem.

'M'n moeder komt net binnen,' zei Lucas. 'Ze wil je spreken.'

Buster wilde niet met de moeder van Lucas spreken, helemaal niet. 'Wacht even,' zei hij. 'Ik heb nog één vraag.'

'Oké, maar ze wil je echt graag spreken.'

'Eh... als je een boom was, wat voor soort boom zou je dan willen zijn?'

Zonder aarzeling zei Lucas: 'Eentje die net door de bliksem getroffen is,' en gaf de telefoon toen aan zijn moeder.

'Met wie spreek ik?' vroeg de vrouw.

'Met wie spreek ik?' zei Buster.

'Wat heeft dit te betekenen?' zei de vrouw.

'Kent u Caleb Fang?' vroeg Buster.

'Laat hem met rust,' zei de vrouw. 'Ik waarschuw je: laat mijn man met rust.'

Verward en met een arm die zeer deed omdat hij de telefoon al zo lang tegen zijn oor drukte zei Buster: 'Ma?'

'O god, spreek ik met Buster?' zei de vrouw. 'Nee, Buster, ik ben je moeder niet.'

'Wat moet dit voorstellen?' zei Buster, echt kwaad nu hij zichzelf voor gek had gezet door een wildvreemde vrouw voor zijn moeder te houden.

'Laat ze met rust, Buster. Laat ze gewoon hun eigen leven leiden.'

'Wat moet dit godverdomme voorstellen?' schreeuwde Buster, maar de vrouw had opgehangen.

Buster wilde de hoorn nog niet op de haak leggen. Over een paar seconden zou hij zijn zus aankijken, zo goed en zo kwaad mogelijk uitleggen wat er gebeurd was en wachten tot zij besloot hoe het nu verder moest, maar voorlopig luisterde hij nog naar de kiestoon, het monotone geluid dat hem regelrecht de telefoonkabel scheen in te trekken. Hij vroeg zich af waar zijn wolventanden waren, het nepgebit uit zijn kindertijd. Hij wenste vurig dat hij dat nu inhad, tanden die zo vlijmscherp waren dat ze overal doorheen konden bijten. In zijn verbeelding boorde hij ze in iets zachts, iets wat klopte vol leven, een afdruk achterlatend die nooit, nooit meer zou verdwijnen.

hoofdstuk dertien

Zodra ze in North Dakota arriveerden, begreep Annie dat het precies was waar je zou willen wonen als de apocalyps ooit plaatsvond: de heldere, bijtend zuivere lucht, de afwezigheid van kleur, het gevoel dat de hele staat zich nooit echt hersteld had van de laatste ijstijd en dat er dus ook vrijwel niets zou veranderen als alles wat belangrijk was in de wereld werd weggevaagd. Het was één wildernis, zelfs de grootste stad van de staat, en Annie voelde zich angstig toen ze de aankomsthal uit stapte: het gevoel dat haar ouders het terrein kenden en zich aan dit kale, woeste land hadden aangepast, terwijl Annie en haar broer aan stukken zouden worden gereten door wilde dieren.

Maar zelfs terwijl ze over een eenbaansweg reden, met alleen ruis en heavy metal op de radio, bereidde Annie zich voor op de mogelijkheid dat hun ouders er misschien wel niet zouden zijn. Als de vrouw aan de telefoon – Calebs andere echtgenote, als ze haar schokkende bewering mochten geloven – de Fangs gewaarschuwd had dat hun kinderen hen op het spoor waren, was het mogelijk dat ze weer op de vlucht waren geslagen, ergens anders waren ondergedoken. Er moest een allesoverheersende reden zijn voor hun verdwijning en Annie vroeg zich nu af of zij en Buster wel een rol toebedeeld hadden gekregen. Ze raakte er steeds meer van overtuigd dat haar ouders iets gecreëerd hadden wat door niemand mocht worden verstoord, zelfs niet door hun eigen kinderen. Vooral niet door hun eigen kinderen.

Het huis van de tweeling was gemakkelijk te vinden. Kort online zoeken had het adres opgeleverd van Jim en Bonnie, de enige familie Baltz in Wayland, North Dakota. 'Wat doen we als zij het echt zijn?' vroeg Buster. Dat wist Annie nog niet zeker. De opties waren geweld of vergiffenis, wat betekende dat er in feite maar één optie was. Of hun ouders moesten het allemaal zo kunnen uitleggen dat er nog een derde optie mogelijk werd, schoorvoetende berusting. 'We doen helemaal niets,' zei Annie. 'We wachten gewoon af tot ons te binnen schiet wat het beste is en dan doen we dat.'

Het huis was vrijwel identiek aan het huis van de Fangs in Tennessee: een ranch zonder verdieping, onopgesmukt, overgeleverd aan de elementen zonder veel aandacht voor onderhoud. Op het grind van de lange oprit stond een vrachtwagen. FLUXUS TRUCKING, vermeldde de tekst op het portier. ALS HET BESTAAT, VERVOEREN WE HET. 'We zijn er,' zei Annie. Ze zette de motor uit en keek of er iets bewoog achter de ramen van het huis, maar zag niets. 'Ik denk niet dat ze blij zijn om ons te zien,' zei Buster. Zijn gezicht was gespannen en voorbereid op teleurstelling. 'Wij zijn ook niet blij om hen te zien,' zei Annie. Ze stapte uit en liep naar de veranda, waar een mat zonder welkomstwoord wachtte. Buster ging naast haar staan. Annie negeerde de bel en klopte met haar knokkels op de deur, het geluid van bot op hout, indringend en muzikaal. Binnen was alles stil: dertig seconden, een minuut. Buster en Annie klopten samen en nu hoorden ze binnen iemand bewegen. Er klonken voetstappen op hardhout, de deurknop draaide om, de deur ging open en daar stond hun vader, onmiskenbaar, Caleb Fang.

'A en B,' zei hij zonder een spoortje emotie in zijn stem, als een wetenschapper die een vertrouwde diersoort classificeert. 'We hebben je gevonden,' zei Annie. Er trokken spieren onder haar huid. Caleb knikte. 'Inderdaad,' zei hij. 'Ik verwachtte jullie al.

Bonnie belde me nadat ze Buster had gesproken en waarschuwde me dat jullie weleens zouden kunnen langskomen. Ik denk eerlijk gezegd dat ik een beetje teleurgesteld zou zijn geweest als jullie níét waren komen opdagen.'

'Waar is ma?' vroeg Buster. Hij herinnerde zich de vrouw aan de telefoon, Bonnie, maar had daar op het moment verder geen aandacht voor. Caleb haalde zijn schouders op. 'Die is hier niet,' zei hij.

'Wat?' zei Annie.

'Ze woont hier niet,' zei Caleb.

Annie wrong zich langs haar vader heen en stapte naar binnen en Buster volgde haar. 'Wij hebben op dit moment de touwtjes in handen, Caleb. Snap je dat?' vroeg ze en haar vader knikte. 'Ik weet niet waar jullie precies mee bezig zijn, maar wij kunnen het verzieken. Ik denk niet dat je dat wilt, na al het werk dat jullie erin hebben gestoken. Alleen willen Buster en ik het héél graag verzieken. We willen jullie mooie plannetje aan gruzelementen slaan en daarom zou ik ons maar precies vertellen wat we willen weten.'

'Dat is goed, Annie,' zei Caleb. 'Ik kan het in grote lijnen schetsen en ik denk dat jullie dan tevreden zullen zijn. Zeker jij en Buster zouden het moeten begrijpen.'

'Nee, je vertelt ons alles,' zei Annie. 'Jij en Camille vertellen ons alles, tot in het kleinste detail, en dan bepalen wij wel of we tevreden zijn of niet.'

'Het duurt lang om alles uit te leggen,' zei Caleb.

'Dan duurt het maar lang,' zei Annie.

'Annie?' zei Buster en toen ze omkeek, zag ze dat Buster in de woonkamer stond en een ingelijste foto in zijn hand hield. Annie liep naar haar broer en keek ook naar de foto: hun vader, maar dan jonger, de vrouw die ooit geholpen had bij een Fang-project en de tweeling, zo'n zeven of acht jaar oud. Een familieportret.

'Wat is dit?' vroeg Annie.

'Mijn gezin,' zei Caleb.

'Wanneer is dit genomen?' vroeg Buster.

'Een jaar of zes geleden,' antwoordde Caleb.

'Wie is dit?' vroeg Annie en ze wees op de vrouw.

'Mijn vrouw,' zei Caleb.

'Pa?' zei Buster.

'Het is nogal ingewikkeld,' zei Caleb.

'Hou op!' zei Annie en ze smeet de foto op de grond. 'Ik wil geen woord meer horen tot Camille er is, tot we allemaal bij elkaar zijn. Dan gaan we praten.'

'Ik zal zien wat ik kan doen,' zei Caleb.

Hij liep naar de telefoon, toetste een nummer in en fluisterde toen: 'Met mij.'

'Is dat ma?' vroeg Buster, maar Caleb stak zijn hand op.

'Er is een probleem. We moeten elkaar spreken.' Er viel een lange stilte en Caleb luisterde aandachtig, terwijl hij Annie en Buster strak aanstaarde. 'A en B,' zei Caleb ten slotte en hing toen op.

'Was dat ma?' vroeg Buster en Caleb knikte.

'De plaats waar we hebben afgesproken is een eindje hiervandaan,' zei Caleb. 'Komen jullie maar achter mij aan; het is zo'n driekwartier rijden.'

'We gaan met één auto,' zei Annie.

'Ook goed,' zei Caleb. Hij pakte een honkbalpetje van de kapstok, stapte de deur uit en wachtte tot zijn kinderen hem zouden volgen, zodat hij ze naar de afgesproken plek kon brengen.

Annie reed. Haar vader zat naast haar en Buster achterin, voorovergebogen, met zijn hoofd in de ruimte die zijn zus en zijn vader van elkaar scheidde. 'We begonnen echt te denken dat jullie dood waren,' zei Buster. Zijn vader lachte, een zacht, hikkend geluid. 'Dat was ook de bedoeling,' zei hij. Annie deed The Vengeful Virgins in de cd-speler en haar vader trok een gezicht. 'Kunnen we niet naar iets anders luisteren?' zei hij. 'Wij vinden het mooi,' zei Annie en ze zette het geluid harder.

Hun vader loodste hen naar een overdekt winkelcentrum, drie stadjes verderop. Het had maar één verdieping en de belangrijkste zaken stonden leeg. 'We zijn er,' zei hij, 'maar als we met elkaar praten, wil ik dat jullie me Jim noemen. Niks geen gelul over Caleb.'

'We zullen proberen eraan te denken,' zei Annie.

'En hoe heet ma?' vroeg Buster.

'Patricia,' zei Caleb.

'Jim en Patricia Fang,' zei Buster.

Ze gingen het winkelcentrum binnen, drie afzonderlijke gedaantes die zich aanpasten aan een nieuwe ruimte.

Hun moeder zat alleen aan een tafeltje bij een restaurantje waar ze frisdrank en hotdogs verkochten. Toen ze Buster en Annie zag fronste ze haar voorhoofd, maar veranderde haar uitdrukking vlug in een soort grimas en zwaaide. 'Hallo, Buster,' zei Camille. 'Hallo, Patricia,' zei Buster en Camille keek naar Caleb. 'Wat weten ze allemaal?' vroeg ze aan haar man. 'Geen ene reet,' zei Annie. 'Maar jullie gaan ons alles vertellen.' Camille knikte en stak haar handen op, in een gebaar van overgave. 'Goed, goed,' zei ze. 'Ga nou maar zitten.'

Camille keek de anderen aan. 'Hoe gaan we dit doen?' vroeg ze. 'Beginnen wij gewoon te vertellen, of stellen jullie liever vragen?' Caleb zei dat het beter zou zijn als hij eerst het woord deed en dat ze daarna vragen mochten stellen, maar Annie schudde haar hoofd. 'We beginnen nu meteen met de vragen,' zei ze. 'Goed dan,' zei Caleb, die eindelijk scheen te beseffen dat zijn kinderen nu de touwtjes in handen hadden.

'Waarom zijn jullie verdwenen?' vroeg Annie.

Caleb en Camille keken elkaar glimlachend aan. 'Kunst,' zeiden ze eendrachtig. 'Het *chef d'oeuvre* van Caleb en Camille Fang. Dat wisten jullie toch wel? Waarom zouden we anders verdwijnen? Het maakt deel uit van iets groters, een statement, een werk op zo'n grootse schaal dat niemand eromheen kan.'

'Hoe lang zijn jullie bezig geweest met plannen?' vroeg Buster.

'Jaren,' antwoordde Camille. 'Jaren en jaren.'

'We zijn ermee begonnen zodra jullie duidelijk hadden gemaakt dat jullie niets meer met ons werk te maken wilden hebben,' zei Caleb. 'Jij ging eerst weg, Annie, een paar jaar later gevolgd door Buster. We hadden ons uit de naad gewerkt om jullie tot een integraal onderdeel van onze performances te maken, twee essentiële elementen in het proces, en toen pakten jullie je biezen en moesten we helemaal opnieuw beginnen.'

'Je gaat ons hier toch niet de schuld van geven, hè?' zei Annie.

'We geven jullie helemaal nergens de schuld van, Annie,' zei Camille met nadruk, hoewel het gezicht van Caleb iets anders suggereerde. Zijn wenkbrauwen waren opgetrokken en zijn ogen groot. 'Als jullie ons niet hadden gedwongen opnieuw na te denken over de manier waarop we kunst maakten, zouden we dit project nooit verzonnen hebben.'

'We begonnen met de eerste, essentiële stappen,' zei Caleb. 'Nieuwe identiteit, sofinummers, paspoorten, belastingdossiers, de hele mikmak. Jim Baltz en Patricia Howlett.'

'Wanneer zijn jullie daarmee begonnen?' vroeg Buster.

'Kort nadat jij naar de universiteit ging,' zei Camille. 'Tien, elf jaar geleden.'

'Hebben jullie al elf jaar een nieuwe identiteit? Waarom zijn jullie dan pas vorig jaar verdwenen?' vroeg Annie.

'Dat maakte allemaal deel uit van het proces,' legde Caleb uit. 'We moesten nieuwe personages opbouwen voor als Caleb en Camille doodgingen, identiteiten die we zonder probleem konden aannemen.'

'Er was een vrouw, Bonnie; misschien herinneren jullie haar nog wel. Ze was altijd een grote fan geweest van ons werk en dus schakelden we haar in. We vertelden haar dat we wilden verdwijnen en zij hielp ons. Haar man, die totaal niets had met kunst, had haar nog maar kort geleden verlaten. Ze had een tweeling van nog geen twee jaar en dus trouwde je vader met haar. Jim trouwde met haar, allemaal volkomen legaal.'

'Ik kocht een truck, want dat was mijn dekmantel. Ik was vrachtwagenchauffeur. Ik bracht het grootste deel van de tijd door met je moeder in Tennessee, maar om de paar maanden kwam ik hierheen en dan woonde ik een paar weken samen met Bonnie en Lucas en Linus, voor ik weer de weg opging. Het werkte goed.'

'En jij dan?' vroeg Annie aan haar moeder.

'Bonnies familie had een stuk grond met een huisje erop en daar woonde ik 's zomers. Ik leerde de mensen in de stad kennen en bouwde een geschiedenis op, zodat niemand achterdochtig zou zijn of me als een vreemde zou beschouwen als ik daar voorgoed kwam wonen.'

'En dat heb je tien jaar lang volgehouden?' vroeg Buster.

'Het viel best mee. Ik vind het hier leuk; het is stil en de mensen zijn aardig. Ik raakte eraan gewend.'

'Beetje bij beetje boekten we geld over van onze bank in Tennessee naar rekeningen hier in North Dakota, zodat we uiteindelijk genoeg zouden hebben om van te leven. Het plan had dus vorm gekregen. Het was nog niet tot in detail uitgewerkt, maar wel zodanig dat we wisten wat er zou gaan gebeuren als we uiteindelijk verdwenen.'

'En toen stonden jullie opeens weer bij ons op de stoep,' zei Camille met een glimlach.

'Toen wisten we dat we actie moesten ondernemen,' vervolgde Caleb. Er klonk steeds meer opwinding door in zijn stem. 'We hadden er niet op gerekend dat jullie terug zouden komen, maar we beseften dat het een teken was dat we het plan nu echt moesten doorzetten. Als we verdwenen, zouden jullie onze verdwijning ontdekken en zou die daardoor nog meer betekenis krijgen. En als we het goed aanpakten, dachten we ook dat jullie naar ons op zoek zouden gaan. Dat zou extra diepgang geven aan het project, het feit dat onze dood op veel mensen impact had.'

'Maar al dat bloed dan?' vroeg Buster. 'De politie dacht echt dat jullie dood waren.'

Camille sloeg haar ogen ten hemel. 'Daar kwam je vader op het allerlaatste moment mee.'

'Bonnie was ons komen ophalen, vanuit North Dakota, maar net toen we zouden instappen bedacht ik plotseling dat geweld en sporen van een worsteling misschien wel een goed idee zouden zijn. Daarom verwondde ik mezelf met een mes, alleen had ik niet verwacht dat het zo erg zou bloeden.'

'O god,' zei Camille glimlachend toen ze eraan terugdacht. 'Het was echt vreselijk. We dachten even dat jullie vader zou doodbloeden. Bonnie moest stoppen bij een drogisterij en een eerstehulpdoos kopen. We moesten gauw kranten op de achterbank leggen, zodat niet de hele auto onder het bloed zou komen te zitten. Het was verschrikkelijk.'

'Maar het werkte wel, hè?' zei Caleb tegen zijn vrouw.

Ze lachte. 'Je hebt altijd al een zwak gehad voor het grootse gebaar.'

Annie en Buster keken naar hun ouders, die duidelijk nog van elkaar hielden en hun eigen werk de hemel in prezen, en voelden hun macht door hun vingers glippen.

'En ma's schilderijen?' vroeg Annie. 'Hoe zat dat dan?'

Calebs gezicht werd donker van woede en Camille wendde haar blik vlug af. 'Ja, dat was... dat was een slimme zet van jullie. Ik was zo lang altijd de bron van onrust geweest dat ik was vergeten hoe het aanvoelde om zelf het middelpunt van chaos te zijn. Het was een allesbehalve prettige ervaring. Jullie hebben ons bijna kapotgemaakt.'

'Goed zo,' zei Annie.

'Jullie moeder probeerde me eerst wijs te maken dat het allemaal nep was, dat jullie twee het verzonnen hadden. Ik wilde dolgraag naar die opening, om het met eigen ogen te zien, maar ik wist dat ik gefocust moest blijven. In plaats daarvan ging ik naar haar huisje toen ze er niet was en ontdekte ik nog meer van...' Calebs gezicht was lijkbleek geworden en hij trok een gezicht alsof iemand naalden onder zijn vingernagels stak, 'nog meer van die schilderijen.'

'Het was ook een geheim,' zei Camille tegen haar kinderen, met een poging tot een glimlach. 'Dat heb ik alleen met jullie gedeeld.'

'Maar dat hebben we achter ons gelaten,' vervolgde Caleb, al zagen Annie en Buster nog steeds iets van twijfel op zijn gezicht. 'Ik weet absoluut zeker dat jullie moeder volkomen toegewijd is aan wat wij al ons hele leven doen. Ik hou van haar en zij houdt van mij en, nog veel belangrijker, we houden van echte, authentieke kunst. We houden van het project waar we nu mee bezig zijn.'

'En wat nu?' vroeg Buster. Het verbaasde hem niet, al bevestigde het wel zijn ergste vermoedens, dat hij en Annie niet voorkwamen op de lijst van dingen waar hun ouders van hielden.

'Nou, we moeten officieel doodverklaard worden en dan komen we weer tot leven,' zei Camille.

'En dit allemaal?' zei Annie. Ze gebaarde naar de lucht boven hun hoofd, naar hun levens in North Dakota.

'Dat laten we achter,' zei Caleb.

'Bonnie? Lucas en Linus?'

'We laten alles achter,' zei Caleb.

'Ik heb ze aan de telefoon gehad,' zei Buster. 'Ze noemden jou hun vader.'

'Ik bén ook hun vader,' zei Caleb. 'Maar dat zal uiteindelijk veranderen.'

'Weten ze hiervan?' vroeg Annie.

'Jezus, nee!' zei Caleb met een stem vol emotie. 'Stel je voor. Ze zijn niet zoals jullie. Ze zijn geen echte kunstenaars. Ze zouden er totaal niet mee kunnen omgaan en vast een manier vinden om de boel te verzieken. Trouwens, ze hebben het eigenlijk al verziekt, met dat kloteliedje.'

'Ik zei toch dat dat stom was?' merkte Camille op.

'Wat is er dan gebeurd?' vroeg Annie.

'De tweeling zat altijd maar op hun instrumenten te rammen en pokkeherrie te maken. Daarom heb ik ze dat nummer geleerd. Ik had geen idee dat ze redelijk zouden leren spelen, een cd zouden maken, een contract zouden krijgen bij een platenmaatschappij en op tournee zouden gaan. Hoe had ik dat kunnen voorzien? Ik bedoel, jullie hebben ze gehoord. Maar het was inderdaad een vergissing en daar neem ik de volle verantwoordelijkheid voor. Ik was niet alert genoeg en daar heb ik voor moeten boeten.'

'Dit is echt krankzinnig,' zei Annie.

'Je bent van streek,' zei Camille. 'Je vindt het erg dat we jullie niet in vertrouwen hebben genomen. Maar je moet toegeven dat het een verbluffend project is.'

Annie keek met grote ogen naar haar ouders. Ze gedroegen zich nu anders dan toen ze elkaar hier net ontmoet hadden. Ze vonden het heerlijk om hun grootse plan uitvoerig uit de doeken te doen. Ze praatten vol ontzag over de manier waarop ze de levens van de mensen om hen heen hadden misvormd en dat alleen maar om hun idee vorm te geven en door pure wilskracht om te zetten in realiteit.

'Jullie hebben nooit om ons gegeven, of om wie dan ook, alleen maar om jezelf,' zei Annie. 'Jullie hebben alles gedaan wat jullie maar konden om ons leven te ruïneren. Wij moesten precies doen wat jullie wilden en toen we dat niet meer konden, lieten jullie ons in de steek.'

'Jullie lieten óns in de steek,' zei Caleb, met een stem die zwaar was van woede. 'Jullie verlieten ons om inferieure kunstvormen na te jagen. Jullie hebben ons teleurgesteld. Jullie hebben ons levenswerk bijna geruïneerd. Daarom zijn we zonder jullie verdergegaan. Nu hebben we iets gemaakt wat beter is dan alles wat we hiervoor hebben gedaan en jullie horen er niet meer bij.'

'We horen er wel bij,' zei Buster. 'We zijn jullie zoon en dochter.'

'Dat betekent niets,' zei Caleb.

'Dat is niet waar, schat,' zei Camille.

'Nou, goed dan,' zei Caleb en hij deed een poging zichzelf te kalmeren. 'Het betekent wel iets, maar niet zoveel als onze kunst.'

'Als we geen herrie hadden geschopt na jullie verdwijning, zou in feite niemand gemerkt hebben dat jullie verdwenen waren en zou het ook niemand iets hebben kunnen schelen,' zei Annie. 'Wat heeft jullie zogenaamde dood zonder ons nou eigenlijk om het lijf?'

'Dat waarderen we ook. Zoals ik al zei, we hoopten dat jullie iets aan het stuk zouden toevoegen, al hadden we niet gedacht dat jullie ons ook werkelijk zouden vinden. In dat opzicht hebben jullie misschien zelfs iets te veel gedaan. Wat echt fantastisch zou zijn is als jullie nu gewoon weer je eigen leven zouden leiden, deze ontmoeting zouden vergeten en gewoon naar ons zouden blijven zoeken. Op die manier zouden jullie een rol van betekenis spelen in het project.'

Annie stak haar hand op en schudde haar hoofd. 'We willen hier niets mee te maken hebben. We willen juist dat er een einde aan komt. We willen jullie mooie plannetje dolgraag de soep in laten draaien.'

'Maar waarom?' vroeg Camille. 'Waarom zouden jullie dat doen?'

'Omdat jullie ons pijn hebben gedaan,' zei Annie.

'Zouden jullie tien jaar moeizame artistieke voorbereiding willen verpesten, alleen maar omdat jullie gevoelens gekwetst zijn?' vroeg Caleb.

'Ik snap het niet,' zei Camille. 'Jullie wilden niet meer bij ons zijn. Jullie zijn weggegaan uit ons leven.'

'We wilden geen kunst meer maken,' zei Buster. 'Niet jullie soort kunst. Maar we wilden nog wel bij jullie zijn.'

'Je kunt die dingen niet scheiden,' antwoordde Caleb. 'We zijn wat we maken. Dat moet je accepteren.'

'Dat hebben we ook geaccepteerd,' zei Annie. 'Daarom zijn we weggegaan.'

'Waarom zijn jullie dan teruggekomen?' vroeg Camille. Ze begon overstuur te raken en er welden tranen op in haar ooghoeken.

'We hadden hulp nodig,' zei Buster.

'En we hebben jullie ook geholpen, goddomme nog aan toe,' zei Caleb.

'Nee,' zei Annie. 'Jullie hebben ons verlaten.'

'Omdat we wel moesten,' zei Camille.

'Dit is belachelijk,' zei Caleb. 'Ik ben vijfenzestig. Dit is het. Dit is het laatste grote project dat ik ooit nog zal maken. Ik smeek jullie om dat niet van me af te pakken.'

'Dus jullie zijn bereid nog zes jaar zo te leven, tot de staat jullie wettelijk doodverklaart, alleen om een artistiek statement te maken?'

'Ja,' zei Caleb. Annie keek naar haar moeder en die knikte.

Annie stond op en Buster volgde haar voorbeeld. Ze staarden naar hun ouders, die op antwoord wachtten.

'We zullen het niet verklappen,' zei Annie.

'Dank je,' zei Camille.

'Maar we willen jullie ook nooit meer zien,' vervolgde Annie.

'Goed,' zei Caleb. 'We begrijpen het. Dat beloven we.' Camille aarzelde even, maar knikte toen. 'Als het zo moet,' zei ze.

'Dit is de laatste keer dat we jullie ooit zullen zien,' zei Buster. Hij benadrukte ieder woord en vroeg zich af of zijn ouders begrepen wat het inhield. Hij probeerde aan hun uitdrukking af te lezen of ze snapten hoe definitief dit moment was, maar zag alleen de zekerheid dat ze iets uit het vuur hadden gesleept wat noodzakelijk was om verder te kunnen leven. Buster wilde het nog een keer zeggen, maar besefte dat het niets zou veranderen en liet het moment voorbijgaan.

De Fangs keken om zich heen, naar het schaarse winkelende publiek.

'Al dit soort winkelcentra wordt opgedoekt,' zei Camille. 'Doodzonde.'

'Ze waren echt geknipt voor wat wij deden,' zei Caleb. 'Het was alsof ze speciaal gebouwd waren voor onze vorm van kunst.'

'Het was zo ontzettend leuk,' vervolgde Camille. 'Als we in

zo'n winkelcentrum waren verspreidden we ons en had niemand enig idee wat we gingen doen. Het was een ervaring die je met niets kunt vergelijken. Ik zag jullie natuurlijk wel, Annie en Buster, maar het was een spel. Ik mocht niet laten merken dat ik jullie kende, want dan zou ik alles verpesten. Ik wachtte gewoon tot er iets verbluffends zou gebeuren, terwijl al die mensen langsliepen en het overal een en al beweging was.'

'Dat was echt fantastisch,' beaamde Caleb.

'En dan gebeurde het, wat het dan ook was. Het mooiste vond ik eigenlijk nog na afloop, als iedereen totaal in de war was behalve wij. Wij waren de enigen in de hele wereld die wisten wat er gebeurde. Ik kon dan bijna niet wachten op het moment dat we weer bij elkaar waren, met z'n viertjes, en we ons eindelijk voldaan mochten voelen omdat we iets moois hadden gecreëerd.'

'Dat was een ongelooflijk gevoel,' zei Caleb.

Caleb en Camille vergaten misschien even hun dekmantel, want ze pakten elkaars hand en kusten elkaar. Buster en Annie begonnen weg te lopen bij hun ouders, meneer en mevrouw Fang. Annie voelde nog steeds de aandrang om herrie te schoppen, te gillen, een gigantische scène te maken, de politie erbij te halen en alles wat haar ouders belangrijk vonden tot stof te vermalen. Buster voelde haar kokende woede. Hij legde zijn hand zachtjes op haar schouder, kneep er even in, gaf haar een kus op haar wang. 'Laten we gaan,' zei hij. 'Laten we maken dat we hier zo ver mogelijk vandaan komen.'

Annies woede was nog steeds even fel en het kostte haar grote moeite om niet te doen wat haar ouders in zo'n situatie gedaan zouden hebben: chaos veroorzaken, ongeacht de consequenties. Maar ze besefte nu eindelijk dat zij en Buster dat pad niet meer hoefden te volgen. Ze hadden een heel klein beetje afstand geschapen tussen hen en het leven dat hun ouders hen hadden opgedrongen en hoefden nu die afstand alleen maar groter te maken. Ze knikte tegen Buster en begon te ontspannen. Annie en Buster liepen steeds verder weg bij hun ouders en onderdrukten de aandrang om over hun schouder te kijken, zodat het laatste beeld van hun ouders er niet een zou zijn waarin Caleb en Camille elkaar omhelsden, gelukkig in het besef dat niets ter wereld belangrijk was behalve de kunst die ze in zich hadden.

Annie en Buster liepen het winkelcentrum uit. Ze stapten in hun huurauto en reden naar de snelweg. Ze zeiden niets, want ze konden geen woorden vinden om uit te drukken hoe ze zich voelden. Ze hadden hun ouders laten herrijzen uit de dood, door een vreemd soort magie waar alleen zij over beschikten. Annie stak haar hand uit en Buster pakte hem, alsof hun ineengeslagen handen het draaien van de aarde kon stoppen. Ze luisterden naar het geluid van de autobanden op de weg en hoopten dat aan het einde van de reis een goede bestemming zou wachten, eentje die ze zelf hadden verkozen. En voor de allereerste keer in hun leven hadden ze daar ook vertrouwen in.

favor fire, 2009
kunstenaar: annie fang

Annie zat op de grond, in het midden van een enorme, hol klinkende slaapkamer. Tegen de westmuur stond een rij bedjes en ze staarde naar de vier kinderen om haar heen, twee jongens en twee meisjes. 'Je hebt net zulk kort haar als een jongen,' zei het jongste kind, Jake. Hij was zeven en zo knap als een pop. 'Ja, het is best wel kort,' gaf Annie toe. 'Maar het staat je goed,' zei de oudste, Isabel, een meisje van vijftien met reusachtige blauwe ogen en scheve tanden. De andere jongen, Thomas, twaalf jaar oud en nu al slungelig en onbeholpen, zei: 'Je haar ruikt ook lekker.' Annie knikte, terwijl de kinderen steeds dichter om haar heen kwamen staan. 'Mag ik je een kus geven?' vroeg het laatste kind, Caitlin, een meisje van tien met een hoop sproetjes op haar neus. Annie zweeg even. Ze keek eerst naar de grond en toen naar de deur van de slaapkamer, die dicht was. 'Ja, waarom niet?' zei ze. 'Als zij je een kus mag geven, mogen wij dat ook!' zei Thomas. De kinderen pakten elkaars hand en deden een rondedans om Annie terwijl ze: 'Kus, kus, kus, kus,' schreeuwden. Annie keek nog een keer naar de deur en zei toen: 'Nou, goed dan. Een voor een.' De kinderen schudden hun hoofd. 'Allemaal tegelijk,' riepen ze. Annie knikte en deed haar ogen dicht. Ze voelde hun vochtige mondjes tegen haar wangen drukken, haar voorhoofd, haar eigen mond. De kinderen maakten een lang aangehouden geluid, een rommelend gegons in hun keel. En toen snoof Annie de geur van rook op. Die kolkte om haar heen en was van de kinderen afkomstig. Ze duwde hen weg. 'Nee, nee, nee, nee,' fluisterde ze, maar de kinderen lachten alleen maar en renden naar de hoeken van de kamer. De rook danste achter hen aan en werd door hun voetjes tot vreemde vormen geschopt.

'Cut,' riep Lucy. Een stuk of tien mensen, die zich tot dan toe onzichtbaar hadden weten te maken, bewogen opeens druk door de ruimte, stelden de belichting opnieuw in en lieten de rookachtige dampen verdwijnen. Een van de crewleden stak zijn hand uit naar Annie. Die pakte hem en hees zichzelf overeind. 'Zag er goed uit,' zei de man en Annie glimlachte. Het was de eerste draaidag, maar Annie had tijdens de voorbereidingsperiode al zo veel tijd doorgebracht in Lucy's gezelschap dat het was alsof ze al maanden bezig waren. Lucy liep naar Annie toe, omhelsde haar en zei: 'Je bent hier zo verdomde goed in.' Annie was nog steeds een beetje verward na die bizarre laatste scène en kon alleen maar knikken.

Voor ze met het filmen begonnen waren, had Lucy Annie aangespoord om zoveel mogelijk tijd met de kinderen door te brengen. 'In de film houden ze van je, dus zou het fijn zijn als dat ook in het echt zo was.' Annie schudde haar hoofd. 'Daar zou ik maar niet op rekenen.' Tijdens de repetities had ze de kinderen net zo behandeld als alle andere acteurs, terughoudend maar beleefd en met respect voor hun privacy. Maar op de laatste avond voor het filmen zou beginnen had Annie haar moed verzameld en bij de kinderen op de deur geklopt. Toen ze naar binnen ging, zag ze dat ze zaten te gamen op hun PlayStation. 'Wat spelen jullie?' vroeg ze en zonder op te kijken zeiden de kinderen: '*Fatal Flying Guillotine III*.' Annie glimlachte. 'Komt daar soms ook een soort half mens, half beer in voor?' vroeg ze, al wist ze het antwoord al. 'Ja, Major Ursa,' zei Thomas. 'Schuif eens een eindje op,' zei Annie, die de vier kinderen vervolgens bijna een uur lang in de pan hakte. 'Je bent hier echt ontzettend goed in,' zei Isabel tegen

Annie en die knikte. 'Klopt,' zei ze. 'Ik ben hier echt ontzettend goed in.'

De avond nadat ze de eerste scène hadden gefilmd, werd Annie op haar hotelkamer gebeld door Lucy. 'Heb je zin om even te komen?' vroeg ze en Annie liep in haar pyjama de gang uit naar Lucy's kamer. Daar stond een hele rij schermen, waarop dezelfde scène vanuit verschillende hoeken te zien was. Annies lichaam was bijna onzichtbaar door de kinderen om haar heen, die allemaal van top tot aan teen in krijtwitte nachthemden waren gehuld. Annie ging naast Lucy zitten. Ze deden allebei een koptelefoon op en keken hoe de camera langzaam inzoomde op Annies gezicht en dichtgeknepen ogen, terwijl de kinderen zich steeds dichter naar haar toe bogen om haar te kunnen kussen. Het was een stuk sensueler dan Annie gedacht had en ook angstaanjagender, vooral de manier waarop Annie steeds meer leek te verdwijnen onder de lichamen van de kinderen terwijl de voortkruipende, golvende rook hen dreigde op te slokken. 'Geweldig,' zei Annie. Lucy's starende ogen weerkaatsten het laatste beeld, van Annie die languit op de grond lag. Door hun koptelefoon hoorden ze het gelach van de kinderen weergalmen tegen het hoge plafond van de slaapkamer.

Buster had Annie de laatste versie van zijn roman gestuurd en die las ze 's avonds. Op een middag zag Isabel de bladzijden uit Annies tas steken, tijdens een pauze in de opnames, en vroeg ze: 'Wat is dat?' Annie zei dat het een verhaal was. 'Waar gaat het over?' vroeg ze. 'Over kinderen die ontvoerd worden en met elkaar moeten vechten om in leven te blijven.' Meteen kwamen alle vier de kinderen op een rij voor Annie staan. 'Daar willen we meer van horen,' zei Thomas. 'Ik weet niet of het wel geschikt is voor kinderen,' zei Annie. 'Ik kan het niet uitstaan als mensen dat zeggen,' riep Caitlin. 'Waarom schrijven ze boeken over kinderen als wij die niet mogen lezen?' Ze smeekten Annie om een stukje voor te lezen, dus pakte die lukraak een pagina uit het midden van het boek en las: 'De kinderen werden rusteloos als ze niet in de arena vochten. Ze reageerden hun frustraties af op hun eigen lichaam en drukten lucifers uit op hun armen of wreven tegen de scherpe randen van hun kooi, om maar niet de woede te verliezen die ze nodig hadden om te kunnen overleven.' Thomas klapte in zijn handen. 'Jij gaat dit echt helemaal aan ons voorlezen,' zei hij. Dus als de kinderen geen les kregen en als ze wachtten om de set op te komen en in vlammen op te gaan, luisterden ze hoe Annie voorlas over de kinderen uit Busters boek, die de meest gruwelijke dingen deden om de volwassenen die hen gevangen hielden te vermaken.

Op een keer kwam Lucy binnen toen Annie net voorlas over een nieuwe expeditie van de kinderrovers die iedere nacht vallen zetten in de dorpjes in de omgeving, om kinderen te vangen die dapper of dom genoeg waren om buiten te komen. Een meisje dat in een steeds strakker om haar heen snoerend net was gewikkeld krabde aan de touwen tot haar vingers rauw waren, schoppend en gillend terwijl de kinderrover haar over het steenachtige terrein sleurde. De kinderen luisterden vol afschuw, maar knikten iedere keer als Annie even zweeg en konden gewoon niet wachten om de volgende gruwel te horen. Annie popelde om haar broer te bellen en hem te vertellen wat een verbluffend en uitzonderlijk boek hij had geschreven. 'Wat doe je die kinderen toch aan?' vroeg Lucy. 'Ze vinden het mooi,' zei Annie. 'Ze vinden het echt mooi.'

Annie zat op bed in haar piepkleine slaapkamer, die alleen het oncomfortabele bed bevatte, een nachtkastje, een bureau en een goedkope, wankele stoel. Er was één raam, maar dat zat zo hoog dat ze er niet door naar buiten kon kijken. Annie deed de la van het nachtkastje open en pakte een doosje lucifers. Ze maakte het doosje open, haalde er één stevige lucifer uit, streek die af en keek hoe het vlammetje oplichtte. Ze staarde naar de lucifer tot haar ogen alleen nog de dansende vlam zagen, die constant dreigde uit te doven in de bedompte atmosfeer in de kamer. Ze bleef de lucifer vasthouden, ook al kroop het vuur steeds verder omlaag en bleef er alleen nog maar broze zwarte as over die nog steeds een schim van zijn oude vorm wist te behouden. De vlam naderde haar zachte vingertoppen dichter en dichter en pas toen ze de kus van het vuur op haar huid voelde, doofde ze de lucifer met haar adem.

'Geweldig, Annie,' zei Lucy. 'Volgens mij staat het erop.'

'Nog één keer,' zei Annie. Lucy dacht even na en knikte toen. De crew bracht alles weer in gereedheid en Annie speelde dezelfde scène. Opnieuw flakkerde er een lucifer en liet Annie het vlammetje branden tot het hetzelfde punt had bereikt als tijdens de vorige take, zonder het door ook maar één spiertrekking in haar lichaam te laten verstoren. De hitte schroeide haar vingertoppen en haar huid werd heel licht roze, tot ze het niet meer kon uithouden en ze de lucifer uitblies.

'Nog beter,' zei Lucy. 'Deze gebruiken we.'

'Nog één keer,' zei Annie. Ze had het gevoel dat ze zo eeuwig zou kunnen doorgaan en de vlam steeds dichterbij zou kunnen laten komen, tot hij zich begroef onder haar huid, zich door haar hele lichaam verspreidde en haar van binnenuit liet stralen van licht.

Isabel was bezig haar nagels te lakken, ook al zou ze de lak weer moeten verwijderen zodra hij droog was om de volgende scène te kunnen filmen. 'Lucy is verliefd op je,' zei ze tegen Annie, die samen met Jake een kom vol chocoladekrakelingen at terwijl ze naar een tekenfilms keken over aliens die aan een skateboardwedstrijd meededen. 'Hoe kom je daar nou bij?' vroeg Annie. 'Dat zie ik gewoon,' zei Isabel. 'Ze is heel erg aardig tegen je.' 'Maar Lucy is aardig tegen iedereen,' zei Annie. 'Zo is ze nu eenmaal.' Isabel glimlachte, alsof ze heel goed doorhad wat voor code volwassenen gebruikten als kinderen iets belangrijks niet mochten weten. 'Maar tegen jou is ze extra, extra aardig,' zei ze.

'Als jullie gaan trouwen,' zei Jake met zijn mond vol krakelingenpasta, 'moeten jullie vier kinderen nemen en die naar ons noemen.'

Annie stond voor het bureau van meneer Marbury, de vader van de geplaagde kinderen, en staarde naar tekeningen van vreemde gebouwen die zo te zien ontworpen waren zonder rekening te houden met de wetten van de natuurkunde. Meneer Marbury was ooit een gevierd architect geweest en had ook dit huis ontworpen, maar nu bracht hij alleen nog uren en uren door in zijn werkkamer met het bedenken van bouwwerken die hoogstens in een andere dimensie zouden kunnen bestaan. Toen Marbury en zijn vrouw binnenkwamen en de deur achter zich dichtsloegen, verstijfde Annie en stapte ze gauw weg bij de tekeningen.

'Gaat u zitten, mevrouw Wells,' zei meneer Marbury tegen Annie en die gehoorzaamde. Ze was nog maar een keer eerder in deze kamer geweest, tijdens haar sollicitatiegesprek. Het gezicht van meneer Marbury was precies zoals toen, vol weerzin omdat hij zich met zoiets gênants moest bezighouden maar ook zelfvoldaan en ervan overtuigd dat Annie haar positie niet waardig was, ook al waren haar taken nog zo nederig. Mevrouw Marbury zweeg, zoals altijd, en stond roerloos naast haar man.

'We wensen niet langer gebruik te maken van uw diensten,' zei meneer Marbury tegen Annie.

'Waarom niet?'

'Dat weet u vast wel, mevrouw Wells. Er hebben zich de afgelopen maanden te veel *incidenten* voorgedaan. U heeft laten blijken dat u niet in staat bent de *impulsen* van de kinderen te beteugelen.'

'Dat vind ik niet eerlijk,' zei Annie.

'Ik denk niet dat dat een rol zal spelen bij mijn beslissing.'

'En de kinderen dan?'

'We hebben plaats voor ze gevonden in een kliniek in Alaska die gespecialiseerd is in dit soort unieke gevallen. De kinderen zullen van elkaar gescheiden worden, om collectieve hysterie te voorkomen, en behandeld worden volgens wetenschappelijke methodes waar u niet toe in staat bent.'

'Maar het zijn nog maar kinderen,' zei Annie alsof meneer Marbury dat vergeten was. 'Het zijn uw kinderen.'

'Kinderen hebben niet automatisch recht op een gezinsleven, mevrouw Wells,' zei Marbury. 'Als ze zich niet kunnen houden aan de grenzen die aan hen gesteld worden, verliezen ze het recht om zich zoon of dochter te mogen noemen.'

Annie voelde hitte oplaaien in haar binnenste. Haar hart was plotseling zo'n krachtige verbrandingsmotor dat ze het risico liep open te barsten en het hele huis te vullen met haar woede. Ze wilde bij het acteren niet putten uit haar eigen voorgeschiedenis en liet zich daarom leiden door het materiaal dat voorhanden was: twee ouders die volkomen overtuigd waren van hun eigen onfeilbaarheid en doodsbang van de vreemde vermogens van hun kinderen en die daarom ieder sprortje disharmonie uit hun leven probeerden te bannen. Het waren niet háár ouders: Annie liet zich niet leiden door zo'n doorzichtige leugen. Het waren gewoon de mensen die ze waren en die nu voor haar stonden. En die verdienden straf.

Annies handen balden zich tot vuisten en haar nagels boorden zich in haar huid. Ze haalde uit naar meneer Marbury en sloeg hem zo hard dat hij tegen de grond smakte. Ze beukte op hem in tot hij bewusteloos was en zijn benen krampachtig trokken en toen holde ze de kamer uit, terwijl mevrouw Marbury als aan de grond genageld toekeek en niet in staat was om naar haar gevloerde man toe te stappen.

Lucy beëindigde de scène en Annie holde meteen terug om te kijken hoe het was met Stephen, die meneer Marbury speelde. 'Heb ik je pijn gedaan?' vroeg ze terwijl hij wankel overeind kwam. 'Precies genoeg pijn,' zei hij. 'Maar ik hoop dat één take voldoende is.'

Lucy glimlachte van oor tot oor. 'Perfect!' zei ze tegen Annie. 'Precies wat ik van je nodig had.'

Annie keek Lucy niet aan en ging op weg naar haar kleedkamer. Terwijl ze langs de crew liep, balde ze haar vuisten en ontspande die weer en bewonderde ze het gemak waarmee haar personage rampspoed toeliet in haar leven.

Annie belde Buster. 'En, hoe staat het in de filmwereld?' vroeg hij. Ze zei dat alles prima ging en dat ze nu zo ver in de film zat dat ze eigenlijk volgens instinct acteerde, wat altijd een teken was dat het goed ging. 'Hoe is het met je boek?' vroeg ze. Buster vertelde dat hij het manuscript aan zijn agent had gestuurd, die geschokt was geweest door de ontdekking dat hij nog leefde en nog schreef. 'Hij denkt dat het weleens een groot succes zou kunnen worden,' zei Buster en Annie hoorde de opwinding in zijn stem, zijn verlangen om haar te laten merken dat het met hem ook goed ging, dat ze hun misère allebei achter zich hadden gelaten.

'Ik denk dat hij daar gelijk in heeft,' zei ze.

'En Suzanne heeft een kort verhaal verkocht aan de *Missouri Review*. Ze wil de brief waarin ze ja zeggen inlijsten.'

Annie bedacht opeens dat Buster zijn leven goed op de rails had. Hij was altijd de kwetsbaarste van de Fangs geweest, maar nu was hij haar voorbijgesteefd. Ze had altijd op hem gepast en hem beschermd tegen de ergste chaos, en nu was hij gelukkig en verliefd en verkeerde zij nog steeds in het ongewisse, zonder zelfs maar goed te weten hoe haar eigen lichaam functioneerde.

'Mag ik je iets vragen?' zei ze. Buster stond open voor iedere vraag van haar. 'Denk je dat je met Suzanne een goede beslissing hebt genomen?'

'Dat is inderdaad een vreemde vraag,' antwoordde Buster.

'Ik bedoel eigenlijk, leek het in het begin geen idiote stap? Omdat je haar nauwelijks kende? Omdat je bent wie je bent? En vanwege zo'n beetje alles wat hiervoor is gebeurd?'

'Eerlijk gezegd leek het juist een prima stap, alleen was ik er doodsbang voor. Volgens mij heb ik altijd dingen gedaan die ontzettend slechte ideeën waren en die dan ook precies afliepen zoals je zou verwachten. Dat komt door pa en ma, denk ik. Door hun kunst dwongen ze ons deel te nemen aan situaties die uiteraard heel slechte ideeën waren. Daar ging het juist om. Daarom leerden ze ons om dat slechte idee klakkeloos te omarmen, of je nou wilde of niet.'

'Dus in feite zeg je dat je altijd doodsbang bent, of het nou een goed of een slecht idee is,' zei Annie. 'Het enige verschil is hoe het afloopt.'

'Misschien wel,' gaf Buster toe. 'Maar ik weet niet echt waar ik het over heb, hoor. Ik heb net een boek geschreven waarin kinderen elkaar in coma slaan met een kapotte hark, dus ga alsjeblieft niet op mijn instinct af.'

'Ik denk dat Lucy verliefd op me is,' zei Annie.

'Aha,' zei Buster en het bleef even stil. 'Dus daarom vroeg je me naar Suzanne? Je was geïnteresseerd in een mogelijk succesvolle romance van een Fang?'

'Dat denk ik.'

'Ben je lesbisch?' vroeg Buster.

'Misschien. Ik weet niet.' Annie dacht aan haar ervaring met Minda Laughton. Die had ze als een regelrechte ramp gekwalificeerd, net als het besluit om met een andere vrouw te gaan. Maar Minda leek niet echt een goede vertegenwoordigster van de lesbische ervaring. Door haar psychose viel ze af als voorbeeld.

'Misschien moet je daar eerst eens achter zien te komen, voor je het bed induikt met je regisseur.'

'Ja, misschien.'

'Ze is anders wel cool,' gaf Buster toe. 'En knap.'

'Wat denk jij dat ik ga doen?' vroeg ze.

'Ik weet niet, maar ik denk dat je doodsbang zult zijn als het gebeurt. Laat je daardoor alleen niet weerhouden.'

Het was ijskoud en sneeuwjachten dwarrelden door de lucht. Annie en de vier kinderen stonden voor een heteluchtkanon in hun trailer. Ze hielden elkaar vast, om warm te blijven en om zich voor te bereiden op hun laatste, roekeloze daad. 'Ik vind je echt aardig, Annie,' zei Jake. 'Ik wou dat de film niet bijna afgelopen was. Dadelijk moet ik weer naar school en met de leraren kun je vast niet zoveel lachen als met jou.' Isabel begon te huilen en Annie streelde haar haar. 'We zijn nog niet klaar,' zei Annie. 'We moeten deze scène nog doen en die wordt fantastisch.' Isabel wreef in haar ogen en dacht na over wat Annie gezegd had. 'Ja, het wordt best wel cool, denk ik,' gaf ze toe.

Omdat ze met hun beperkte budget het huis niet echt in brand konden steken, hadden Lucy en de producer en de setontwerper en een paar special effects-jongens besloten gewoon een gigantische brandstapel te maken, het vuur schuil te laten gaan achter dichte bomen en dan in het laatste shot, als Annie en de kinderen gevlucht waren en over de weg liepen, nog steeds de indruk te geven dat achter hen een enorme brand woedde en alles wat ze achterlieten in vlammen opging.

Iemand van de crew klopte op de deur van de trailer. Annie en de kinderen gingen naar buiten en de kou vrat zich meteen door hun huid heen. De kinderen jongleerden met tientallen heatpacks, met hun blote voeten in schoenen met zo'n dikke bontvoering dat het leek alsof er een dier binnenstebuiten was gekeerd. Lucy ging op haar knieën voor de kinderen zitten en legde uit hoe de scène zou verlopen en hoe zij om Annie heen moesten gaan staan. 'Denk eraan dat jullie zo dicht mogelijk bij Annie blijven,' zei ze. 'Zij is de enige die van jullie houdt en als jullie haar kwijtraken, kan niets jullie nog redden.' Ze leunde tegen Annie aan en zei: 'Je loopt gewoon weg bij de brand en kijkt niet meer om.'

De brandstapel was bijna onzichtbaar vanaf hun positie, aan de rand van het bos, maar toch deden Annie en de kinderen hun uiterste best om te kunnen zien hoe het hout, overgoten met benzine, plotseling in brand vloog en er een vuurbal de lucht in schoot. Ze voelden hoe de hitte door de bomen heen blies en langs hen heen streek. 'Ahh, lekker!' zei Caitlin. Iemand gaf Annie een teken en ze hielp de kinderen om hun jassen uit te doen en hun schoenen uit te schoppen. Lucy riep: 'Actie!' en Annie kwam het dichte bos uit en stapte de weg op, met Caitlin in haar armen, terwijl de andere kinderen zich aan haar kleren vastklampten. Annie wist dat achter haar een brand woedde; ze hoorde het knappen en knetteren van hout dat zijn vorm verloor en roodgloeiend in as veranderde. Ze plantte haar voeten in de sneeuw, stap na stap, met Caitlins armen om haar hals en ging de kinderen voor over een weg die oneindig leek. Ze staarden recht voor zich uit terwijl ze liepen: de wind blies sneeuw in hun gezicht, maar ze bleven stug doorlopen, in hetzelfde tempo, weg van het vuur dat alles dreigde te verzwelgen.

Lucy riep: 'Cut!' door haar megafoon. De kinderen lieten Annie meteen los en holden naar de warme trailer, maar Annie bleef op de weg staan. Lucy liep naar haar toe en haar gezicht weerkaatste het schijnsel van het vuur. Annie bleef roerloos staan terwijl Lucy dichterbij kwam, met haar armen uitgestrekt. Lucy omhelsde Annie en draaide haar toen om, zodat ze met haar gezicht naar het laaiende vuur stond, met de donkere bomen op de achtergrond. 'Is het niet prachtig?' vroeg Lucy, met haar hand op Annies schouder en Annie staarde naar de flakkerende vlammen. Ze verbaasde zich om alle chaos om haar heen, maar was geen seconde bang voor het vuur dat haar dreigde te verslinden. Het was prachtig, moest ze toegeven. Ze liet zichzelf echt van die aanblik genieten en begreep misschien wel voor de allereerste keer wat haar ouders bezield had. Ze staarde glimlachend voor zich uit, hield Lucy vast en keek naar het vuur dat zo te zien eeuwig zou blijven branden, alsof niets en niemand het ooit kon doven.

Ik wil graag de volgende mensen bedanken:

Leigh Anne Couch en Griff Fodder-wing Wilson, omdat ze mijn gezin zijn.

Julie Barer en Lee Boudreaux, vanwege al hun hulp bij het schrijven van dit boek. Ik kan me niet voorstellen dat het ooit verschenen zou zijn zonder hun input en steun.

Ann Patchett, vanwege haar onbegrensde vriendschap en omdat ze eerdere versies van dit boek heeft gelezen en het de juiste richting heeft opgeduwd.

Ma, pa, Kristen en Wes en de families Wilson, Couch, Fuselier, Baltz, Huffman en James, vanwege hun liefde en genegenheid.

Het Kimmel-Harding Nelson Center en Yaddo, waar ik delen van dit boek heb geschreven.

De University of the South en de Sewanee Writer's Conference, vanwege hun financiële steun bij het schrijven van dit boek en de levendige gemeenschap die de school vormt.

Ecco, en vooral Abby Holstein, vanwege al hun werk bij het publiceren van dit boek.

Al mijn vrienden, vooral Padgett Powell, Leah Stewart, Cecily Parks, Sam Esquith, Bryan Smith en Caki Wilkinson.

Colofon

De familie Fang van Kevin Wilson werd in opdracht van Uitgeverij De Harmonie gedrukt door Wilco te Amersfoort.

Omslag Rob Westendorp
Typografie Ar Nederhof
Oorspronkelijke uitgave *The Family Fang*, HarperCollins Publishers, New York, 2011

ISBN 978 90 6169 987 3

Eerste druk oktober 2011

www.wilsonkevin.com
www.deharmonie.nl